教育部人文社会科学研究项目（06JC790023）
江苏省高校哲学社会科学基金项目（05SJB790024）

转型期货币政策规则研究

ZHUANXINGQI
HUOBI ZHENGCE GUIZE YANJIU

卞志村 著

人民出版社

责任编辑:陈 登

图书在版编目(CIP)数据

转型期货币政策规则研究/卞志村著.
-北京:人民出版社,2006.12
ISBN 7-01-005998-5

Ⅰ.转… Ⅱ.卞… Ⅲ.货币政策-研究-中国 Ⅳ.F822.0

中国版本图书馆 CIP 数据核字(2006)第 153469 号

转型期货币政策规则研究
ZHUANXINGQI HUOBI ZHENGCE GUIZE YANJIU

卞志村 著

人民出版社 出版发行
(100706 北京朝阳门内大街 166 号)

北京市双桥印刷厂印刷 新华书店经销

2006 年 12 月第 1 版 2006 年 12 月北京第 1 次印刷
开本:710 毫米×1000 毫米 1/16 印张:17
字数:260 千字 印数:0,001-4,000 册

ISBN 7-01-005998-5 定价:36.00 元

邮购地址 100706 北京朝阳门内大街 166 号
人民东方图书销售中心 电话 (010)65250042 65289539

序

卞志村博士的这本专著《转型期货币政策规则研究》是在他的博士学位论文基础上修改完成的。写序之际,正值坚定的自由经济的旗手、1976年诺贝尔经济学奖得主、被人们普遍看做20世纪下半叶最具影响力的经济学家、货币主义的"教父"以及新自由主义经济学的主要代表人物、以"单一规则"而名闻天下的美国芝加哥大学教授米尔顿·弗里德曼永远离开了我们。因此,我想先简单谈谈货币主义学派和弗里德曼的主要学术思想,借以缅怀先辈并鞭策后进。

一、货币主义理论与政策主张

货币主义(Monetarism)是20世纪50—60年代在美国形成的一个经济学流派,也称货币学派或现代货币主义。货币主义在理论上和政策主张方面,强调货币供给量的变动是引起经济波动和物价水平发生变动的根本原因。卡尔·布伦纳于1968年使用"货币主义"一词来表达这一流派的基本特征,此后被广泛沿用于经济学文献之中。货币主义的代表人物在美国主要有弗里德曼、哈伯格、布伦纳和安德森等人,在英国有莱德勒和帕金等人。

货币主义的核心命题是货币在经济活动中最重要,主张货币发行增长率要保持一个不变的速度,以便让经济中的个体对通货膨胀有充分的预期,这种货币导向机制被称为"弗里德曼规则"。货币主义认为货币是重要的,货币存量的变化是解释货币收入变化的最主要原因,而通货膨胀在任何时候都应该是一种货币现象。

弗里德曼从20世纪50年代起,以制止通货膨胀和反对国家干预经济为主旨,向凯恩斯主义的理论和政策主张提出挑战。他在1956年发表《货币数量论的重新表述》一文,对传统的货币数量学说进行了新的论述,为货币主义奠定了理论基础。此后,弗里德曼和他的同事们利用美国有关国民收入和货币金融的统计资料,进行了大量经济计量学方面的研究工作,为他的主要理论观点提供了论据。弗里德曼还以一些实证的研究支持了货币主义关于货币存量的变化在周期性经济波动中发挥独立作用的观点。

自20世纪60年代末期以来,美国的通货膨胀日益严重,尤其是对于20世纪70年代初以后在发达资本主义国家出现的物价上涨与高失业率并存的"滞胀"现象,凯恩斯主义理论无法作出具有说服力的解释。人们寄予厚望的货币主义学派因此流行起来,弗里德曼的学术影响也日渐深远。1968年当选美国总统的理查德·尼克松决定让弗里德曼的经济思想在自己的经济政策中扮演重要角色,并用来治疗通货膨胀。

二、"货币数量说"与货币需求函数

弗里德曼在《货币数量论的重新表述》一文中指出,"货币数量说"这个词汇只是表示一种研究方法,而不是一个具有确定意义的理论的名称。弗里德曼认为,货币数量理论首先是一个关于货币需求的理论,并非关于产出、货币收入或价格水平的理论,因而他将全部研究工作的出发点从对预测现象的考察扩大到对消费者行为的分析中去,他运用"永久收入"和储蓄的"生命周期"概念,为现代货币主义理论奠定了基础。在这篇著名的论文中,弗里德曼在凯恩斯流动性偏好函数的基础上作了一些发展补充,建立了自己的货币需求函数。

货币需求函数是一个稳定的函数,意指人们自愿在身边贮存的平均货币数量,货币需求与决定它的为数不多的几个自变量之间存在着一种稳定的,并且可以借助统计方法加以估算的函数关系。弗里德曼认为最

序

好的政策方针是使货币供给量始终按照一种事先规定的固定不变的比率,比如每年4%的速度增长。政府应该放弃对经济进行微调而代之以"坚持固定的规则",避免干预自由的市场。

弗里德曼在1963年出版的《1867—1960年美国货币史》中估算出两个经验数据。其一是货币需求的利率弹性为—0.15,即利率增(减)1%,人们对货币的需求量就减少(增加)0.15%,认为利率的变化对货币流通速度的影响是微不足道的。另一个数据是货币的收入弹性为1.8,即人们的收入增(减)1%,对货币的需求量将增加(减少)1.8%,这就意味着从长期趋势来看,货币的收入流通速度将随着国民收入的增长而有递减的趋势。

货币主义认为引起名义国民收入发生变化的主要原因在于货币当局决定的货币供给量的变化。假如货币供给量的变化会引起货币流通速度的反方向变化,那么货币供给量的变化对于物价和产量会发生什么影响,将是不确定的、无法预测的。弗里德曼突出强调货币需求函数是稳定的函数,在于尽可能缩小货币流通速度发生变化的可能性及其对产量和物价可能产生的影响,以便在货币供给量与名义国民收入之间建立起一种确定的可以作出理论预测的因果关系。弗里德曼认为,在短期内,货币供给量的变化主要影响产量,部分影响物价;但在长期内,产出量完全是由非货币因素(如劳动力和资本的数量、技术状况等)决定的,货币供给量只决定物价水平。

弗里德曼强烈反对国家干预经济,是一位彻底的自由主义战士,他主张实行一种"单一规则"的货币政策。这就是把货币存量作为惟一的政策工具,由政府公开宣布一个在长期内固定不变的货币增长率,这个增长率应该是在保证物价水平稳定不变的条件下,与预计的实际国民收入在长期内会有的平均增长率相一致。但值得注意的是,促使弗里德曼和他的同事们反对凯恩斯主义的最终动力并不是关于货币理论方面的分歧,而是芝加哥传统——即政治保守主义和经济自由主义与凯恩斯主义政府干预主张的对立。两派争论的焦点在于:市场经济能否自动趋向充分就业的均衡,以及货币是不是影响经济波动的主要因素。

三、英国的"货币主义试验"

尽管尼克松总统采用了弗里德曼以及货币主义学派的政策建议,然而货币主义的疗效并不像人们期待的那么显著。令人欣慰的是,货币主义的思想却在英国获得了成功。20世纪70年代,英国物价高涨、生产停滞、失业率居高不下。1979年,54岁的玛格丽特·撒切尔出任英国首相,她高举自由经济的旗帜,大刀阔斧地改革政府管制,并亲自主持了英国的"货币主义试验"。

撒切尔首相借用货币主义的政策抑制通货膨胀。上任当年,为控制货币供应量,一举削减了10亿英镑的国债,将银行的准备金率提高到10%,把最低贷款利率提高到17%。紧缩的货币政策,一时间使经济更加低迷、失业更为严重,这种"置之死地而后生"的做法,当时是公众难以接受的。1981年3月30日,英国364名经济学家在《泰晤士报》联名发表公开信,对此政策加以抨击。

但是,撒切尔首相并没有妥协,因为这一结果早在她的预料之中。当年底英国经济增长几近谷底,失业人数达250万。然而当英国经济痛苦地走过这个"拐点"后,生产渐渐复苏,物价开始回落。撒切尔首相的做法最终是有惊无险,闯过了难关。

1984年,英国按照最狭义的货币M_0来控制货币发行,紧缩性的货币政策使金融形势趋于好转。1985年11月起,为促使经济繁荣,政策调控的重心从原来的货币供给转向了汇率。一方面,将英镑和坚挺的德国马克挂钩;另一方面,大量买进外汇,并通过降低利率来阻止外资涌入,以降低汇率,而低汇率与低利率,又推动了投资。到20世纪80年代末,英国通货膨胀率降到了4.9%,经济增长显著。撒切尔夫人的货币主义试验最终获得成功,当然也为弗里德曼的货币主义思想提供了最有说服力的实践佐证。

四、货币主义思想在中国的困境

中国目前以货币供应量作为货币政策中介目标的事实足以让弗里德

序

曼先生含笑九泉。作为弗里德曼的重要"遗产"之一,货币供应量作为中国中央银行的货币政策中介目标已有十多年历史。1993年,前美联储主席格林斯潘在国会听证会上宣布,美联储不再将包括 M_2 在内的货币总量作为货币政策目标,而正是此时,中国则小心翼翼地从美国接过弗里德曼的火炬,首次向全社会公布货币供应量指标,并从1996年正式将货币供应量确定为货币政策中介目标。

但遗憾的是,货币供应量作为货币政策中介目标,近年来在中国受到了越来越多的质疑。有数据表明,作为中介目标的货币供应量,其可控性、可测性及相关性都已经偏离了中国的预期目标。事实上,从1996年中国正式确定 M_1 作为货币政策中介目标,M_0 和 M_2 作为观测目标开始,货币供应量的增长目标值几乎从未实现过。

今年以来的宏观经济数据,再次强化了这种质疑:截至2006年10月末,广义货币供应量 M_2 增长17.1%,偏离年初确定的目标一个多百分点;与该项指标偏离相对应的是,贷款规模同比多增2.78亿,比年初确定的全年目标多出0.28亿元。可以想像的是,如果不是下半年中央银行"急刹车",甚至不惜在半年中三次提高法定存款准备金率,M_2 和贷款增长的程度会更大。与此相对应的是,2006年前三个季度GDP增长10.7%,其中三季度为10.4%,国家发改委主任马凯预计2006年全年的GDP将突破20万亿人民币,增长10.5%,这将远远偏离年初温家宝总理宣布的8%的增长目标。

当然,导致中国货币供应量可控性趋弱的原因相当复杂。一方面,目前中国基础货币投放完全依赖国际收支顺差,中央银行的公开市场操作多是对冲性或防御性操作,对基础货币投放难以完全主动控制;另一方面,由于目前中国经济和金融还处于转轨时期,商业银行和社会公众对货币需求的变化,使得货币乘数很不稳定。在当前的国际收支形势下,外汇占款恐怕还仍将是中国基础货币投放的主渠道,加上人民币汇率难以大幅浮动,中央银行仍将被动地回笼货币,很难将货币政策中介目标转向利率或通货膨胀目标。

一般而言,货币政策操作方式中的所谓"规则",是指在货币政策予以实施之前,事先确定并据以操作政策工具的程序或原则,如弗里德曼主张的"单一规则";"相机抉择"则指中央银行在操作政策工具过程中不受任何固定程序或原则的束缚,而是依据经济运行态势灵活取舍,以图实现货币政策目标。自从1984年中国人民银行正式履行中央银行职能以来,我国货币政策操作方式一直处于不断摸索的过程之中,具有浓厚的"相机抉择"的色彩,尤其在1993年的金融体制改革之前更是如此。相机抉择的货币政策呈现出"松—紧—松"的态势,经济运行总是处于"过冷"或"过热"的交替之中。近年来,中国货币政策操作方式已经开始出现明显变化。目前,无论是决策部门还是研究部门,都渐渐形成了"不能依靠货币刺激经济增长"的观点,主张货币政策操作应按"规则"行事。中国人民银行从1993年开始按季度公布M_1和M_2的增长率,并于1996年正式将货币供应量作为货币政策的中介目标,无疑是在货币政策规则探索上的一个很大进步。然而,在现实运作中,以货币供应量为中介目标出现较多问题,如:货币供应量与宏观经济指标的相关性有所降低,货币供应量的可控性降低,货币供应量的统计不完全等问题。面对这种情况,单一固定规则显得过于僵化,固定规则与相机抉择之间灵活度与可信度的冲突尤为明显。因此,选择正确的政策操作规则,对于宏观调控决策者来讲十分重要。从这种意义上说,卞志村博士对转型期中国货币政策规则问题的研究无疑具有重要的现实意义。

卞志村博士的这本专著运用大量宏观经济学的理论模型及计量分析方法对转型期中国货币政策操作规范的"规则与相机抉择"问题进行了系统的研究,实证检验了现阶段货币政策的操作规范,并对转型期中国货币政策规则的选择提出了对策建议。该书的选题是货币经济学的前沿性课题,也是中国提高宏观金融调控效率必须解决的问题。作者阅读分析了大量的相关文献,密切结合中国实际,对中国货币政策规则进行了系统而又深入的研究,具有较高的学术价值。该书至少在三个方面值得肯定:第一,作者构建了一个时间视角的分析框架,将货币政策规则的研究纳入其

序

中,这种分析框架是科学的,具有创新性;第二,作者运用货币政策状态模型,实证模拟了中国规则型货币政策操作的效果,这在国内学术界是首创;第三,作者提出的在货币政策操作中规则优于相机抉择,但应将相机抉择的优势吸收到规则中来的思想亦具有创新价值。

总之,该书在中国转型期背景下对货币政策规则问题的研究具有重要的理论价值和现实意义。主题鲜明,方法科学,思路清晰,逻辑严密,分析透彻,文笔流畅,反映了作者具有扎实的经济学理论基础和良好的背景知识。人民出版社出版卞志村博士的专著是对他在学术研究上努力探索的一种肯定,更是一种鼓励。我期待着卞志村博士在今后的学习工作中能不断进取,获得更大成就。

2006 年 11 月 28 日

前　言

货币政策的功能在于通过货币政策工具的操作有可能实现中央银行特定的货币政策目标,无论这一目标是物价稳定还是经济增长或是其他,其最终效果均与货币政策的操作方式密不可分。根据现代宏观经济理论,货币政策的操作规范有两大基本类型:"相机抉择(discretion)"和按"规则(rule)"行事。

货币政策操作规范的"规则与相机抉择"之争,迄今至少已有150多年的历史。20世纪初,相机抉择的货币政策运行得相当成功,特别是凯恩斯经济学诞生以后,"规则与相机抉择"之争一度呈现出一边倒的趋势。当基德兰德和普雷斯科特(Kydland & Prescott,1977)首次将"时间非一致性(Time Inconsistency)"概念引入了宏观经济学后,引发了新一轮的"规则与相机抉择"之争。这次争论的结果使得大多数人都支持实行货币政策规则而不是相机抉择。

货币政策规则理论的不断发展与演化,以及20世纪90年代西方国家货币当局在执行货币政策的实践中所遇到的问题,为我国货币政策的制定与执行提供了极有价值的借鉴。在此基础上,本书的研究回答了有关转型期中国货币政策操作的三大问题:中国当前的货币政策操作实践究竟是"相机抉择型"操作还是"规则型"操作?对中国来说,哪一种货币政策操作规范更优?如果是"规则型"货币政策更优,我们应选择何种规则?

从理论上来说,规则之所以优于相机抉择,是因为相机抉择不仅具有时间非一致性的特点,而且还会造成通货膨胀偏差。通过对中国转型期的货币政策操作实践进行的简要回顾可以看出,中国当前的货币政策操作是一种"相机抉择"和"规则"混合的操作方式,我们在感觉到中国货币政策明显的相机抉择特征的同时也看到了诸如公布货币供应量的年度增长率目标等规则性特征。本书第三章首先通过构建货币政策状态模型,分离出中国货币政策中的相机抉择性成分和规则性成分,并利用 VAR 分析了两种货币政策成分对中国产出增长率和通货膨胀率的影响程度,结论是中国转型期的货币政策操作是以"相机抉择"型政策为主的(辅之以"规则"型政策)。为了回答中国的货币政策操作是否应该由当前的相机抉择型向规则型转型这一现实问题,本书模拟了规则型货币政策操作的动态效果。结果表明,如果中国的货币政策操作实现了由相机抉择型向规则型的转型,中国的产出增长率和通货膨胀率的波动将分别下降 17.27% 和 15.87%,从损失函数的角度来说,这将明显增强中国的社会福利水平。因此,尽快实现"相机抉择"型货币政策操作向"规则"型货币政策操作的转型,应是我国中央银行的明智选择。

本书第四章对当前最流行的工具规则——泰勒规则进行了实证研究。泰勒规则假定,货币当局运用货币政策工具围绕两大关键目标函数,即实际通货膨胀率和目标通货膨胀率之间的偏离程度以及实际产出水平和潜在产出水平之间的偏离程度。虽然这个规则非常简单且易于操作,但仍然能够从中把握货币当局政策调整的本质意图。通过对以美国为研究对象的三项典型研究结果的回顾,笔者发现美国货币政策的重点和许多国家一样发生了转移,即都对通货膨胀施加了较大的权重。在对泰勒规则在中国的表现进行实证分析时,本书分别采用了 GMM 方法和协整检验法进行了估计。结果均表明,我国银行间同业拆借利率的走势基本符合泰勒规则的特征。实证研究的结果显示中国的利率反应函数中对通胀缺口的反应系数大致在 0.4—0.5 左右,明显小于 1,故中国的泰勒规则是一种不稳定规则。因此,泰勒规则并不适合在中国运用,其最主要的原因可能在于利率市场化改革并未最终完成以及我国特殊的有管理的浮动汇率制度。

第五章对当今世界最流行的目标规则——通货膨胀目标制进行了理论和实证分析。本书首先介绍了代表性国家通货膨胀目标制的实践情况,通过对采用通货膨胀目标制国家在实行这一全新货币政策框架前后的平均通货膨胀水平的比较,笔者发现,通货膨胀目标制的政策框架对于有效控制通货膨胀确实起到了很好的作用。尽管对通货膨胀目标制究竟是一种货币政策规则还是一种全新的货币政策框架仍然存在着不同的意见,但学术界至少对通货膨胀目标制的下列特征是有共识的:第一,明确规定一个数量化的通货膨胀目标;第二,货币政策操作应该有相当高的透明度;第三,中央银行对通货膨胀目标的实现承担责任。另外,通过对实行通货膨胀目标制的代表性国家的分析,我们可以发现通货膨胀目标制是一个包括操作工具、操作目标、信息变量和最终目标在内的有关货币政策制定和实施的系统。通过对中国实际数据的分析,笔者发现灵活通胀目标制规则在当前中国的货币政策实践中还不是非常适合。这一实证研究结果与笔者对通货膨胀目标制在中国的适用性分析的结论是一致的。

本书第六章将研究视野放宽到了开放经济中,分析了开放经济下的最优货币政策规则以及 MCI 的作用。扩展的 Svensson-Ball 模型分析说明,通货膨胀目标制和泰勒规则都是次优的,除非对它们进行一些重要的修正。这是由于货币政策不仅通过利率渠道传导,而且会通过汇率渠道影响经济,经济的开放程度越大,货币政策的汇率传导机制的作用也就越大。特别地,如果政策制定者最小化产出和通胀方差的加权和,开放经济下的最优货币政策工具就是同时基于利率和汇率的 MCI。为了判断货币政策的汇率传导机制在中国的表现情况,本书分别估计了中国开放经济下的 IS 曲线和菲利普斯曲线,并发现中国货币政策的汇率传导机制既不是影响中国产出水平的主要渠道,也不是影响中国通货膨胀率的主要渠道。在此基础上,笔者构建了中国的实际货币状况指数和名义货币状况指数,并分别分析了实际货币状况指数与产出增长率的关系以及名义货币状况指数与通货膨胀率的关系。结果表明,第一,中国的实际

MCI 与产出增长率的关系非常复杂,两者之间的相关系数只有—0.1638。如果按照实际 MCI 进行货币政策操作,在大多数时候会错误地加大经济的波动。所以,从真实经济增长的角度来说,开放经济下基于 MCI 的货币政策操作方式不适合中国。第二,中国的名义货币状况指数与通货膨胀率走势是高度吻合的,它们之间的相关系数高达—0.8971。故从对通货膨胀进行监测的角度来讲,名义 MCI 可以提供较准确的信息,有利于中央银行对通货膨胀进行适时调节。也就是说,基于传统 MCI 的货币政策操作在中国是行不通的,但可用名义 MCI 来监测通货膨胀率的变动情况。

传统 MCI 为什么在中国行不通?是不是传统 MCI 本身就存在重要缺陷?第六章进一步的理论研究表明,将实际汇率权重取决于需求弹性之比的传统 MCI 是错误的(完全关注产出稳定的极端情形除外),传统 MCI 并不是货币状况的可靠指示器。尽管传统的 MCI 在中国的表现并不好,但由于中国人民币汇率的市场化改革方向是既定的,将来的汇率变动也一定会更加富有弹性。因此,将 MCI 作为我国货币政策操作的参考指标也是必要的选择。特别是 MCI 能对我国的通货膨胀走势提供准确的信息反映,将 MCI 作为我国货币政策操作的一个参考指标,会有利于我们控制通货膨胀水平,并最终提高货币政策操作的效率。

本书第三章的实证研究结果表明,如果中国的货币政策操作能成功实现由当前的相机抉择型操作向规则型操作的转型,就能有效地减少中国经济在转型过程中的波动,促进转型期的中国经济沿着持续、健康、稳定的增长路径向前发展,并能明显提高全社会的福利水平。但第四章和第五章通过对当今世界最为流行的货币政策规则——泰勒规则和通货膨胀目标制规则的系统研究,笔者得出的结论是这两种规则都不能很好地适合转型期的中国经济实际。第六章对开放经济下的最优货币政策规则以及 MCI 的作用进行了理论和实证分析,结果表明传统的 MCI 在中国的表现并不理想。那么,转型期的中国究竟应采用什么样的货币政策规则呢?对这一问题的回答是全书的研究结论。

前　言

　　尽管泰勒规则和通货膨胀目标制规则目前在中国的适用性都不强，但这并不意味着这两大流行规则永远不能在中国使用。随着中国利率市场化改革和汇率体制改革的继续深入，随着各层次经济主体预算约束的强化，随着中国中央银行货币政策可信度和透明度的进一步提高，泰勒规则和通胀目标规则在中国的适用性一定会不断增强。但在泰勒规则和通胀目标规则之间，我们是不是应该作一取舍呢？第七章通过对这两大规则在中国的拟合效果对比，发现通货膨胀目标制是远远优于泰勒规则的。这说明，中央银行要想提高对宏观经济的把握能力，及时准确地获取宏观经济信息，应该选择通货膨胀目标制。所以，中国中央银行应积极创造实行通货膨胀目标制货币政策框架的各种条件，以最终实现向通货膨胀目标制的转型。

　　虽然中国目前还不能立即实行通货膨胀目标制，但当前的"相机抉择"型货币政策操作已不能再维持下去，为了提高中国经济运行的质量，降低中国的宏观经济波动，我们应该寻找一种过渡安排，以尽快实现中国的"规则性"货币政策成分对经济运行发挥主导影响作用。本书最后通过一个简单的前瞻性模型分析了中国转型期最优货币政策规则的过渡安排，认为从损失函数的角度来说，混合名义收入目标和严格通胀水平目标是无差异的。因此，我国应考虑采用混合名义收入目标框架，作为向通货膨胀目标制转型的过渡期安排，既重视产出，也重视通货膨胀，以促进我国经济的协调健康稳定发展。

目　录

序 …………………………………………………………………………… 1
前　言 ……………………………………………………………………… 1
1　导　论 …………………………………………………………………… 1
　　1.1　问题的提出：货币政策操作规范之争 ………………………… 1
　　1.2　本选题的理论意义和现实意义 ………………………………… 8
　　1.3　本书研究的基本思路与方法 …………………………………… 11
　　1.4　本书的创新之处、不足与困难 ………………………………… 15
2　货币政策规则：历史演进及文献评述 ………………………………… 18
　　2.1　货币政策规则的一般设计 ……………………………………… 19
　　2.2　货币政策规则的历史演进 ……………………………………… 22
　　2.3　时期视角的货币政策规则 ……………………………………… 26
　　本章小结 ……………………………………………………………… 39
3　规则还是相机抉择：转型期中国货币政策操作规范的选择 ………… 42
　　3.1　规则还是相机抉择：理论分析 ………………………………… 42
　　3.2　转型期中国货币政策操作实践的回顾 ………………………… 53
　　3.3　中国货币政策规则性和相机抉择性的实证判断 ……………… 68
　　3.4　规则型货币政策操作的动态模拟 ……………………………… 82
　　3.5　由相机抉择向规则的转型：转型期中国货币政策
　　　　 操作规范的现实选择 …………………………………………… 88

本章小结 …………………………………………………… 91
　　本章附表 …………………………………………………… 93

4　泰勒规则(工具规则):实证问题及在中国的检验 …………… 95
　4.1　泰勒规则的提出 ………………………………………… 95
　4.2　泰勒型规则的实证问题 ………………………………… 97
　4.3　泰勒型规则的估计 ……………………………………… 102
　4.4　泰勒规则在中国的检验 ………………………………… 111
　4.5　泰勒规则在中国的适用性分析 ………………………… 122
　　本章小结 …………………………………………………… 124

5　通货膨胀目标制(目标规则):理论、实践及在中国的检验 …… 126
　5.1　通货膨胀目标制的实践与效果 ………………………… 126
　5.2　实施通货膨胀目标制的理论分析 ……………………… 136
　5.3　通货膨胀目标制的特征与基本要素 …………………… 142
　5.4　通货膨胀目标制在中国的实证检验 …………………… 146
　5.5　通货膨胀目标制在中国的适用性分析 ………………… 154
　　本章小结 …………………………………………………… 159
　　本章附录 …………………………………………………… 161

6　开放经济下的货币政策规则:理论及 MCI 的作用 …………… 164
　6.1　开放经济下的最优货币政策 …………………………… 164
　6.2　中国货币状况指数的构建及运用 ……………………… 176
　6.3　开放经济下 MCI 的作用——进一步的研究 …………… 189
　6.4　MCI 在中国的意义 ……………………………………… 197
　　本章小结 …………………………………………………… 198

7　转型期的中国货币政策规则:选择与过渡 …………………… 200
　7.1　转型期中国货币政策规则的选择:基于拟合效果的分析 …… 200

目 录

7.2　转型期中国货币政策规则的过渡安排 …………………… 210

7.3　积极创造条件，适时实行通货膨胀目标制 ………………… 219

本章小结 …………………………………………………………… 224

参考文献 ………………………………………………………… 226

后　记 …………………………………………………………… 245

图 表 索 引

图 1-1　本书的研究思路 ································· 12
图 3-1　时间非一致性与最优均衡 ······················· 46
图 3-2　相机抉择下的均衡通货膨胀水平 ················ 52
图 3-3　规则性和相机抉择性货币政策成分对 GRGDP 的冲击 ······ 76
图 3-4　规则性和正负向相机抉择性货币政策成分
　　　　对 GRGDP 的冲击 ·························· 77
图 3-5　规则性和相机抉择性货币政策成分对通货膨胀的冲击 ····· 79
图 3-6　规则性和正负向相机抉择性货币政策成分
　　　　对通货膨胀的冲击 ·························· 81
图 3-7　真实产出增长率实际值和模拟值的对比 ············ 87
图 3-8　通货膨胀率实际值和模拟值的对比 ················ 87
图 4-1　1994 年以来中国的真实 GDP 与潜在 GDP ········· 114
图 4-2　1994 年以来中国的 GDP 缺口 ····················· 115
图 4-3　1994 年以来中国的通货膨胀率 ··················· 116
图 4-4　泰勒规则对利率的拟合情况 ······················ 121
图 5-1　通货膨胀目标制的操作流程 ······················ 144
图 5-2　通货膨胀目标制框架的基本要素 ·················· 145
图 5-3　w 的数值及走势 ································ 152
图 5-4　w 的相关图 ····································· 153
图 5-5　我国各种物价指数的走势情况比较 ················ 158

图 6-1 产出方差—通胀方差边界(目标函数＝Var(y) +μVar(π)) ……………………………………………… 170

图 6-2 盯住 π^L 的效果 …………………………………………… 175

图 6-3 人民币实际汇率指数走势图 ……………………………… 181

图 6-4 人民币实际利率走势图 …………………………………… 182

图 6-5 中国的实际货币状况指数与真实产出增长率 …………… 185

图 6-6 中国的名义货币状况指数与通货膨胀率 ………………… 188

图 6-7 经济供给因素的影响 ……………………………………… 194

图 7-1 通货膨胀目标制对利率的拟合情况 ……………………… 206

图 7-2 通货膨胀目标制对通货膨胀率的拟合情况 ……………… 206

图 7-3 通胀目标制和泰勒规则对利率拟合情况的比较 ………… 208

图 7-4 不同 b 值情况下 λ 和 δ 之间的关系
（$b=0.1, 0.25, 0.9$）……………………………………… 216

表 2-1 货币政策规则的历史回顾 ………………………………… 22

表 2-2 实行通货膨胀目标制的国家一览 ………………………… 35

表 3-1 1993—1997 年的货币政策调控效果 ……………………… 56

表 3-2 1996 年以来中国利率调整情况一览表 …………………… 58

表 3-3 1998—2002 年的公开市场操作情况 ……………………… 59

表 3-4 1998—2002 年的货币政策调控效果 ……………………… 60

表 3-5 2003—2005 年的公开市场操作统计 ……………………… 61

表 3-6 1996 年以来的利率市场化改革 …………………………… 62

表 3-7 2003 年以来的货币政策调控效果 ………………………… 67

表 3-8 规则性和相机抉择性货币政策成分对 GRGDP 影响的预测方差分解 ……………………………………………… 76

表 3-9 规则性和正负向相机抉择性货币政策成分对 GRGDP 影响的预测方差分解 ………………………………… 78

表 3-10 规则性和相机抉择性货币政策成分对通货膨胀影响的预测方差分解 …………………………………… 80

图表索引

表 3-11	规则性和正负向相机抉择性货币政策成分对通货膨胀影响的预测方差分解	81
表 3-12	模拟的规则型货币政策对 GRGDP 影响的预测方差分解	84
表 3-13	模拟的规则型货币政策对通货膨胀影响的预测方差分解	85
表 3-14	规则型货币政策操作的动态模拟效果	86
表 4-1	泰勒(1999b)的估计结果	105
表 4-2a	Judd 和 Rudebusch(1998)的估计结果	106
表 4-2b	Judd 和 Rudebusch(1998)的估计结果	106
表 4-2c	Judd 和 Rudebusch(1998)的估计结果	107
表 4-3a	CGG(2000)的估计结果	109
表 4-3b	CGG(2000)的估计结果	109
表 4-4	泰勒规则在中国的 GMM 检验结果	118
表 4-5	各变量序列的 ADF 检验结果	119
表 4-6	各变量之间的 Johansen 协整检验结果	120
表 5-1	几个西方发达国家通货膨胀目标制的主要内容	132
表 5-2	实施通货膨胀目标制前后的平均通胀水平比较	135
表 6-1	各国(地区)货币状况比率的取值	177
表 6-2	中国开放经济下 IS 曲线的回归结果	183
表 6-3	中国开放经济下菲利普斯曲线的回归结果	187
表 7-1	灵活通胀目标制的 VAR 估计结果	204
表 7-2	通胀目标制和泰勒规则对利率的预测精度比较	210

符 号 注 释

因子

因子全部写作罗马数字形式：

$E[x]$ x 的无条件期望

$E_t[x_{t+i}], E_t x_{t+i}$ x_{t+i} 在时点 t 信息上的条件期望

$L^i x = x_{t-i}$ 时滞因子

$\Delta x_t = x_t - x_{t-1}$ 一阶差分因子

符号

M 名义货币供给总量

m 名义货币供给的对数

Y 总产出

y 总产出的对数

P 总体物价水平

p 总体物价水平的对数

π 通货膨胀率

π^* 社会最优通货膨胀率

B 基础货币

b 基础货币的对数值

δ 贴现因子：$0 < \delta < 1$

t 时间指数

i		名义利率
r		实际利率
R		长期实际利率
i^f		联邦基金利率(短期政策利率)
E		名义汇率
e		对数名义汇率
q		对数实际汇率
T		用作上标时表示目标变量
a		意外通货膨胀的产出效应
上标 *		表示外国的相应变量或某变量的目标值
λ		中央银行目标函数中产出所占权重
k		目标产出与自然率水平之间的偏差
u		供给冲击
v		需求冲击或货币流通速度冲击
α		对通胀缺口的反应系数
β		对产出缺口的反应系数
σ_x^2		指定变量 x 的方差符号
ρ		渐近调整系数

1 导 论

1.1 问题的提出：货币政策操作规范之争

货币政策的功能在于通过货币政策工具的操作有可能实现中央银行特定的货币政策目标，无论这一目标是物价稳定还是经济增长或是其他，其最终效果均与货币政策的操作方式密不可分。根据现代宏观经济理论，货币政策的操作规范有两大基本类型："相机抉择（discretion）"和按"规则（rule）"行事。

所谓"相机抉择"，是指中央银行在货币政策操作过程中不受任何固定程序或原则的约束，而是依据经济运行态势灵活地进行"逆经济风向"调节，以期实现货币政策目标。例如，当通货膨胀达到一定程度时，中央银行可以采取紧缩性的货币政策以抑制过热的经济；而当失业率太高时，中央银行就可以采取扩张性的货币政策来刺激经济增长，从而提高就业水平。

所谓"规则"[①]，是指在货币政策实施之前，事先确定据以操作货

---

① 事实上，经济学家对货币政策规则的概念存在着不同的认识。以弗里德曼为首的货币主义学派将政策规则看成是对政策工具的固定设定。Kydland & Prescott (1977) 将政策规则定义为货币政策动态优化问题的最优解。类似地，Barro & Gordon (1983) 以及 Blanchard & Fischer (1989) 则分别将政策规则定义为货币政策动态优化问题的规则解和预先承诺解。泰勒（Taylor, 2000）认为"所谓的货币政策规则不过是一项应急性计划，该计划尽可能清晰地规定中央银行改变货币政策工具的细节，这一规则包含三个基本要素：一是货币政策工具；二是货币政策工具是如何随目标变量（如通货膨胀和产出缺口等）的改变而改变的，即必须明确规定货币政策工具的反应函数；三是货币政策规则是应急计划，是针对未来通货膨胀以及产出缺口发生变化时，对政策工具如何调整所作出的规定。

币政策的程序或原则，即无论发生什么情况，中央银行都应按照事先确定的规则进行操作。按"规则"行事的目的在于消除频繁的相机抉择本身可能引起的经济波动，让经济以其自身的稳定性抵御来自其他方面的干扰，以保证币值稳定，并实现经济的长期稳定增长。

货币政策操作规范的"规则与相机抉择"之争，迄今至少已有150多年的历史（Fischer，1990），最早可追溯至19世纪中叶的通货学派与银行学派的学术争论。通货学派断言货币供给是引起经济波动的直接原因，认为"货币管理政策应该具有自己特定的原则……而不是为了应付金融恐慌……这种原则能够通过固定的规则而加以衡量或调节"（Loyd，1837），故他们赞成对英格兰银行的银行券要求100%的边际储备[①]。而银行学派则持反对意见，认为与真实贸易需求有关的信用扩张是无害的，因此货币供给可以不受固定发行规则的约束，故他们极力反对皮尔法案作出的对英格兰银行发行银行券的限额规定。

20世纪初，相机抉择的货币政策运行得相当成功，特别是凯恩斯经济学诞生以后，"规则与相机抉择"之争一度呈现出一边倒的趋势。相机抉择是凯恩斯经济学的一个核心内容。凯恩斯认为，对于宏观经济运行，政府不应无所作为，它能够并且应该通过需求管理来调控经济，即采用"逆经济风向"的调控政策。宏观经济政策的方向是针对宏观经济状态行事的，在任何时点上的经济政策不是固定不变的，而是取决于具体的经济运行状态。在1929年的大危机过程中，许多国家对于如何摆脱经济危机感到束手无策，凯恩斯政府干预的建议提出后，很快就成为西方国家摆脱经济衰退及战后重建的一剂良药，收到了很好的调控效果。然而好景不长，到了20世纪70年代，相机抉择的思想在"滞胀"的大环境下严重受挫。以弗里德曼为代表的货币主义学派认为，相机抉择的货币政策只能在短期内提高产量和就业水平，在长期是无效的，并

[①] 反映着通货学派观点的英国《1844年银行法案》（即皮尔法案）在银行发行信用货币问题上设定了严格的限额，并要求所有的其余英格兰银行券都必须有100%的黄金支持（白银可构成准备金的1/5，但英国于1850年后不再进行白银交易）。

1 导　论

且相机抉择的货币政策会导致经济的不稳定和周期性的偏差，因此要稳定经济就只能采用规则的货币政策（Friedman，1968），如"k 百分率规则"。其实，在弗里德曼之前，西蒙斯（Simons，1936）就对规则提供了经典性的论证。在他那篇《货币政策的规则与当局之争》（Rules versus Authorities in Monetary Policy）的经典论文中提到了这个问题：

当前，货币问题突出地成为对自由主义理念重大的知性挑战……自由主义纲领要求，我们的经济生活应大部分由经济个体依一定的规则参与游戏而组织起来……对于一个以企业自由为基础的系统能否存在来说，货币方面一定的、稳定的、具有法律效力的游戏规则有着至高无上的重要性。

西蒙斯对此问题的提法是规则与当局之争，其实就是规则与相机抉择之争。西蒙斯把规则胜于相机抉择的思想视为"古典自由主义"思想的一部分，"规律性的规则"胜于权威者主观决定的规则与这样的思想是相近的。西蒙斯宣称：理想的规则是冻结 M_1，这差不多就是弗里德曼得到的理想规则。

如果说货币主义还承认相机抉择在短期有效的话，理性预期学派则完全否定了相机抉择的作用。理性预期学派认为，只有出乎公众预料的货币扩张才能增加产出，意料之中的货币扩张只能导致通货膨胀，不能增加产出和就业。货币扩张只有引起实际利率和实际工资的下降时，产出才会增加。但由于扩张性货币政策通常会导致物价的上升，公众知道这会降低其未来收入的实际购买力，于是在预期到中央银行将会推行扩张性货币政策时，他们就会要求提高工资以保证未来收入的购买力不变；同时，银行会提高名义利率，企业也会相应地提高产品售价。这样一来，只要社会公众的预期是理性的，实际工资和实际利率就不会发生任何变化。因此，扩张性货币政策是不能增加产出和就业的，只能带来通货膨胀。所以，理性预期学派也强调政府应推行货币政策规则，相机抉择是不可行的。

凯恩斯主义经济学家仍然赞同政府的经济干预并支持相机抉择。他们认为，当未预料到的经济扰动出现时，货币当局仍然固守规则是不明智的，而相机抉择的货币政策却十分灵活，可在经济扰动出现时进行相应的微调以增进社会福利。就此而言，相机抉择要优于按规则行事。这是由于在规范研究的层面上，弗里德曼的分析始终存在着逻辑上的弱点：如果某一项具体的规则可以使经济波动稳定下来，那么相机抉择的政策制定者也一定能做到这一点，同时还保持着在需要的时候改变规则的灵活性[①]。这种争论一直持续到 20 世纪 70 年代后期（王芳，2002）。

基德兰德和普雷斯科特（Kydland & Prescott，1977）首次将"时间非一致性"（Time Inconsistency）的概念引入了宏观经济学[②]，从而引发了新一轮的"规则与相机抉择"之争。所谓的"动态非一致性"，是指政策当局在 t 时刻按最优化原则制定一项 $t+n$ 时执行的政策，但这项政策在 $t+n$ 时却不是最优的。巴罗和戈登（Barro & Gordon，1983）最早将这一概念引入货币政策的研究，他们认为，时间非一致性的存在导致初始的政策承诺是不可信的。对于货币政策来说，如果中央银行采用相机抉择的货币政策，则低通胀的政策承诺是不可信的。自基德兰德和普雷斯科特的论文发表后，学术界关于规则和相机抉择的讨论出现了一边倒的倾向：大多数人都支持实行货币政策规则而不是相机抉择。

人们为什么更加倾向于规则而不是相机抉择？以前，人们一般将经济政策划分为所谓的积极（activist）政策和非积极（non-activist）政策两类。前者是指政策制定者对当前经济状况的变化反应积极，而后者一般没有反应。典型的非积极政策就是按规则行事；积极政策往往就是指相机抉择，即所谓的"逆经济风向而动"。由于按规则行事的预期成本可能会抵消其收益，直到 1983 年中央银行都未青睐于这种非积极的

---

① 不过，弗里德曼（1962）确实曾经通过与《人权法案》的类比，解释了为什么规则会优于相机抉择的问题。

② 由于基德兰德和普雷斯科特对经济政策的时间一致性和真实商业周期理论的贡献，他们共同获得了 2004 年度诺贝尔经济学奖。

1 导 论

政策。巴罗和戈登（Barro & Gordon, 1983）的论文将基德兰德和普雷斯科特（Kydland & Prescott）1977 年有关规则和相机抉择问题的开创性工作引入了一个令经济政策制定者深信不疑的框架。中央银行仍然可以执行一种货币政策规则，即预先确定根据信息变量的变化而作出的反应。只要规则是可信的、透明的且易于操作，中央银行拥有敏感的声誉，巴罗—戈登通胀偏差（inflation bias）就完全可以避免。这样一来，传统的积极与非积极政策之争就被规则和相机抉择之争取代了（McCallum, 1999）。

有关规则优于相机抉择的两个主要论点是：第一，即弗里德曼（1948）提出的工具非稳定性问题。经济政策实施后漫长且易变的滞后效应可能会导致积极的反周期政策（active counter-cyclical policy）出现不稳定现象。第二，更主要的论据来源于基德兰德和普雷斯科特（1977）开创的有关动态非一致性问题的研究。弗里德曼的分析仍然说明相机抉择优于规则，而动态非一致性问题的研究文献表明如对规则进行预承诺（pre-commitment），就可以实现社会更优均衡（socially better equilibria）。在理性预期机制下，私人部门知道中央银行存在制造短期通货膨胀的诱惑，这样，私人部门就会调整他们的通胀预期从而使得通胀偏差成为纳什均衡结果。因此，消除通胀非一致性升水（inconsistency premium）的惟一办法就是实施货币政策规则。

虽然货币政策规则可以通过稳定社会公众预期来消除内生性的通货膨胀倾向，加强货币政策可信性（credibility）。但是，支持相机抉择的经济学家也指出，即使是采用政策规则，在具体执行过程中也会因为违约成本的降低而导致动态非一致性。此外，规则的政策还面临一个由凯恩斯主义者提出的规范性问题，就是其不能顾及到未预期到的产出和价格的波动，明显缺乏相机抉择政策所具有的灵活性（flexibility）。例如20 世纪 80 年代美国股市大崩溃造成的严重流动性危机，很难想象恪守规则的货币政策能预期到并从容应对。

罗格夫（Rogoff, 1985）最早提出了按规则行事与相机抉择之间可信性和灵活性的差异及其替换（trade-off）问题，其后得到了坎佐奈瑞（Canzoneri，1985）、洛曼（Lohmann，1992）等人的发展。他们的文献将此前基于完全信息的博弈分析模型放松至不完全或不对称信息的情况，并特别强调了中央银行相对于社会公众所拥有的信息优势，从而使得"规则"与"相机抉择"之争再次变得扑朔迷离：规则论者强调政策规则所具有的可信性优势，相机抉择论者则强调灵活性在货币政策调节中的重要性，双方各执一词，不分上下。在这种情况下，人们开始努力探寻既能消除通货膨胀倾向，又能灵活应对意外冲击的货币政策操作规范或制度安排，研究的领域逐步渗透到政治、法律等其他非经济学科。前述巴罗和戈登（1983）关于声誉机制的文献是较早出现的一份研究成果。其后影响最大的研究成果有"保守中央银行家"（conservative central banker）理论和最优合约（optimal contract）理论。

保守中央银行家理论认为，如果任命一位作风保守的（即在损失函数中对意外通胀有较大程度的厌恶）中央银行家（或机构）独立行使货币政策决策权，就既能消除通胀倾向又能保有一定的政策灵活性。罗格夫（Rogoff，1985）首先分析了这一机制，他通过考察中央银行行长在通货膨胀目标上设置的相对权重，完成了这项工作。罗格夫的结论是，政府应当任命这样的人为中央银行行长，他在通货膨胀目标上设置的权重比社会整体（政府）要大。但洛曼（Lohmann，1992）指出，如果政府任命一个权重保守主义者担任央行行长，同时限制中央银行的相对独立性，则政府可以做得更加出色。

最优合约理论认为，在相机抉择制度下之所以会出现通胀偏差，是由于中央银行（政府）受到了降低失业率和提高产出的激励，如果重新设计合适的合约形式，完全可以改变中央银行的激励机制，从而消除通胀倾向。这一理论的主要代表人物是瓦什（Walsh，1995），他认为决定最优激励结构的第一捷径就是假定政府可以向中央银行行长提供一项视经济情况而定的工资合约。向中央银行提交这样一份激励合约可以实现双重目标，即在消除通货膨胀倾向的同时，确保仍能以最优稳定化政

1 导 论

策来回应中央银行关于总供给冲击的信息,即保持一定的灵活性。在帕森和塔贝里尼(Persson & Tabellini,1993)的著作中,这种合约方法得到了进一步的发展。

这样一来,近期争论的形势出现了某种变化,争论双方的观点具有了更多的包容性,并致力于寻求规则与相机抉择,或者说可信度与灵活度的兼顾。从而使得货币政策操作按"规则"与"相机抉择"的区别实际上转变为是否遵守"政策承诺"(Policy Commitment)的区别(Mccallum,1997)。也就是说,影响货币政策效果的关键并非在于它的变或不变,而是在于货币当局是否执行它所承诺的货币政策。

我国从1981年左右开始普及有关银行调节国民经济的认识,随后,人们将政府对于经济的总体控制称为宏观调控,其中就包括金融机构调控货币量或信贷规模的思想。1983年左右,"货币政策"一词逐渐被人们所接受,但最初并未严格区分货币政策与宏观金融政策或金融宏观调控等几个概念。到了1988年左右,"货币政策"开始作为一个独立的概念,专指中央银行调控货币供给的政策[①]。从1983年9月中国人民银行独立行使中央银行职能起,至1998年我国大体上实施了六次货币紧缩和宏观调控政策,特别是1998年以来,我国货币政策调控机制改革取得了突破性进展。以取消对商业银行贷款规模的限制、改革存款准备金制度和扩大公开市场业务为标志,我国货币调控模式基本上实现了由直接调控向间接调控的转型。但从我国中央银行调整货币政策的思路来看,基本上都是遵循相机抉择的操作理念,这种相机抉择的货币政策在处于转型期的中国作用效果如何?如果采用规则型货币政策是否能取得比相机抉择更好的调控效果?什么样的货币政策规则能满足我国当前经济转型时期的特殊需要?这些都是当前我国货币政策问题研究迫切需要解答的问题。

---

① 参见胡海鸥主编:《中国金融体制的改革与发展》,复旦大学出版社2004年版,第118—125页。

1.2 本选题的理论意义和现实意义

正是由于相机抉择具有许多不足之处，人们近年来不断探索其他的货币政策决策方式对选择最优货币政策所带来的有利因素，特别是人们日益重视对货币政策规则的研究。货币政策规则虽然是对中央银行的一种约束，但这种约束却使货币政策建立了一种承诺机制，从而可以避免货币政策的短视和机会主义倾向，并能提高社会的福利水平。如何在不确定环境下设计出最优的、时间一致的、前瞻的、稳健的货币政策规则，是学术界和应用界共同关注的焦点。通过对货币政策规则进行理论和实证研究，一方面可以对货币政策制定和操作的系统性和科学性提供必要的决策支持，另一方面还可以提高货币政策的透明性、可信性和有效性。更为重要的是，对最优货币政策规则的研究为货币政策体系的设计及货币政策的评价提供了一个客观的参考基准。

近年来，货币政策规则不仅在理论研究上取得了突破性的进展，而且在实践中日益被各国的中央银行所采用，其在各国中央银行的货币政策决策和操作方面发挥着越来越大的作用。如近十年来很多国家采用了盯住通胀率（Inflation Targeting）的货币政策体制。新西兰储备银行和英格兰银行在 20 世纪 90 年代初最早采用这种体制，随后有相当一部分国家的中央银行也采用了这种体制。从实际效果来看，盯住通胀率的货币政策体制在稳定经济方面已经取得了显著效果，采用该体制的国家不仅保持了产出的平稳增长，而且使长期以来居高不下的通胀率控制到合理的水平。Svensson（1999）指出，盯住通胀率体制实际上是一种货币政策规则，且该规则结合了货币政策规则与相机抉择两种决策模式的优点，因而是一种相机抉择型的规则（Discretionary Rules）。

货币政策规则理论的不断发展与演化，以及 20 世纪 90 年代西方国家货币当局在执行货币政策的实践中所遇到的问题，为我国货币政策的

1 导 论

制定与执行提供了极有价值的借鉴意义。在此基础上，本书研究的现实意义体现在将回答转型期中国货币政策操作的三大问题：中国当前的货币政策操作究竟是"相机抉择型"还是"规则型"？哪一种货币政策操作规范更优？如果是"规则型"货币政策更优，则应选择何种规则？具体而言：

第一，对中国的货币政策操作究竟是"相机抉择型"操作还是"规则型"操作这一现实问题进行明确的回答。根据以往中国人民银行货币政策操作的实践，我们的直观感觉是中央银行的货币政策始终是"相机抉择型"操作。但1996年以来，中国人民银行开始公布货币供应量的年度调控目标，这显然又是"规则型"货币政策操作的核心内容。因此，要想研究中国的货币政策规则问题，必须首先对中国转型期的货币政策实践进行实证判断，只有回答了中国的货币政策操作究竟是"相机抉择型"还是"规则型"这一现实问题，才能进一步研究中国的货币政策规则问题。

第二，关于建立中国的货币政策规则问题。处于经济转型期的中国需要实现货币政策操作规范的转型，即从传统的相机抉择转向按规则行事。谢平、罗雄（2002）运用历史分析法和反应函数法首次将中国货币政策运用于检验泰勒规则，并认为泰勒规则可以较好地描述中国的货币政策。秦宛顺等（2003）认为，中国货币政策在对货币供应量增幅的控制方面是有规则可循的，这就是货币供应量增长率应大于经济增长率、物价上涨率和货币流通速度降速三者之和，但这种规则是从费雪交易方程式得来的，只考虑了经济交易的货币流动性问题，并非真正的规则。为此，他们基于Ball的模型，分析了中国两类不同的最优货币政策规则：以利率作为货币政策操作工具时的有效规则和以货币供应量为中介目标时的货币政策有效规则。通过实证分析，他们得出的结论是：从中央银行福利损失的角度出发，以短期利率作为货币政策的中介目标和以货币供应量作为中介目标是无差异的，货币当局可以从金融运行的实际情况出发，灵活选择应用这两种工具。这种结论似乎与欧洲中央银行的货币政策的双支柱策略有异曲同工之处。然而,这种双支柱策略在实际操作过程中出现了不少问题,受到一些经济学家的严厉批评,主要是因为其透明性和一致性较差。本书研究的最终目标正是设计适合中国国情的货币政策规则体系。

第三,关于建立通货膨胀目标规则的货币政策问题。我国于1996年开始将货币供应量M_1和M_2作为货币政策的调控目标,正式在货币政策框架中引入了货币供应量中介目标。我国的中央银行是根据货币数量论的增长形式来规划货币供应量的增长目标的,这是一种顺周期的货币供应管理方法。陈景耀(2000)认为,这种顺周期的货币供应目标在实际执行中通常会强化实质经济的自然循环倾向。要消除经济循环中的自然紧缩倾向,应根据凯恩斯反周期规则或至少是卢卡斯中性规则来确定货币供应量目标。此外,由于近年来我国基础货币投放难以确定、货币乘数不稳定、货币流通速度下降等原因,现行货币供应量指标的可控性、可测性和与国民经济的相关性,均同货币政策对中介目标的要求出现了较大的偏差。夏斌、廖强(2001)指出,货币供应量已不宜作为当前我国货币政策的中介目标,应采取通货膨胀目标政策,即直接盯住通货膨胀率,同时将货币供应量、利率、经济景气指数等其他重要经济变量作为监测指标。鉴于通货膨胀目标的可控性差,他们进一步认为放弃货币供应量目标后,可暂不宣布新的目标,而是在实际操作中模拟通货膨胀目标,努力将物价恢复并稳定在一个合理的范围内(核心物价指数上涨率在1%—3%范围内)。然而,通货膨胀目标规则的实行需要有一定的制度配合,中国目前条件究竟有没有成熟,这还有待于进一步的研究。

总之,研究货币政策规则问题对中国货币政策研究具有重要的理论意义和现实意义。我们需要对比转型期的中国与市场经济发达国家之间宏观经济环境的异同,既要注意到我国的货币政策的环境与西方发达国家之间表现出越来越多的"共性",同时也不能忽略我国宏观经济环境与西方发达国家存在的许多差异。这就决定了我国货币政策规则的选择、作用的方式和效果应当具有自身的特征，不能简单地全面照搬西方的货币政策规则理论，必须有步骤、有选择、适时地加以采用。货币政策规则多种多样，在具体实践中需要根据不同的历史条件而采取不同的方法，不存在永恒不变的单一规则。当前，为了降低货币政策的动态非一致性带来的消极影响，加快金融体制改革步伐，增强中央银行的独立性，增强货币政策的透明度和可信度，努力提高央行货币政策的信誉，保持通胀率在适度的范围内，应是我们的可行性选择。

1.3 本书研究的基本思路与方法

1.3.1 研究的基本思路

本书的研究思路如图 1-1 所示。

首先，对西方有关货币政策规则的研究文献进行系统回顾和总结。笔者计划从一个多世纪前的金本位制时期开始，按照时间框架对货币政策规则的现代思想进行讨论：即在不确定性的短期宏观经济模型（即所谓的 Poole 模型）中规则的作用；在中期模型如 AS-IS-LM 模型中的货币政策规则，主要包括工具规则（instrument rules）和目标规则（targeting rules），工具规则以泰勒规则（Taylor rule）为代表，而通胀目标规则（inflation targeting rule）则是最流行的目标规则；在长期视界中最优货币政策的理论观点，并将所谓的芝加哥规则（Chicago rule）放入一个简单的实际货币余额增长模型中进行考察。

第二，对我国转型期的货币政策实践究竟是"相机抉择型"操作还是"规则型"操作进行实证判断，在此基础上，对"规则型"货币政策操作从产出波动和通胀波动方面进行动态模拟，以作出转型期中国的货币政策操作规范应由相机抉择向按规则行事转型的结论。

第三，运用计量分析手段对封闭经济下的工具规则（泰勒规则）和

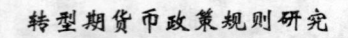

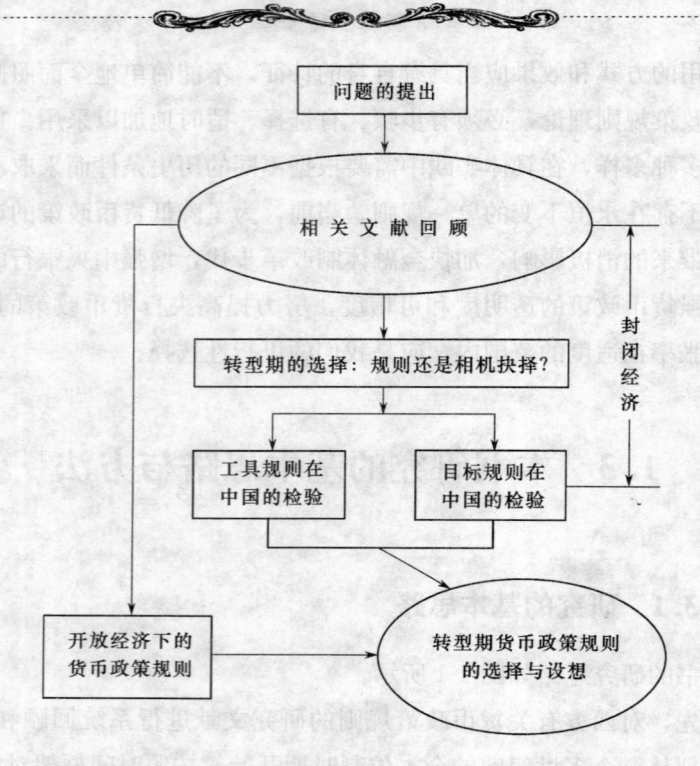

```
                    ┌──────────┐
                    │ 问题的提出 │
                    └────┬─────┘
                         │
              ┌──────────▼──────────┐
              │    相关文献回顾      │──┐
              └──────────┬──────────┘  │
                         │             │
              ┌──────────▼──────────┐  │
              │转型期的选择：规则还是│  │封
              │    相机抉择？        │  │闭
              └────┬──────────┬─────┘  │经
                   │          │        │济
           ┌───────▼──┐  ┌────▼─────┐  │
           │工具规则在│  │目标规则在│  │
           │中国的检验│  │中国的检验│  │
           └────┬─────┘  └────┬─────┘  │
                │             │        │
                └──────┐      │       ─┘
     ┌──────────┐      │      │
     │开放经济下的│    │      │
     │ 货币政策规则│──▶ ┌──────▼──────┐
     └──────────┘     │转型期货币政策规则│
                      │  的选择与设想    │
                      └─────────────────┘
```

图 1-1　本书的研究思路

目标规则（通货膨胀目标制）在中国的适应性问题进行检验。

第四，考虑到中国经济的对外开放度越来越高的实际，研究开放经济下中国的货币政策规则问题，并对货币状况指数（MCI）引入中国的可行性进行系统分析。

第五，根据上述研究的结论，对转型期中国货币政策规则的具体选择及过渡安排进行总结性研究，形成对中国如何实现货币政策操作规范转型的具体政策建议。

1.3.2　研究方法

1.3.2.1　分析模型的选择

进行货币政策分析需要选择适当的经济模型。从近年来的趋势来看，货币政策分析所采用的模型框架日益趋向于采用前瞻性模型。卢卡斯（Lucas，1976）曾经指出，在进行政策分析和评价时，使用的模型应是结构性模型，即当经济环境、政策体制、预期形成机制等发生变化时，模型的结构性参数不应发生改变。因此，经济学家近年来从经济理论上对模型进行了重大改进，建立了具有坚实的微观理论基础并表现出前瞻性（Forward-looking）特点的动态随机一般均衡模型，新凯恩斯主义的模型就是其中的典型代表。本书将采用这一具有前瞻性特点的宏观经济模型进行货币政策规则的研究。但考虑到虽然前瞻性模型的微观理论基础较强，但对其进行估计和检验也就更加复杂和困难，另外，在经济主体的行为决策过程中，前瞻性行为到底占多大比重仍然是当前实证研究的一个重要方面，本书也会采用结合后顾性（Backward-looking）和前瞻性特点的混合型模型（Hybrid Model）进行研究。

1.3.2.2 分析最优货币政策采用的福利目标函数

通常经济行为方程可以表示为下面的状态空间（State-space）形式：

$$\begin{bmatrix} x_{1t+1} \\ E_t x_{2t+1} \end{bmatrix} = A \begin{bmatrix} x_{1t} \\ E_t x_{2t} \end{bmatrix} + B u_t + \begin{bmatrix} \varepsilon_{t+1} \\ 0 \end{bmatrix}$$

$$\text{或 } x_{t+1} = A x_t + B u_t + \xi_{t+1}, \xi_{t+1} = \begin{bmatrix} \varepsilon_{t+1} \\ x_{2t+1} - E_t x_{2t+1} \end{bmatrix} \quad (1.1)$$

其中，x 是状态变量，它由前定变量（Predetermined Variables）x_1 和前瞻性变量（Forward-looking Variables）x_2 组成，u 是控制变量，E_t 表示条件数学期望，误差变量 ε 是协方差为 Ω 的白噪声。

从福利角度来看，货币政策应该是以社会福利达到最优为目标，因而货币政策的目标函数应选择社会福利目标函数。在假设典型经济人的经济里，社会福利目标函数表现为典型经济人的各期效用贴现值之和。但在实际研究中，货币政策的目标函数通常选择为下列形式（Taylor，1995；Svensson，1999a；Wordford，2001）：

$$L = E_t \sum_{j=0}^{\infty} \delta^j L_{t+j}, L_t = \lambda (y_t - y^*)^2 + (\pi_t - \pi^*)^2 + v (i_t - i_{t-1})^2 \quad (1.2)$$

其中，L 通常称为损失函数（Loss Function），δ 是贴现因子，y 是产出缺口，π 是通胀率，i 是短期名义利率，y^* 和 π^* 分别是产出缺口和通胀率的目标值，λ 和 v 分别是损失函数中产出和利率相对于通胀率的权重。(1.2) 式也可以表示为下列形式：

$$L_t = Y'_t K Y_t,\ Y_t = C \begin{bmatrix} x_t \\ u_t \end{bmatrix},\ x_t = \begin{bmatrix} x_{1t} \\ x_{2t} \end{bmatrix} \quad (1.3)$$

其中，Y 是目标变量（Targeting Variables），$Y'_t = (y_t - y^*, \pi_t - \pi^*, i_t - i_{t-1})$，$u_t = i_t$，$K = diag(\lambda, 1, v)$。货币政策的目标就是在 (1.1) 式的约束下，通过选择货币政策工具使损失函数 (1.3) 达到最小值。在目标函数中之所以加入利率的变化，主要是为了防止利率的大幅波动对经济运行造成不稳定影响①。

对上述如 (1.2) 式或 (1.3) 式的目标函数，一个重要的问题就是它是否与社会福利目标函数一致。Woodford (1999)、Erceg-Henderson-Levin (2000)，Svensson (2003) 的研究表明：($-L$) 是社会福利目标函数的二阶近似，因而在二阶近似的范围内通过使损失函数最小化也就使社会福利目标函数达到了最大化，因此选择上述的损失函数与社会福利目标函数是一致的。

1.3.2.3 计量分析的方法

本书研究的最终目的是根据货币政策规则的理论研究结果，探求中国转型期的货币政策规则体系，以提高我国货币政策的有效性。本书将采用大量计量分析方法研究我国的现实问题，如协整分析法、VAR 分析法、广义矩分析法（GMM）等。

---

① 为了研究的方便，大多数情况下本书只采用没有加入利率因素的损失函数，在研究通货膨胀目标制在中国的适用性时本书使用了形如 (1.2) 式的损失函数。

1 导　论

1.3.2.4　动态模拟的方法

在本书的研究过程中，由于一些建议性政策的实施效果不能直接观察到，只能根据模型演算结果利用相关统计分析软件进行动态模拟，得出的研究结论具有一定的可信度。

1.4　本书的创新之处、不足与困难

通过本书的研究，我们可能得到的结论与创新之处在于：

第一，本书采用问题导向的研究思路，提出了切合中国转型实际的政策建议。我国自1988年开始有独立的货币政策概念以来，中央银行充分利用各种货币政策工具进行货币政策操作，特别是1998年以来，间接宏观调控体系日趋成熟。但是，许多学者认为，我国货币政策的有效性程度并不高，还有许多地方值得改进和完善。本书首次运用货币政策状态模型，实证模拟了规则型货币政策操作的效果，得出了规则型政策优于相机抉择型政策的实证结论，提出在转型时期货币政策操作规范应该从相机抉择转向按规则行事。在积极创造满足实行通货膨胀目标制各项条件的同时，本书认为中国中央银行应尽快实现向规则型货币政策操作的转型，并提出了过渡期的安排：实行既关注产出，又关注通胀的符合中国转型期国情的混合名义收入目标框架，以促进中国经济的协调健康稳定发展。

第二，规则与相机抉择作为两种货币政策操作思路，是各有利弊的。尽管规则比相机抉择拥有时间一致性的优势，但墨守成规，片面追求遵循固定的政策规则也会导致全社会的福利损失。因此，在研究最优货币政策规则的同时，应不忘发挥相机抉择型货币政策的优点，尽量在规则中融入相机抉择的成分，即研究推广"相机抉择型规则（Discretionary Rules）"[①]。

[①]　正是由于这一原因，本书认为的"相机抉择型"政策其实是一种以相机抉择性货币政策成分为主的货币政策操作方法（以规则性货币政策成分为辅）；而"规则型"政策则是一种以规则性货币政策成分为主的货币政策操作方法（以相机抉择性货币政策成分为辅）。

由于通货膨胀目标制在这方面具有明显的优势,故中国应积极创造条件,适时实行通货膨胀目标制。

第三,在现有货币政策规则的回顾总结方面,本书试图将各种规则纳入统一的时间视角的分析框架。由于经济政策的目标特征以及用以描述经济运行的模型特征决定了相应规则的特性,本书将采用三种时间界限的分析模型:短期的随机 IS-LM 模型、中期的 AS-AD 模型以及长期的增长模型。在一个短期的 IS-LM 模型中,本书将讨论利率规则和货币规则的短期选择问题,即 Poole 模型所要分析的问题。借助于中期的 AS-AD 模型,本书将考察著名的泰勒规则和通胀目标规则。在长期视界中,本书用一个增长模型研究所谓的 Chicago 规则。

第四,考虑到我国在经济转型的同时,经济的开放度水平越来越高,在分析最优货币政策规则时,应将开放经济因素纳入分析框架。在一个开放经济中,最关键的经济指标应该是汇率。在一个实行固定汇率制(或盯住汇率制)的国家中,最优货币政策规则可以不考虑汇率因素。但我国的汇率体制改革的方向已经明确,尽管没有市场化的历史汇率数据可供实证分析,但仍应研究采用货币状况指数(MCI)的货币政策规则,以完善中国转型期的货币政策规则体系的设计。

第五,货币政策规则的研究往往只涉及货币政策的最终目标而没有涉及中介目标,中介目标究竟还有没有存在的必要?Svensson(1997)曾经指出,货币政策规则与中介目标并不冲突,只要中介目标与最终目标、操作工具的关系比较密切和稳定,且制定得比较合理,那么由中介目标确定的操作工具变化规律实际上就是一种货币政策规则,因而货币政策规则与中介目标是一致的。本书认为,由于中介目标的确定并不简单,它决定于经济中的众多基本因素,因而与其通过确定中介目标再间接确定货币政策工具,还不如根据这些众多基本因素直接确定货币政策规则。此外,如果确定中介目标比较困难,可以直接盯住最终目标来确定货币政策规则(如通胀目标制规则)。实际上,这种直接方式已经在各国中央银行的决策实践中得以应用。

1 导 论

但是，本书研究还面临以下的不足与困难：

第一，对转型期货币金融环境的认识不够。由于转型经济学是一门新兴的经济学分支，对转型期货币金融特征的研究文献还不多见。本书对货币政策规则的研究背景就是处于转型期的中国，由于本人的学术水平所限，对我国转型期的货币金融环境及特点的认识难免缺乏深度。

第二，对货币政策规则进行研究需要扎实的数理功底和熟练的计量经济方法，这对于本人来说是最大的障碍和困难，还需要花大力气加强对线性优化、动态最优化等知识的学习。

第三，对怎样测算潜在产出水平和预期通货膨胀感到困惑。估算潜在产出的方法总体来说有两类：一类是借助计量分析工具对现实产出的时间序列性质直接进行处理从而给出潜在产出的估算值，如消除趋势法、增长率推算法；另一类是生产函数法。第一类方法估算过程简便，考虑的因素较少，但主要缺点是没有体现潜在产出的供给面特征；而生产函数法则较为全面地考虑了生产要素利用率和技术进步的影响，但估算过程较为复杂。

第四，处于转型期的中国市场化程度还不高，特别是金融市场的发展相对滞后，这无疑对数据的收集造成了相当大的困难。由于数据的因素，可能会对本书研究结果的科学性和可靠性造成一定影响。

2 货币政策规则：历史演进及文献评述

近年来，一些国家（或地区）的货币政策发生了剧烈变化，如英国、加拿大、欧盟和美国等，这些国家（或地区）除美国外都基本实行了所谓的通货膨胀目标制。1992年，英国财政大臣明确宣布采用以获得长期价格稳定为目标的通货膨胀率目标（1%—4%），并要求英格兰银行公布季度《通货膨胀报告》(Inflation report)，1995年又将官方通货膨胀目标改为滚动基础上2.5%的点目标，1997年货币政策委员会获得了货币政策的制定权。1999年，英国最终形成由政府确定货币政策目标，英格兰银行具体制定货币政策实施方案的目标独立性和操作独立性相分离的体制（这种体制明显不同于加拿大和美国，它们的中央银行同时具备两种独立性）。加拿大银行的主要目标是实现价格稳定，也就是把通货膨胀率控制在1%—3%的区间内，并用货币状况指数（MCI）作为政策准则，将隔夜贷款利率（在50个基本点的范围内）设定为达到MCI理想值的操作目标。欧洲中央银行体系（ESCB）的许多方面仿照了德意志联邦银行，也就是说，ESCB的最高目标是稳定价格，这部分地反映了对20世纪90年代初主流经济理论的接受和对德国及德意志联邦银行出色经济记录的尊崇。同时，许多条例又赋予了ESCB对政治压力的完全独立性，但要通过定期出版各种报告以防ESCB责任感的降低。美联储于1971年采用货币目标设定法，将M_1作为货币政策中介目标，1987年改用M_2，1993年又改以实际利率作为主要的中介目标，其

2 货币政策规则：历史演进及文献评述

后美国开始实施一种不明确公布名义目标的货币政策，一些学者将其描述为"隐蔽的通货膨胀目标法"（Mankiw，2002）。这些货币政策的转变产生了体现在众多文献中的对货币政策规则问题的浓厚兴趣。但是，正如麦克勒姆（McCallum，1999）所言，对货币政策规则的研究由来已久，这一工作可以追溯至 Thornton（1802）、Bagehot（1873）、Wicksell（1907）、Fisher（1920），以及 Friedman（1948，1960）。本章将对有关货币政策规则的历史演进与相关文献进行回顾并作简要评述。

2.1 货币政策规则的一般设计

在对我们拟分析的货币政策规则进行详细讨论之前，有必要先来对货币政策规则的设计作一简要介绍，并了解一些重要概念。这里，我们借用泰勒（Taylor，1999）提出的概念对货币政策规则设计进行一般描述，假设有如下形式的宏观经济模型：

$$y_t = A(L,g)y_t + B(L,g)i_t + u_t \qquad (2.1)$$

其中，y_t 是一个内生变量向量，i_t 是工具向量，u_t 是独立分布的误差项，$A(L,g)$ 和 $B(L,g)$ 均是包括滞后算子 L（$L(y_t) = y_{t-1}$）和政策规则参数 g 的多项式。政策规则的一般形式可以写成：

$$i_t = G(L)y_t \qquad (2.2)$$

其中，$G(L)$ 仍然是一个滞后算子 L 的多项式。有些模型可以是前瞻性的：在那种情况下需要总体上解决模型的简化形式。这类模型（如 Batini & Haldane，1999）的主要优势在于它们满足了卢卡斯批判的要求，模型参数不随货币政策的变化而改变。另外一些模型可通过替换结构模型中的一般政策规则而轻易得到，这样一来可得到考虑稳定性分析的向量自回归形式（vector-autoregressive form）。如果改变工具，内生变量的波动可能会被放大，因而工具的使用就显得没有必要。

如果对基本宏观计量经济模型拥有充分的知识,就可以通过最优控制试验来求得最优货币政策规则 $i_t = G^*(L)y_t$。但是对基本模型的定义是见仁见智的,许多研究者提倡运用对大量模型检验具有稳健性(robust)的规则(Bryant et al.,1993)。麦克勒姆定义了货币政策的最终目标,但通常没有操作变量(operational variable)。政策目标可以是社会福利,或是产出的稳定增长和低失业等。货币政策的作用对象是货币政策传导过程中的先行(操作)变量,这些对象可以是价格水平指数(price level indices)、名义收入(nominal income)或者汇率(exchange rate)等。我们也可以区分出中介指标:这些变量就货币政策传导的有效性发出相关信息。这里可以将总货币量看做是未来实际经济增长的信号。由于GDP的相关数据获取较慢,而金融和货币数据能较快获得,因此它们可以作为信号变量。货币政策工具实际上就是中央银行实际经常操作的变量,如利率,或者是中央银行可以控制的某个货币变量。在有些情况下,这些变量并不能被直接控制,因此将这些变量定义成操作目标会更好。

目标的选择相当复杂。货币目标选择过程中最基本的问题也许就是应否执行固定汇率,这是一个涉及最优货币区(Optimum Currency Area,参见 Mundell,1961)的问题。在封闭经济中,典型目标是比较容易定义的,如通货膨胀、名义收入增长,或者是所谓的将通胀和实际产出按某种趋势或参考值加总的混合变量(hybrid variable)。目标选择中的另一个重要问题就是设定所谓的增长率目标是否比设定增长水平目标更好?这里我们可以考虑通胀目标和价格水平目标,定义一个增长率目标或增长水平目标是否明智?正如麦克勒姆所解释的,这一问题实际上就是一种目标究竟是趋势平稳的(trend stationary)还是差分平稳的(difference stationary)。

工具的选择也是有争议的。最基本的选择就是用基础货币或总准备工具,还是用短期利率工具?麦克勒姆认为这里存在对可行性的基本讨论。最著名的论点就是针对运用利率工具所提出的萨金特—华莱士批判

2 货币政策规则：历史演进及文献评述

(Sargent-Wallace (1975) Critique)，在这种情况下，物价水平可能是不确定的。麦克勒姆（McCallum，1986）为不确定性给出了一个更加精确的定义，他区分了名义不确定性和非惟一结果：在第一种情况下，模型不能稳定所有名义变量的值，名义不确定性与所有名义变量（如货币存量）的不确定性相关；在第二种情况下，泡沫或太阳黑子等失常行为会影响价格水平，模型的求解路径有多条，非惟一均衡与价格水平的泡沫决定有关。除非为规则的参数（或权重）设定限制条件，工具变化的最终传导效应将不能确定。

在设计货币政策规则时还有其他一些重要问题。首先，工具规则与目标规则必须进行区分（Svensson，2002）[①]。工具规则一般是根据特定的货币政策工具设计的（如泰勒规则就关注短期利率）；目标规则则一般由最优化模型导出，该模型使中央银行预先确定的损失函数最小化（Walsh，1998）。因此，目标规则较为普遍，因为中央银行不需要将降低总损失时刻记在心上。工具规则最主要的优势在于，对公众来说，它非常清楚并易于交流；但另一方面，有些工具规则也会导致实际均衡的不确定性（Sargent & Wallace，1975）。其次，必须区分严格的和有弹性的规则。严格的规则避免向新的所需路径进行微调，而有弹性的规则则允许"倚靠经济风向"（leaning against the wind）或更加灵活的政策。最后，工具规则与目标规则之间的区别在于对信息的运用。多数货币政策规则使用事后数据（ex-post date）校准（calibrate）规则，正如奥芬奈特（Orphanides，2001）指出，如使用实时数据（real-time date）将会得到不同的结论。实时数据是政策制定者在决策时所观测到的数据（这样，数据就没有进行统计纠正）。我们在讨论泰勒规则时还

[①] 在此之前，巴罗（Barro，1986）曾将货币政策规则区分为数量规则（quantity rule）和价格规则（price rule）。前者是指中央银行瞄准一种货币总量的目标路径，如基础货币、M_1 或更宽口径的货币总量；后者是指中央银行运用公开市场操作、调整贴现率或盯住汇率等手段，以期实现某种目标价格的变化路径，这种目标价格可能是一种价格总指数、特定商品的价格、利率或汇率本身。

要回到这一点。

2.2 货币政策规则的历史演进

现在我们来简要讨论货币政策规则的历史演进过程。这里对货币政策规则历史演进的分析从早期金本位制时期运行的价格—铸币流动机制（price-specie-flow model）开始。尽管我们力争全面，但要对货币政策（规则）的思想作一全面的历史回顾几乎是不可能的。

回顾自然要从古典框架开始，那时人们始终认为货币仅是一层面纱，货币数量论公式 $MV=PY$ 成立，货币政策关注的主要焦点是通过货币供给政策来控制价格水平。早期的货币理论家主要研究银行部门和银行利率，如桑顿（Thornton，1802）和维克塞尔（Wicksell，1898）。这些学者强调所谓的间接货币传导机制：货币供给的变化影响借贷利率，并进而影响支出和通货膨胀。在规则方面，货币政策的中介目标就是借贷利率。维克塞尔于 1898 年提出了一个简单的利率规则：如果价格低于目标水平，就降低利率，反之亦然。这些观点就是凯恩斯主义货币理论（Keynesian monetary theory）的基础。

20 世纪后半期，有关货币政策规则的研究获得了长足发展。费希尔（Fischer，1990）在西蒙斯（Simons，1948）的基础上对货币政策规则进行了回顾。然而，人们一般可以从对金本位的讨论开始对货币政策规则进行历史回顾（见表 2-1）。

表 2-1 货币政策规则的历史回顾

提出时间	规 则 名 称
1875	金铸币流通规则（Gold-specie flow rule）（参见 Viner，1955）
1920	费雪的补偿美元计划（compensated dollar proposal）（参见 Fisher，1920）
1933	狭义银行：100%储备（参见 Fisher，1945）
1945	费雪—西蒙斯价格水平规则（参见 Fisher，1945）

2 货币政策规则：历史演进及文献评述

续表 2-1

提出时间	规 则 名 称
1960	固定货币增长率规则（参见 Friedman, 1960）
1983	名义 GNP 目标规则（参见 Taylor, 1985）
1988	麦克勒姆—梅茨勒基础货币规则（参见 McCallum, 1988）
1993	泰勒规则（参见 Taylor, 1993）
1996	通胀目标制①（参见 Svensson, 2002）

完全的金本位制可以看做是一个完全自动的系统（Fischer, 1990），一个有效的规则是：保证在任何时候通货可以兑换成金。这样一来，一般价格水平就可以和金价保持均衡。如果一国的经常项目出现了逆差，金（铸币）就会流出国外，对国内支出形成压力，这会导致产出的自动稳定。只要金价保持相对稳定，在控制通胀方面，严格盯住金的机制就会起作用。但这种形式的货币政策规则是否对稳定经济有所贡献，至今尚无定论。

费雪（Fisher, 1920）建议的补偿美元规则也与金本位有关：通货可以和金兑换，但金的价值是通过实际条款（由 CPI 定义）固定的。这一规则的主要优点是总价格水平对金价的波动不敏感了，有效地解决了金本位制存在的一个问题。中央银行可以执行一个非常简单的规则：保持可兑换性，即意味着可以稳定价格。这个规则的一个主要缺点是它对通过买卖金的远期合约而对金本位的投机行为相当敏感。

在美国大萧条后，芝加哥学派提出了几种形式的货币政策规则。最著名的就是狭义银行（Narrow banking）的观点：银行必须保持 100% 的储备②。这个规则显然是针对大萧条时期金融部门所遇到的问题而提

---

① 通胀目标制的具体实践一般认为是从新西兰 1990 年 11 月实行新的货币政策框架开始的，但在理论上明确提出"通货膨胀目标制"应是 1996 年，这是一个理论滞后于实践的典型例证。

② 实行 100% 储备金制度尽管消除了因为信心丧失可能引发的银行挤兑风险，但从 20 世纪 70 年代金融管制的命运当中可以看到，对所有其他金融中介性债务用作支付手段的限制几乎是不可能的，相反还会增加货币的不确定性，并且 100% 储备金制度也无法避免货币流通速度的剧烈变动。

出的。这个规则的设计也启发着芝加哥学派的经济学家们思考其他形式的规则。欧文·费雪（Fisher, 1945）提出了人均货币存量保持不变和价格稳定规则。在价格水平低于目标水平时中央银行应扩张货币存量，而在价格高于目标水平时就应紧缩货币量。由于西蒙斯也提出了相似的规则，故这种价格水平目标就被称为费雪—西蒙斯价格水平规则（Fisher-Simons price level rule）。该规则会引起实际 GDP 的大幅波动，这就带来了时机选择的难度。于是，弗里德曼提出了固定增长率规则，并特别强调工具的不稳定问题：如果运用工具的时机选错，就会造成严重的实际后果。

弗里德曼提出的固定货币增长率规则可以看成是工具不稳定问题的解决方案。如果货币当局坚持货币量按常数增长，同时货币的收入流通速度保持不变，那么就存在一个对 GDP 的名义锚。货币增长率固定的最终目的是为了使通货膨胀率等于 0。货币当局不必试图减轻周期波动，但要争取让每天的货币增长保持不变。弗里德曼起初推测 4% 的年增长率就足够了，即 3% 的实际产出增长和 1% 的流通速度下降。固定货币增长率的基本前提就是工具的不稳定性假设。假定：

$$Y_t = \sum_1^n \alpha_{i,t} Y_{t-i} + \sum_0^k \beta_{j,t} m_{t-j} + \varepsilon_t \qquad (2.3)$$

其中，Y_t 是名义 GDP（目标水平），m_t 是货币存量。假设货币政策的目标是在 $t-1$ 期前的信息都可获得的条件下，最小化 Y_t 的方差。参数 $\alpha_{i,t}$ 和 $\beta_{j,t}$ 是随机系数，ε_t 是白噪声误差项。(2.3) 式可以重新写成：

$$m_t = -\frac{1}{\beta_0} \Big[\sum_0^n \alpha_{i,t} Y_{t-i} + \sum_1^k \beta_{j,t} m_{t-j} \Big] \qquad (2.4)$$

如果我们假定系数是可确定的，（2.4）式就给出了最优货币政策。如果 β_0 很小且系数是随机的，政策滞后较长就会导致工具的不稳定问题，尤其是滞后本身如果也是随机的话，名义 GDP 方差的最小化就会相当困难。这一点就是固定名义货币增长规则的核心思想所在。

2 货币政策规则：历史演进及文献评述

固定货币增长规则的主要缺陷是假定货币的收入流通速度保持不变。支付系统的改进，如 ATM（Automatic Teller Machine）的使用，会造成收入流通速度可预见的改变。在许多西方国家，货币的收入流通速度都显示出可预见的下降趋势。我们可以认为货币收入流通速度的变化是由政策引起的，但并不能完全解释这一现象。另外一个不足之处就是货币存量本身并不是一个可控工具，更可能的是中央银行只能间接影响货币的增长。

考虑到这一点，麦克勒姆—梅茨勒基础货币规则的提出就是自然而然的了。这个规则是建立在基础货币的可控性基础之上的：基础货币是通货和储备的总和。早在 1987 年，麦克勒姆（McCallum，1987）就提出，货币政策的执行要以名义收入为预定目标，同时以基础货币规划进行操作。名义收入目标规则旨在最小化名义 GNP 的方差。令 b_t 为基础货币的对数值，v_t 是基础货币收入速度的对数值，基础货币可由下式表示：

$$\Delta b_t = \Delta y^T - \Delta v^A + \lambda(\Delta y^T - \Delta y_t) \tag{2.5}$$

其中，Δy^T 是名义 GNP 的目标增长率[①]（麦克勒姆的建议值为 4.5%），Δv^A 是平均的基础货币流通速度增长率（麦克勒姆用滞后四期的平均值），右边第三项是误差修正项，麦克勒姆令其中的 $\lambda = 0.5$。这个规则中的所有变量都较易测量（这与泰勒规则中的一些参数是不同的）。该规则的主要缺陷就是基础货币变量本身：在美国，由于基础货币的不稳定性，这个变量只使用了很短的时间（1979—1982）。因此，麦克勒姆和尼尔森（McCallum & Nelson，1999）建议从基础货币规则转向利率（联邦基金利率）规则，利率规则与上文所述的误差修正机制非常相似（Henderson & McKibbin，1993）：

$$i_t = r^* + \Delta p^T + \lambda'(\Delta y_t - \Delta y^T) \tag{2.6}$$

[①] 这一增长率常被看做是通货膨胀与真实 GDP 长期实际增长率（不受货币政策的影响）之和。

在（2.6）式中，i_t 是名义利率，p^T 是一般价格水平的对数值。运用这个方程的理由就是基础货币流通速度和联邦基金利率（FFR）之间存在稳定的联系。参数 λ' 大于 λ（大约是 1.5 而不是 0.5）。这一点可从以下事实中看出，即 $\Delta b_t = \Delta y_t - \Delta v_t$ 和 $\Delta v_t = \kappa \Delta i_t$（流通速度和利率之间的稳定关系），从而有：

$$\Delta y_t - \kappa \Delta i_t = \Delta y^T - \Delta v^A + \lambda(\Delta y^T - \Delta y_t) \tag{2.7}$$

重新整理得到：

$$\Delta i_t = [\Delta v^A + (1+\lambda)(\Delta y_t - \Delta y^T)]/\kappa \tag{2.8}$$

(2.8) 式即是联邦基金利率的变化规则。

麦克勒姆—梅茨勒规则是一个典型的工具规则，它引出了目前最流行的规则：泰勒规则和通胀目标制。

2.3 时期视角的货币政策规则

本节对目前我们所知道的最重要的货币政策规则按照时期视角进行分类并进行回顾总结。这里的分析从短期视角的普尔规则（Poole rule）开始；然后从中期视角分析当今世界最流行的两大规则：泰勒规则与通货膨胀目标制规则；最后分析长期视角的所谓的芝加哥规则（Chicago rule）。当然，不同的模型会得出不同的规则，这暗示着一个普遍存在的问题。原则上讲，我们可以通过采用任一宏观经济（计量）模型，运用最优控制技术（optimal control techniques）得出最优政策规则，但这并不能带来任何实质性的进步。很多模型对宏观经济冲击和传播机制性质的认识是不同的，一些模型并不能通过卢卡斯（1976）批判（Lucas critique）的检验，甚至也不能用来分析任何政策。总之，一个成功的政策规则必须是简单且易于沟通的。最优控制技术得到的结果往往并不能满足这一基本要求。

2.3.1 短期中的货币政策规则

这里我们讨论短期最优货币政策的简单形式，主要是分析所谓的普尔模型（Poole，1970），普尔模型实际上是具有干扰的静态随机 IS-LM 模型。我们知道，中央银行必须在观测到当前商品市场和货币市场的干扰前制定政策。虽然不能直接观察到有关通货膨胀和产出的信息，但货币市场上的利率水平却可以观察到。观察到利率的变化并不意味着中央银行知道干扰的来源。利率的变化既可能是由于商品需求的增加（即 IS 曲线外移），也可能是由于通过意愿货币收入速度改变而导致的货币需求增加（即 LM 曲线内移）。如果不知道利率变化的真正原因，就很难作出反应。

普尔（Poole，1970）通过一个简单直观的方式解决了这个问题。他提出了一个粘性价格模型（IS-LM），在这个模型中，很自然地假定中央银行的目标是稳定产出（价格水平是固定的）。知道了这个目标，就可以在我们得到的随机框架中定义 IS-LM 结构（Walsh，1998）：

最小化 $$L = E[y_t]^2 \qquad (2.9)$$

有： $$y_t = -\alpha i_t + u_t \qquad (2.10)$$

$$m_t = -c i_t + y_t + v_t \qquad (2.11)$$

这里假定所有变量都是对数形式，并表示成对趋势的离差形式。y_t 表示产出缺口，i_t 是利率，m_t 是货币供给量。令价格水平等于 1，因而价格水平的对数 $p_t = 0$。u_t 与 v_t 是不相关的白噪声变量，分别表示对 IS 曲线和 LM 曲线的冲击。IS 方程是可以想到的商品市场模型的最简单的形式，LM 曲线中的货币收入流通速度假定为 1。α 表示产出的利率弹性，c 表示货币需求的利率弹性。中央银行可以选择利率 i 或货币供给 m 来最优化福利函数。

时间上的先后次序是这样的：中央银行在期初设定 i 或者 m；而后出现了随机冲击 u 和 v；这样就可以决定内生变量的取值（如果运用 m，y 和 i 是内生变量；如果运用 i，y 和 m 是内生变量）。

如果中央银行运用货币供给来稳定产出波动，我们可以得到产出的简化形式：

$$y_t = \frac{\alpha m_t + cu_t - \alpha v_t}{\alpha + c} \quad (2.12)$$

所以，如果我们希望产出方差最小，必须有 $m_t = 0$。由于对 IS 曲线和 LM 曲线的冲击彼此是不相关的，故有 $E[u_t v_t] = 0$，有：

$$E_m [y_t]^2 = \frac{c^2 \sigma_u^2 + \alpha^2 \sigma_v^2}{(\alpha + c)^2} \quad (2.13)$$

如果中央银行将利率用作政策工具，能否取得更好的效果？这是一个简单的问题，现在我们可以忽略 LM 曲线，只考虑 IS 曲线。中央银行可以通过使 $i_t = 0$，产出方差就简化成：

$$E_i [y_t]^2 = \sigma_u^2 \quad (2.14)$$

这里的 IS-LM 模型与罗默的观点一致（Romer，2000）：简单水平的 LM 曲线代表了利率设定。那么，究竟哪种政策是最好的？我们可以比较（2.13）式和（2.14）式，得出的结论是如果下述条件满足，利率工具应被选择：

$$\sigma_v^2 > (1 + 2c/\alpha)\sigma_u^2 \quad (2.15)$$

由此可见，当货币需求干扰的方差（σ_v^2）比较大，LM 曲线比较陡峭（LM 曲线的斜率为 $1/c$），而且 IS 曲线比较平缓（IS 曲线的斜率为 $-1/\alpha$）时，利率程序更易进入首选行列；反之，如果总需求冲击的方差（σ_u^2）大，LM 曲线平缓，或者 IS 曲线陡峭，则人们就会选择货币供给程序[①]。

普尔模型赞成仅仅关注产出方差的稳定的货币目标或者利率目标。在一个固定价格的框架中，普尔模型的结果是直观的，并对实际政策进行了清楚的描述。但普尔的分析也存在一些明显的不足：第一，如果要执行货币目标，应该用哪种货币定义？在原先的普尔模型中货币的定义

---

① 参见卡尔·E. 瓦什：《货币理论与政策》（中译本），中国人民大学出版社 2001 年版，第 303—305 页。

2 货币政策规则：历史演进及文献评述

并不清楚，但肯定不是中央银行能完全控制的货币量。第二，所谓的古德哈特批判（Goodhart-critique）（Goodhart，1989）问题。即无论中央银行如何根据目标货币的定义调整其关注重心，与基础货币相关的货币乘数却是越来越不可预测。这实际上是证明了采用利率政策的比较优势。第三，普尔模型的主要缺陷还是它的 *IS-LM* 模型的性质。这个模型没有考虑动态因素、供给方和预期的作用，也没有联系微观基础。因此，接下来我们讨论似乎更合理的中期模型（medium-term models）。

2.3.2 中期中的货币政策规则

2.3.2.1 泰勒规则

泰勒规则是一种工具规则（与目标规则不同，如下文要讨论的直接通胀目标）。泰勒（Taylor，1993）认为中央银行应根据三个变量来调整实际利率 r_t：当期的产出缺口、当期通胀与目标水平的偏差和均衡实际利率。通货膨胀（π_t）和产出（y_t）拥有相同的权重 0.5：

$$r_t = r^* + 0.5(\pi_t - \pi^*) + 0.5(y_t - y^*) \quad (2.16)$$

其中，y^* 是潜在产出，π^* 是通货膨胀的目标值。如果通货膨胀超过了目标水平或者产出超过了潜在水平，就应该提高实际利率以将这些变量拉回均衡值。我们也可以用名义变量来定义泰勒规则，由费雪方程 $i^* = r^* + \pi^*$ 可得到：

$$i_t = i^* + 1.5(\pi_t - \pi^*) + 0.5(y_t - y^*) \quad (2.17)$$

泰勒运用布莱恩特等人（Bryant *et al.*，1993）的研究结果发展了规则，他的目标是要找到一个简单的、易于理解的规则，但这一规则必须能够符合通过对许多不同模型的模拟所得出的主要结论。基本的参考样本期是 1987—1992 年（即格林斯潘的第一个任期）。因此，原始泰勒规则的目的是要提出有关利率应该是多少的标准化建议，而不是对实际 FED 行为进行描述。泰勒规则的实证应用非常广泛（如 Ball，1997；Bernanke & Woodford，1997；Clarida & Gertler，1997；Fuhrer，1997；Svensson，1997；McCallum，1999）。这里我们引用泰勒（Taylor，1999)对建模方法进行的回顾总结,着重讨论在泰勒规则的设计中非常值得关注的几个问题：

第一,泰勒规则原式是针对封闭经济而言的。在封闭经济中,中央银行可以只关注利率；在小国开放经济中,泰勒规则就需要重新修正。鲍尔（Ball，1999）对如何修正泰勒规则进行了研究。实际上,他们是建议用所谓的货币状况指数（Monetary Conditions Index，MCI）代替利率指标。MCI是利率和汇率的加权和,权重由两者对总需求影响的相对重要性决定（Peeters，1999）。在一些情况下,MCI不仅包括短期利率,还包括长期利率。如果中央银行的工作重心还要指导资本市场,这种选择也许可行。开放经济下泰勒规则存在的第二个问题就是通货膨胀项应分离出暂时的汇率效应。泰勒（Taylor，2001）对汇率在货币政策规则中的作用问题进行了深入探讨；鲍尔（Ball，1999）认为汇率变化确实会对通货膨胀形成暂时影响。如果试图消除这种影响,就可能导致产出的过度波动。

第二,泰勒规则原式可能造成中央银行的过度反应。在有些情况下,人们建议使用泰勒规则的变形：

$$i_t = \lambda i_{t-1} + (1-\lambda)[i^* + 1.5(\pi_t - \pi^*) + 0.5(y_t - y^*)] \quad (2.18)$$

这一定义赋予前期利率一个任意权重,以平滑政策建议。特别是在对泰勒规则的事后分析中,这一自回归形式的模型可以更好地符合实际观察到的政策（Orphanides，2001）。这一模型的主要缺陷就是滞后内生变量处于支配地位。

第三,还有一些批评与泰勒规则的后顾性特征有关。货币政策对经济产出影响有一个滞后期,因而根据通胀和产出的当期水平调整利率也许是不合适的。尽管当参数比现在的数值增大后,泰勒规则可能仅仅是一个可行的规则,然而,在前瞻性模型中,泰勒规则仍然有效（Christiano & Gust，1999）。

第四,有关产出缺口和均衡实际利率的测算是一个很严重的问题。我们如何实际决定产出缺口？符合历史产出的趋势就是衡量潜在产出的

2 货币政策规则：历史演进及文献评述

自然途径吗？我们需要运用资本和劳动的利用率吗？还是用滤波方法（如 Hodrick-Prescott 滤波）来决定一个渐进调整的趋势？还有一个问题就是，由于数据修正的原因，导致同期产出的估计变化剧烈。相似的问题同样适用于不可观测的均衡实际利率。

第五，与第四点有关，就是奥芬奈兹（Orphanides，2001）提出的所谓实时批判（real-time critique）问题。根据实时数据提出的政策建议与根据事后修正数据得出的政策建议截然不同。更严重的是，基于事后修正数据估计出的反应函数对历史政策的描述往往会令人误解。

最后，有人也许认为中央银行不应该仅仅控制消费价格的通货膨胀，也应监控资产价格的膨胀。如 Bordo 和 Jeanne（2002）以及 Borio 和 Lowe（2002）深入讨论了资产价格与货币政策规则之间的关系。还有一些经济学家建议将资产价格膨胀因素纳入泰勒规则，如布拉德和斯卡林（Bullard & Schaling，2002）就提出了下列形式：

$$i_t = i^* + a(\pi_t - \pi^*) + b(y_t - y^*) + \gamma(SP_t - SP^*) \quad (2.19)$$

其中，SP_t 是股票市场指数的对数值。布拉德和斯卡林假定短期利率 i_t 可以被看做是长期收益 R_t 的对数，这里的收益 R_t 是 SP_t 的倒数，故有：$i_t = -SP_t$。因此，（2.19）式可以被重新写成：

$$i_t = i^* + a(\pi_t - \pi^*) + b(y_t - y^*) - \gamma(i_t - i^*) \quad (2.20)$$

或：

$$i_t = i^* + (a/(1+\gamma))(\pi_t - \pi^*) + (b/(1+\gamma))(y_t - y^*) \quad (2.21)$$

上式与泰勒规则的原式看起来是等价的。如果中央银行对股票市场作出反应，就要调低原始反应参数。

泰勒规则提出后，经济学家们对此进行了大量研究，部分是对实际货币政策进行理论概括，部分是对最优政策进行分析。Taylor（1999）、McCallum（2000）采用历史分析法，分别使用美国、英国 1962—1999 年和日本 1972—1998 年的数据，对泰勒规则进行了检验，认为规则信息比目标变量更明显依赖于指定的政策工具。Clarida，Gali 和 Gertler

(1998，2000)运用反应函数法对泰勒规则进行了检验，通过对两类国家 G3（德国、日本、美国）和 E3（英国、法国、意大利）货币反应函数的估算，发现在不确定情况下的通胀目标优于固定汇率目标，并以此为手段为货币政策提供一个名义锚。Judd 和 Rudebusch（1998）、Nelson（2000）则将历史分析法与反应函数法结合起来，在分析货币历史数据的基础上估算中央银行的反应函数。Christiano 和 Gust（1999）采用一些国家的数据检验泰勒规则的操作特征，发现当通胀增加时，名义利率增加幅度超过了通胀增加幅度，而当产出相对于趋势变化时，利率并没有作出相应调整。

我国一些学者也对成功反映了美国货币政策实践的泰勒规则进行了探讨和评价。谢平、罗雄（2002）用历史分析法和反应函数法检验了泰勒规则在中国是否成立，指出泰勒规则可以很好地衡量中国的货币政策，能够为中国的货币政策提供一个参考尺度。陆军、钟丹（2003）则引入了预期因素，将传统的泰勒规则修正为前瞻性泰勒规则，并运用协整理论检验了这两种规则，结果发现两种泰勒规则均可用于描述我国银行间同业拆借利率的走势。

2.3.2.2 通胀目标制规则

从新西兰联邦储备银行（the Federal Reserve Bank of New Zealand）于 1990 年 11 月提出通胀目标以来（参见表 2-2），这种形式的货币政策规则受到了越来越广泛的欢迎。通胀目标制看起来似乎是一个"简单"规则，但实际上是相当复杂的。用一种工具来实现通胀目标就很不简单，而事实上要运用很多工具。通胀目标看起来比较简单且透明，这正是这一制度要实现的目标之一。如果货币政策当局行动透明并对所做决策进行充分说明，通胀目标制就能与私人部门很好地交流。而事实上的政策选择并不能很容易地作出，并要求对宏观经济状况进行仔细分析。这里我们仅介绍通胀目标制的基本原理。

斯文森（Svensson，1999）对工具规则和目标规则进行了区分。工

2 货币政策规则：历史演进及文献评述

具规则将货币政策工具表示成先定的（predetermined）或前瞻性的（forward-looking）变量或两者兼而有之的先验方程（predescribed function）。斯文森将工具仅取决于先定变量的规则定义为显性工具规则（explicit instrument rule），而将工具取决于前瞻性变量的规则定义为隐性工具规则。泰勒规则（Taylor，1993）、联邦基金利率规则（Henderson & McKibbin，1993）和麦克勒姆—梅茨勒基础货币规则（McCallum，1988）都是显性工具规则的例子。也有一些隐性工具规则的例子。如在加拿大银行运用的模型中（Coletti et al.，1996），有如下形式的规则：

$$i_t = i_t^L + \gamma(\pi_{t+T|t} - \pi^*) \tag{2.22}$$

(2.22)式中，i_t 是短期利率，i_t^L 是长期名义利率，$\pi_{t+T|t}$ 是提前 T 季的有持续规则的通胀预期，π^* 是通胀区间的中点（$\gamma>0$）（Batini & Haldane，1999）。然而，这些比较简单的工具规则的运行仍会相当复杂。

正如斯文森（Svensson，1999）所言，中央银行将所有承诺的实现仅依靠一个工具规则是不大可能的。中央银行运用的信息要多于简单规则所包含的，尤其是在开放经济中。规则只是用作指导方针，而不是食谱。斯文森认为中央银行更可能会受制于一种损失函数。目标规则就是中央银行最小化特定的损失函数。一个损失函数的例子是：

$$L_t = \sum_{j=1}^{\infty} \delta^j \frac{1}{2}[(\pi_{t+j} - \pi^*)^2 + \lambda y_{t+j}^2] \tag{2.23}$$

其中，δ 是贴现因子，λ 是产出稳定的相对权重。我们可以得到政策的一阶条件是：

$$\pi_{t+2|t} - \pi^* = c(\lambda)(\pi_{t+1|t} - \pi^*) \tag{2.24}$$

其中，$C(0)=0$，$c(\lambda)>0$ 且为 λ 的递增函数（$\lim_{\lambda\to\infty} c(\lambda) = 1$）。规则是相当简单的：通过调整利率使得提前两期的条件通胀预期与通胀目标的偏差是提前一期预期偏差的 $c(\lambda)$ 倍。

这里有必要附加几点说明。首先，货币政策的最终目标可能不易控制或观察，在这种情况下，可能用与最终目标密切相关且易于控制和观察的中介目标代替。其次，用 π^* 代表通胀目标，有时会使人迷惑。如：

$$i_t = i^* + g(\pi_t - \pi^*) \qquad (2.25)$$

（2.25）式就被看成是一个"目标"规则。斯文森（1999）强调这其实并不是通胀目标制。第一，通胀目标制所运用的信息要多于上述简单反馈规则。第二，形如（2.25）式的规则一般是无效的，因为它没有最小化相应的损失函数。鲁迪布什和斯文森（Rudebusch & Svensson, 1999）的研究表明形如（2.25）式的规则的实际表现很差。第三，工具更可能是对目标变量的决定因素作出反应，而不是目标变量本身。斯文森（Svensson, 1999）定义了严格通胀目标制和弹性通胀目标制：当 $\lambda=0$ 时就是严格通胀目标规则；如果 $\lambda>0$，且产出缺口进入损失函数，就是弹性通胀目标规则。通胀目标制面临的最大问题就是中央银行对通货膨胀的不完全控制。这里有许多问题，如传导机制的滞后性、传导的不确定性以及经济冲击等。这些因素可能影响通胀，但导致通货膨胀增加真的是由于货币政策还是其他原因并不清楚。因此，金（King, 1994）建议用条件通胀预期（conditional inflation forecast）作为中介变量，这种类型的政策被称为通胀预期目标制（inflation-forecast targeting）。

除了较广泛的一般目标以外，通胀目标制还有更多的其他要求。目标规则通常要求一定的制度环境，正如米什金（Mishkin, 2000）所言，一个通胀目标战略要求：第一，目标的公布；第二，价格稳定的制度保证；第三，一个包含所有信息的战略；第四，透明性；第五，中央银行的责任性。所以，一种新的政策规则不仅仅是机械地加以运用，而且中央银行要采用新的操作方法。如今，通胀目标制已成为颇受欢迎的货币战略。从1990年11月开始至2000年已有19个国家明确采用了通胀目标战略（见表2-2）。

2 货币政策规则：历史演进及文献评述

表 2-2　实行通货膨胀目标制的国家一览

国　家	实行时间
新西兰（New Zealand）	1990 年 11 月
智利（Chile）	1991 年 1 月
加拿大（Canada）	1991 年 2 月
英国（UK）	1992 年 10 月
以色列（Israel）	1992 年 12 月
瑞典（Sweden）	1993 年 1 月
芬兰（Finland）	1993 年 2 月—1998 年 6 月
秘鲁（Peru）	1994 年 1 月
澳大利亚（Australia）	1994 年 9 月
西班牙（Spain）	1994 年 11 月—1998 年 6 月
韩国（Korea）	1998 年 1 月
捷克（Czech Republic）	1998 年 1 月
波兰（Poland）	1998 年 10 月
墨西哥（Mexico）	1999 年 1 月
巴西（Brazil）	1999 年 6 月
哥伦比亚（Colombia）	1999 年 9 月
瑞士（Switzerland）	2000 年 1 月
南非（South Africa）	2000 年 2 月
泰国（Thailand）	2000 年 4 月

资料来源：Mishkin, F. S., and Schmidt-Hebbel, 2000, "One decade of inflation targeting in the world: what do we know and what do we need to know?", Presented at the Central Bank of Chili Conference: *Ten Years of Inflation Targeting: Targeting, Design, Performance, and Challenges*, Santiago.

2.3.2.3　开放经济中的货币政策规则

泰勒规则和通胀目标制规则都是封闭经济下的货币政策规则，那么，开放经济中的最优货币政策规则会有什么变化呢？

Ball（1998）认为，在封闭经济中，依据产出和通胀对利率进行调整的泰勒规则是最优的，但在开放经济中，最优规则在两个方面发生了变化：第一，政策工具变成了货币状况指数 MCI（Monetary Conditions Index）[①]；第二，规则表达式中的通胀水平由长期通胀指标（Long-run Inflation）所替代，这一长期通胀指标滤出了汇率波动的暂时影响。Ball 运用一个简单宏观经济模型，说明了通胀目标制在开放经济中是相当危险的，因为这一规则体系会导致汇率和产出的较大波动。Laxton 和 Pesenti（2003）发展了 IMF 的全球经济模型（IMF's Global Economic Model）用于分析开放经济的宏观经济动态，并用这一模型比较了泰勒规则和通胀预期（Inflation-forecast-based，IFB）规则对稳定产出和通胀方差的有效性，结果发现简单的 IFB 规则在小国开放经济中是优于泰勒规则的。Batini、Harrison 和 Millard（2003）认为基于 MCI 的 Ball 规则在面对特殊的汇率冲击时表现欠佳，因此并不能作为货币政策每日行动（Day-to-day Conduct）的向导；他们采用一个两部门开放经济动态随机一般均衡模型（Two-sector Open-economy Dynamic Stochastic General Equilibrium Model）分析了各种规则的表现，也发现 IFB 规则是最优的，并且这一规则对各种冲击都表现出了稳健性（Robust）特征。

2.3.3　长期中的货币政策规则

还有一个活跃的辩题就是长期中的货币作用问题。如果市场出清，信息完全，没有贸易壁垒，货币应有什么作用？由于货币本身没有内在价值，故其价值往往取决于其他一些由利率支撑的资产（interest-bearing asset）。为了评估货币在增长模型中的作用，我们必须假定货币在市场经济中所扮演的角色。现有文献建议有两种方法：货币产生效用以及货币被用于购买商品。在一些情况下，两种方法可以看做是等价的。为简单起见，本书采用货币产生效用的方法。

如果货币是效用函数的一个要素，在产生效用方面就可以将它视为

[①] MCI 是一种利率水平和汇率水平的加权平均值，详见本书第六章相关内容。

2 货币政策规则：历史演进及文献评述

与其他消费品等价，但在有些方面是不同的：它可以用来将财富转移至下一期，更重要的是货币有一个垄断供应者。如果货币的垄断供应者通过创造货币，并以损害货币使用者利益的方式来抽取租金，就会导致社会福利观点上的次优结果，除非这一铸币税行动是关于其他税种最优化的。这里暂不管后一种观点，先通过一个简单增长模型为最优货币政策规则建模（Sidrauski，1967），Sidrauski 模型实际上是加入货币的拉姆齐模型（Ramsey，1928）。假设家庭拥有如下形式的效用函数：

$$U = \sum_{t=0}^{\infty} \delta^t u(c_t, m_t) \qquad (2.26)$$

U 是一个冯—诺伊曼—摩根斯坦效用指数（Von-Neumann-Morgernstern utility index），$0 < \delta < 1$ 是一个主观贴现率，c_t 是时期 t 的人均消费，m_t 是时期 t 的人均实际货币余额。假设人均产出可以用 $y_t = f(k_{t-1})$ 表示，其中的生产函数 $f(.)$ 满足稻田条件（Inada conditions）。家庭的绝对预算恒等式可以表示为：

$$Y_t + (1-\sigma)K_{t-1} + M_{t-1}/P_t = C_t + K_t + M_t/P_t \qquad (2.27)$$

其中，Y_t 是总产出（$= y_t N$），σ 是折旧率，K_t 是总资本存量（$= k_t N$），M_t 是总名义货币存量（$m_t P_t N$），C_t 是总消费（$= c_t N$），P_t 是价格水平。令 $\pi_t = P_t/P_{t-1} - 1$ 和 $n = N_t/N_{t-1} - 1 = 0$（即没有人口增长）。预算约束表示家庭的收入和支出持平。在进行一些处理后，我们得到人均形式：

$$f(k_{t-1}) + (1-\sigma)k_{t-1} + m_{t-1}/(1+\pi_t) = c_t + k_t + m_t \qquad (2.28)$$

动态最优化可通过不同方式求解，这里参照瓦什（Walsh，1998）采用的贝尔曼法（Bellman-approach）。分析稳态结果：所有的数量变量（quantity variable）都有一个固定增长率。稳态可以表述为：

$$f(k^{ss}) = 1/\sigma - 1 + \sigma \qquad (2.29)$$

$$c^{ss} = f(k^{ss}) - \sigma k^{ss} \qquad (2.30)$$

定义 $r_t = f_k(k_t) - \sigma$ 为资本的净实际回报率（the net real rate of return on capital），其中，$f_k(.)$ 表示资本的边际生产率；另定义 $i_t = (1$

$+r_t)(1+\pi_t)-1$ 为名义利率，可以得到：

$$u_m(c_t,m_t)/u_c(c_t,m_t) = i_t/(1+i_t) \qquad (2.31)$$

(2.31)式给出了按消费商品衡量的所持有货币的相对价格。大家都知道，稳态中的实际变量不受名义变量的影响（货币中性）。如果要最大化稳态效用函数 $u(c^{ss},m^{ss})$，$u_c(.,.)$ 是不受货币增长的影响的，而 $u_m(.,.)$ 则依赖于货币增长。最优货币增长显示 $u_m=0$，很容易看出，只有 $i=0$ 时，才会达到最优。这个结论就是芝加哥规则（the Chicago rule）。

芝加哥规则说明货币当局应该执行使名义利率等于0的货币供给政策。如果净实际利率为正，就应该实行持续的货币紧缩政策。对这一论点的另一种解释可参见贝利对通货膨胀福利成本的阐述。贝利（Bailey，1956）认为通胀的福利成本可以用货币需求函数（货币需求是名义利率的函数）下的区域表示，只有当名义利率等于0时，才会没有福利损失。

直观地，从芝加哥规则可以得出如下结论。由于法定货币不是稀缺品，故代理人没有必要节约法定货币。持有货币的机会成本就是债券的名义利率。社会最优要求边际社会收益等于货币成本。由于法定货币的制造几乎是无成本的，故货币供给应膨胀至货币边际收益等于0的那一点，那时的代理人将有非常充足的流动性。芝加哥规则是最著名的最优货币政策结果，当然这一结论也是有争议的（Woodford，1990）。反对芝加哥规则的一个主要结论是公共金融理由。通货膨胀可以看做是一个简单的税收，最优动态税收即意味着所有税收工具的边际成本必须等于边际收益。让一种税收收益等于0就会给政府资金的其他来源造成很大的压力。这一观点是菲尔普斯（Phelps，1973）提出的。

当然，如果运用其他增长模型自然会得出最优货币政策的其他特性。沃德福特（Woodford，1990）对这一领域的研究作过广泛的回顾。从某种程度上讲，这些讨论似乎仅具有纯粹的学术意义。一个与此相似的问题是，在一个几乎不使用现金的社会中，中央银行有何作用？这个

2 货币政策规则：历史演进及文献评述

问题看起来有些乌托邦，但却越来越可能出现。金（King，1999）认为电子货币将打破中央银行对基础货币的垄断。弗里德曼（Friedman，1999）认为，与其他金融资产相比，基础货币的规模变得如此之小，以致货币政策再无用武之地。然而，沃德福特（Woodford，2000）认为即使基础货币的相对作用是有限的，从中央银行的债务方面来看，货币的本质特征是作为记账单位而存在。所以，即便是基础货币的数量有限，中央银行仍应该控制货币状况。

本章小结

本章对货币政策规则的相关文献进行了回顾。大家普遍认为，如果相信代理人是前瞻性的，规则较相机抉择就有相当明显的优势。因为规则既解决了货币政策执行过程中的时间非一致性问题，又能消除通胀偏差给社会福利带来的损失。笔者对货币政策规则进行了历史描述，从金本位制开始，回顾了许多流行规则，诸如常数货币增长规则、基础货币规则直到当前文献研究的工具规则和目标规则等。通过对大量有关货币政策规则文献的回顾总结，我们至少应有以下几点结论：

第一，要理解货币政策规则的恰当作用，必须要对基本宏观经济模型有透彻的理解。如果对短期视界感兴趣，就可以使用普尔模型（一个随机 IS-LM 模型）来推出究竟是利率规则还是货币规则更优。如果对长期视界中的最优货币政策感兴趣，就可以运用所谓的完全流动性规则（full liquidity rule）或零名义利率规则（zero nominal interest rate rule）。货币政策规则中最著名的例子是中期视界中的工具规则和目标规则（本书将对这两大规则进行实证研究）。本书在一个 AS-IS-LM 模型框架中讨论了一个工具规则——泰勒规则，分析了泰勒规则的优点和缺点。接着本书讨论了最流行的目标规则——通胀目标制，分析了它的理论基础，并解释了这一规则的盛行。

第二，纵观货币政策规则理论的历史演进过程，这一研究经历了从零散到系统、从静态到动态的转变。20世纪70年代以前，西方对货币政策规则的研究较少，并且相关的理论观点大都夹杂于不同经济学流派的宏观经济理论之中，只有在进行"规则与相机抉择"的争论时才会被明确地提出。而在泰勒规则提出以后，理论界在对规则的定义、分类、作用和最优规则的选择以及模型化等方面都进行了大量的系统研究。在研究方法上，则经历了从早期相对静态的研究到基德兰德和普雷斯科特以后公众理性预期的引入以及博弈论方法的大量运用。这使得货币政策规则的研究被纳入到一个动态的体系，从而与现实经济更加接近了。

第三，货币政策规则理论的发展与各国中央银行探索货币政策的操作过程并行不悖，这一结论独立于所选规则的特定类型。例如，20世纪90年代初，美国将货币政策调控目标从货币量转变为利率并获得了极大的成功，在理论上则反映为利率规则研究的盛极一时；而近几年来，学者们则将研究的重心转向了广义的目标规则，尤其是对通货膨胀目标规则的研究，这一转变也绝非偶然。众所周知的是，许多国家通过设定通货膨胀目标而取得了令人瞩目的成绩。我们可以看到，如果中央银行要降低通货膨胀，那么，拥有一个规则比选择什么样的规则更为重要。这给我们的启示在于，中国的货币政策操作规范要实现向规则的转型，关键不在于实行哪一种具体的规则，最重要的是转型本身。

第四，中央银行货币政策规则之间的区别从某种程度来讲仅仅是语义上的。尽管由于政策目标和求解方法的不同，各种货币政策规则迥异，但是从各种货币政策规则的公式形式和最终关注的实质问题来看，当前流行的几种货币政策规则实际上并没有本质差异，可能仅仅是赋予的权重不同。也就是说，宽松地按泰勒规则行事，实行赋予通胀损失很大权重的通胀目标制，与实行将常数货币增长和通胀目标相混合的欧洲中央银行的"双支柱"战略之间并没有太大的差异。然而，对中央银行通胀和产出的目标值有精确认识却是比较重要的。一个中央银行家有较低的产出目标，但对产出损失相当厌恶；另一个中央银行家有较高的产

2 货币政策规则：历史演进及文献评述

出目标，但对产出损失相对来说并不怎么厌恶，那么，他们制定的实际货币政策就会明显不同。

第五，资产价格的作用引起了一个新的争论。过去，有人对要不要将资产价格考虑到通货膨胀的测算中争论不休，这个讨论看来传染给了中央银行家的政策制定。货币政策应不应该考虑资产价格的变化？如果过去资产价格的波动加剧，这个问题就更难解决。我国的资本市场自20世纪90年代以来获得了长足发展，同时资产价格的波动也给中央银行的货币政策调控带来了麻烦，中国的货币政策调控要不要反映资产价格的波动，这关系到货币政策的实施效果。

除了以上问题，还有一些争论是有关贯彻货币政策规则的制度的，如通胀目标规则就要求中央银行的透明性和责任性。但是，这些问题恐怕对于任何政策规则而言都是存在的。

应该看到，未来的货币政策规则理论的发展重心最可能是在设计易于实施（easy-to-implement）且普遍适用的规则方面。那些有利于稳定经济发展的规则当然要比那些增加经济波动的规则更受欢迎。但是，对于在许多方面表现均不相同的各种经济体而言，要设计普遍适用的规则，仍将是货币经济学家和政策制定者所面临的严峻挑战。

3 规则还是相机抉择：转型期中国货币政策操作规范的选择

货币政策的操作规范是指中央银行制定和实施货币政策时所遵循的行为准则或模式，它是决定一国货币政策有效性的重要因素之一。历史上有两种完全对立的货币政策操作规范，即"相机抉择"和"按规则行事"。一般来说，规则指的是央行在制定和实施货币政策之前，事先确定并据以操作政策工具的程度或原则；而相机抉择是指央行在操作政策工具过程中，不受任何固定程度或原则的束缚，依照经济运行态势进行"逆经济风向"调节，以实现货币政策目标。我国自1992年明确提出向社会主义市场经济体制转轨后，逐渐加大了货币政策在宏观调控中的作用力度。但究竟哪一种货币政策操作规范更加适合中国转型期的实际情况，这是值得认真研究的一个课题。

3.1 规则还是相机抉择：理论分析

3.1.1 规则与相机抉择：时间非一致性的分析

对于按规则行事与相机抉择这两种货币政策操作规范，中央银行究竟应该用哪一种方式进行操作呢？中央银行是应当一次性地决定最优货

3 规则还是相机抉择：转型期中国货币政策操作规范的选择

币政策规则并加以坚持，还是应当在每个时期都重新做出最优决定？弗里德曼的货币规则明显属于前一类型，他主要在不同的时期操作固定的参数值。一般来说，凯恩斯主义者支持货币当局随时间变动政策实施规则（函数和/或其参数值）。为了考察这一问题，我们需要在跨时背景下分析一致性政策和相机抉择政策。

一个跨时或具有时间一致性的政策，是一种保持政策预定时间格局的政策，也就是指按货币政策规则行事。即使预定的政策会在不同的时期变化，但这组政策在第一时期开始时就已经被决定，并在以后一直得以坚持，它们是跨时的固定政策集。而相机抉择政策集却是为未来时期所预定的政策，会随时间的推移而改变①。

具有预定的长期政策格局的时间一致性政策，要求在时期 1 的开始，就根据对所有时期的跨时优化，对政策集进行推导，并随时间推移对其加以保持。按照这一政策安排，当前能够预料到的对经济的未来冲击都不会导致对这一预定政策的偏离。而相机抉择的政策却只要求根据当前和未来时期的跨时优化，对每个时期的最优政策路径都进行重新推导，即使在没有出现未预期冲击的情况下也是如此。可以看出，相机抉择的方法在随时间推移而进行的连续优化操作中，逐期消除了过去时期中与之有关的信息。区别规则型政策与相机抉择型政策的一种简单方法是，规则型政策对未来的政策路径做出一次性的决定，而相机抉择政策却在每个时期都要制定新的政策路径。

直观来看，相机抉择型政策应该更可取，因为它保持了连续的政策灵活性，中央银行可以根据每个时期出现的未预期冲击进行稳定化操作，并在每个时期都是最优的。而时间一致性（规则型）政策由于在第 1 期就确定了未来所有时期的政策路径，难免有政策僵硬之嫌，不能充分应对未来的不确定性。但是，这种直观的看法自 1977 年基德兰德和

---

① 参见［加］杰格迪什·汉达：《货币经济学》，中国人民大学出版社 2005 年版，第 332—335 页。

普雷斯科特的经典论文问世后，受到了充分的挑战和怀疑。

这里我们采用基德兰德和普雷斯科特（Kydland & Prescott, 1977）的理论框架，考察对于经济的既定跨时结构，时间一致性政策和相机抉择型政策的优劣。

假定决策者赖以决策的社会目标函数为：

$$S(x_1, x_2, \cdots, x_T, \pi_1, \pi_2, \cdots, \pi_T) \tag{3.1}$$

其中，$\pi = (\pi_1, \pi_2, \cdots, \pi_T)$ 是从时期 1 到 T（可以无限）的政策序列；$x = (x_1, x_2, \cdots, x_T)$ 是经济个体的决策序列。

假设经济个体在 t 期的决策取决于所有的政策序列和他自己过去的决策，即

$$x_t = x_t(x_1, \cdots, x_{t-1}, \pi_1, \cdots, \pi_t), t = 1, \cdots, T \tag{3.2}$$

注意，由于我们没有考虑不确定性，所以变量的未来值在时期 1 开始时即为已知。同时，我们假定不必再考虑其他约束条件。

最优政策是指满足约束条件（3.2）式且最大化社会目标函数的政策序列 π，即有：

$$\max_{\pi_1, \pi_2, \cdots, \pi_T} S(x_1, x_2, \cdots, x_T, \pi_1, \pi_2, \cdots, \pi_T)$$

$$s.t. \ x_t = x_t(x_1, \cdots, x_{t-1}, \pi_1, \cdots, \pi_T), \ t = 1, \cdots, T \tag{3.3}$$

为了简化分析，可以令 $T = 2$，此时的社会目标函数和经济个体的决策函数分别为：

$$S = S(x_1, x_2, \pi_1, \pi_2) \tag{3.4}$$

$$x_1 = x_1(\pi_1, \pi_2) \tag{3.5}$$

$$x_2 = x_2(x_1, \pi_1, \pi_2) \tag{3.6}$$

我们先来分析一致性政策路径的跨时优化。在时期 1 要做出两项政策决定 π_1 和 π_2，为了推导这些决定，将（3.5）式和（3.6）式代入（3.4）式，得到：

$$S = S(x_1(\pi_1, \pi_2), x_2(x_1(\pi_1, \pi_2), \pi_1, \pi_2), \pi_1, \pi_2) \tag{3.7}$$

为得到 π_1 和 π_2 的最优值 π_1^* 和 π_2^*，决策者使（3.7）式的 S 关于 π_1 和 π_2 最大化，从而可以解出两个欧拉条件，求得最优值。不过，对

3 规则还是相机抉择：转型期中国货币政策操作规范的选择

于下列论点，我们只需考察关于 π_2 的一阶条件，即：

$$\frac{\partial S}{\partial x_1} \cdot \frac{\partial x_1}{\partial \pi_2} + \frac{\partial S}{\partial x_2} \cdot \frac{\partial x_2}{\partial x_1} \cdot \frac{\partial x_1}{\partial \pi_2} + \frac{\partial S}{\partial x_2} \cdot \frac{\partial x_2}{\partial \pi_2} + \frac{\partial S}{\partial \pi_2} = 0 \quad (3.8)$$

上式可以变形为：

$$\frac{\partial S}{\partial x_2} \cdot \frac{\partial x_2}{\partial \pi_2} + \frac{\partial S}{\partial \pi_2} + \frac{\partial x_1}{\partial \pi_2} \left[\frac{\partial S}{\partial x_1} + \frac{\partial S}{\partial x_2} \cdot \frac{\partial x_2}{\partial x_1} \right] = 0 \quad (3.9)$$

对于相机抉择的政策路径，在时期1，决策者仍按一致性政策的方法选择 π_1^* 和 π_2^*；但在时期2，π_1 和 x_1 已成为过去，决策者在时期2做出的决定基于对（3.4）式只关于 π_2 的最大化，但要满足：

$$x_2 = x_2(x_1, \pi_1, \pi_2) \quad (3.10)$$

$$x_1 = \overline{x_1} \quad (3.11)$$

$$\pi_1 = \overline{\pi_1^*} \quad (3.12)$$

其中，上划线表明给定值与约束（3.5）式不再相关。将（3.10）式至（3.12）式代入（3.4）式，可将优化问题变为下式的最大化：

$$S = S(\overline{x_1}, x_2(\overline{x_1}, \overline{\pi_1^*}, \pi_2), \overline{\pi_1^*}, \pi_2) \quad (3.13)$$

（3.13）式的一阶最大化条件为：

$$\frac{\partial S}{\partial x_2} \cdot \frac{\partial x_2}{\partial \pi_2} + \frac{\partial S}{\partial \pi_2} = 0 \quad (3.14)$$

我们令（3.14）式的解为 π_2^{**}。（3.14）式将不同于（3.9）式，除非：

$$\frac{\partial x_1}{\partial \pi_2} \left[\frac{\partial S}{\partial x_1} + \frac{\partial S}{\partial x_2} \cdot \frac{\partial x_2}{\partial x_1} \right] = 0 \quad (3.15)$$

如果（3.15）式没有得到满足[①]，π_2^{**} 将不同于 π_1^*。由于一致性货

---

① 只有两种情况能使（3.15）式得到满足：一种是 $\frac{\partial x_1}{\partial \pi_2} = 0$，即意味着将来政策对经济个体现在的决策没有影响；另一种是 $\frac{\partial S}{\partial x_1} + \frac{\partial S}{\partial x_2} \cdot \frac{\partial x_2}{\partial x_1} = 0$，即指经济个体现在的决策对社会目标函数的直接和间接影响总和为零。显而易见，以理性经济人来说，这两种情况都是不大可能出现的。

币政策路径（π_1^*，π_2^*）是跨时效用最大化的解，故（π_1^{**}，π_2^{**}）只能产生一个较低的效用水平。因此，从先验观点来看，相机抉择政策不是跨时最优的。为了获得跨时最优的效用水平，决策者应该执行时间一致性的货币政策规则。

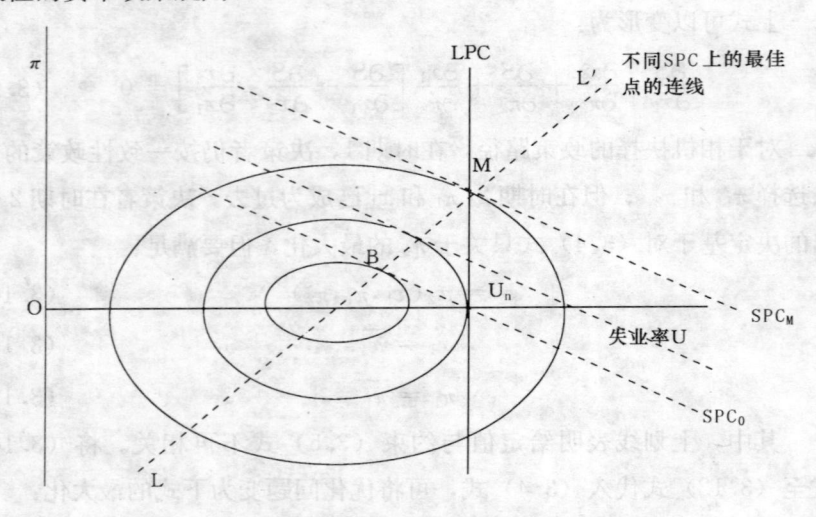

图 3-1 时间非一致性与最优均衡

我们也可以通过图 3-1 得到上述分析的直观感觉。如图 3-1 所示，SPC 表示短期菲利普斯曲线，LPC 是长期菲利普斯曲线，椭圆表示中央银行的损失函数。假定实际低通胀是一个最优选择，则当公众形成了较低的通货膨胀预期时（如 SPC_0 反映的零通胀预期），中央银行就将面对某种现实的通胀激励——通过制造意外的高通胀率以获得产出的额外收益（点 B 所反映的情况）；但如果社会公众的预期是理性的，他们确信政策制定者会屈从于这种激励，这样就会在博弈的一开始就会有较高的通胀预期。最终的博弈结果是货币当局的政策造成了高通货膨胀，却并没有得到任何产出上的好处（点 M）。这就证明了如果中央银行拥有相机抉择的权力，就更可能出现短视行为，也更容易导致货币政策的时间非一致性。

46

3 规则还是相机抉择：转型期中国货币政策操作规范的选择

3.1.2 规则与相机抉择：通胀偏差的分析

3.1.2.1 模型的设定

如果说通货膨胀是有成本的（即使成本很低），那为什么自 20 世纪 70 年代以来人们观测到的平均通货膨胀率总是正的呢？近些年来，对正平均通货膨胀率的解释大多都建立在基德兰德和普雷斯科特（Kydland & Prescott，1977）以及卡尔沃（Calvo，1978）等人的非一致性分析基础上[①]。其基本见解是，尽管实现低水平的平均通货膨胀率可能是最优的，但这样的政策却不是一致的。如果社会公众预期了一个较低的通货膨胀率，那么中央银行就将面对较高通货膨胀率的激励。由于确信中央银行会屈服于这种激励，故公众就能对较高的通货膨胀率作出准确的预期。

为了分析中央银行的政策选择过程，首先需要对中央银行的行为偏好进行规定。标准的做法是假定中央银行的目标函数包括产出（或者就业）与通货膨胀两个变量，产出项进入目标函数的具体方式有两种。一种方式是由巴罗和戈登（Barro & Gordon，1983b）首先使用的，他们认为中央银行的目标是使预期效用函数值最大化，其效用函数为：

$$U^{cb} = \lambda(y - y_n) - \frac{1}{2}\pi^2 \qquad (3.16)$$

上式中，y 为产出，y_n 为经济的自然率产出水平，π 为通货膨胀率。边际效用不变时，产出当然是越多越好，所以产出以线性方式进入目标函数；而当假定通货膨胀会产生递增的边际负效用时，则以二次项的方式进入目标函数。参数 λ 控制的是中央银行设置在产出扩张与持久性通货膨胀之上的相对权重。通常来讲，增加产出的愿望都是受到了施加在

[①] 关于货币政策与财政政策设计方面非一致性问题的综述，可参见佩森和塔贝里尼（Persson & Tabellini，1990）的著作。库克曼（Cukierman，1992）和德里菲尔（Driffill，1988）对这些强调非一致性的模型中有关通货膨胀分析的理论问题做了深入探讨。也可参见阿伦·德雷泽（Allan Drazen）的著作《宏观经济学中的政治经济学》（中译本），经济科学出版社 2003 年版。

货币政策之上的政治压力的刺激,这种压力往往是由于政治家们旨在再度当选的经济扩张愿望[①]。此外,由于税收、垄断工会或是垄断竞争而产生的经济扭曲行为,也可能会使 y_n 处于低效率水平。

关于中央银行偏好的另一种标准规定是假定中央银行希望最小化其预期损失函数值,这个函数由产出及通货膨胀的波动决定。即无论损失函数中的产出项还是通货膨胀项都是二次的,其形式为:

$$V^{cb} = \frac{1}{2}\lambda [y - (y_n + k)]^2 + \frac{1}{2}\pi^2 \qquad (3.17)$$

形如(3.17)式的损失函数,最关键的是参数 k。假定中央银行希望同时稳定产出与通货膨胀,使通货膨胀维持在零水平附近[②],使产出维持在 $y_n + k$ 水平附近,这个值比经济的自然率产出水平 y_n 超出一个常数 k [③]。由于(3.17)式中包括了产出的方差,所以形如(3.17)式的损失函数也暗示了中央银行稳定化政策的作用,这一点在中央银行只关注产出水平的(3.16)式中是不存在的。由于本书强调中央银行的稳定产出义务,故我们将一直采用形如(3.17)式的二次损失函数进行分析。

其实,(3.16)式与(3.17)式的联系是相当紧密的。将二次损失函数(3.17)式中的产出项展开可以得到:

$$V^{cb} = -\lambda k(y - y_n) + \frac{1}{2}\pi^2 + \frac{1}{2}\lambda(y - y_n)^2 + \frac{1}{2}\lambda k^2$$

[①] 弗拉蒂安尼、冯·哈根和沃勒尔(Fratianni, Von Hagen, and Waller, 1997),以及赫伦道夫和纽曼(1997)等就再度当选对中央银行政策选择的影响问题进行了研究。

[②] 注意,如果中央银行确定了一个非零的最优通货膨胀率 π^*,那么,(3.16)式和(3.17)式中的通货膨胀项都要替换成 $\frac{1}{2}(\pi - \pi^*)^2$。本书以后的部分会采用这种形式。

[③] 关于 $k > 0$ 的假设有几种常见的解释,这些解释与线性偏好函数(3.16)式中产出项的论据是相似的。大多数情况下人们将这一问题的存在归于劳动市场上扭曲(比如工资税)的存在,认为这些扭曲使经济的均衡产出率陷入无效率的低水平;也可以认为是垄断竞争部门的存在使均衡产出水平变得效率低下。这样,试图运用货币政策使产出水平稳定在 $y_n + k$ 附近的做法只能是一种次优选择(最优办法应当包括消除那些初始扭曲)。另一种解释认为,k 产生于对中央银行施加的政治压力,这种政治压力是指由选举产生的当政者具有一种经济扩张的倾向,因为扩张看起来似乎可以提高他们再度当选的可能性。

3 规则还是相机抉择：转型期中国货币政策操作规范的选择

上式右边前两项与线性效用函数（3.16）式是一致的（由于 V 是损失函数，故正负号恰好相反），这表明如果假定 k 是正值，也就等于承认从高于 y_n 的产出扩张中可以获得效用收益。所不同的是，V 函数中还包括了偏离 y_n 而发生的损失项 $\frac{1}{2}\lambda(y-y_n)^2$，这就引入了稳定化政策的作用。最后一项是一个常数，对中央银行的决策不会产生任何影响。

本书关于经济整体的规定遵循巴罗和戈登（1983a、1983b）的分析。总产出由卢卡斯总供给函数[①]给定，其形式为：

$$y = y_n + a(\pi - \pi^e) + u \qquad (3.18)$$

另外，我们假定通货膨胀与货币当局的实际政策工具之间存在线性关系：

$$\pi = \Delta m + v \qquad (3.19)$$

其中，Δm 为货币供给增长率（名义货币供给对数值的一阶差分），假定这是中央银行使用的政策工具[②]；v 为货币流通速度干扰。本书假设私人部门的预期在中央银行选择名义货币供给增长率之前确定，因此，中央银行在设定 Δm 时就可以将 π^e 看做是给定的。此外，我们还假定中央银行在设定 Δm 之前可以观测到 u 值，但不能观测到 v 值[③]，并且 u 和 v 不相关。

[①] 我们假定刺激产出的原动力在于一期名义工资合约的存在，这些建立在公众预期通胀基础上的合约在每一期间开始时签订。如果实际通胀水平超出了预期水平，实际工资就会降低，厂商就会增加雇用工人，反之亦然。假定产出符合柯布－道格拉斯生产函数，产出是劳动投入的函数，名义工资在期初确定，设定值与劳动市场均衡保持一致（给定通货膨胀预期），而厂商则根据实现的实际工资水平来确定实际雇用人数，这样我们就可以推导出（3.18）式。

[②] 尽管事实上，很多时候中央银行是将短期利率作为政策工具的，但本书这里分析的主要目的是解释平均通货膨胀率的决定因素，那么以货币供给量或是利率作为政策工具的差别就是无关紧要的。况且本书还试图用这一模型解释中央银行的稳定化政策，故本书选用货币量作为政策工具。

[③] 之所以作这样的假定，是为了引入中央银行根据随机供给冲击 u 实施稳定化政策的作用。

本模型的博弈顺序如下：首先是私人部门在各自预期基础上确定名义工资，其后是设定 π^e，接下来是实现了供给冲击 u。由于预期早已确定，故预期并不会由于 u 的实现而发生变化，但中央银行的政策可以对此做出反应，而且政策工具 Δm 是在中央银行观察到 u 值之后确定的。接下来就是实现了货币流通速度冲击 v，最后是实际通货膨胀水平和产出水平被确定。

3.1.2.2 均衡通货膨胀水平的确定

我们将（3.18）式和（3.19）式代入（3.17）式，可以得到：

$$V^b = \frac{1}{2}\lambda[a(\Delta m + v - \pi^e) + u - k]^2 + \frac{1}{2}(\Delta m + v)^2$$

中央银行在观测到供给冲击 u 之后（但在观测到货币流通速度冲击 v 之前），设定一个可以使预期损失函数值最小化的 Δm。在已知 u 和给定 π^e 的条件下，选择最优 Δm 的一阶条件为：

$$a\lambda[a(\Delta m - \pi^e) + u - k] + \Delta m = 0$$

进一步可得到：

$$\Delta m = \frac{a^2\lambda\pi^e + a\lambda(k - u)}{1 + a^2\lambda} \qquad (3.20)$$

假定私人经济主体了解中央银行面临的激励情况，他们就会利用（3.20）式来形成自己的通胀预期，但私人经济主体并不会认为他们自己的个体行为会对中央银行的决策产生任何影响。由于预期是在观测到总供给冲击 u 之前形成的，所以（3.19）式和（3.20）式暗示有：

$$\pi^e = E[\Delta m] = \frac{a^2\lambda\pi^e + a\lambda k}{1 + a^2\lambda} \qquad (3.21)$$

根据（3.21）式，可求得 $\pi^e = a\lambda k > 0$。将该式代回（3.20）式，并利用（3.19）式，可以得到相机抉择下的均衡通货膨胀率为：

$$\pi^d = \Delta m + v = a\lambda k - \left(\frac{a\lambda}{1 + a^2\lambda}\right)u + v \qquad (3.22)$$

其中，上标 d 表示相机抉择。由于 $E(\pi^d) = a\lambda k$，故当中央银行采取相机抉择的货币政策时，会产生一个正的均衡通货膨胀水平（通胀偏差），

3 规则还是相机抉择：转型期中国货币政策操作规范的选择

其值为 $a\lambda k$。如果我们忽略随机干扰 u 和 v，则二次损失函数的均衡状态可以由图 3-2 表示。(3.20) 式给出了中央银行相机抉择的反应函数，央行选择的最优通货膨胀水平是一个社会公众通胀预期 π^e 的函数，当 $u=0$ 时，该式可以表示为最优政策线 OP。OP 线的斜率为 $a^2\lambda/(1+a^2\lambda)<1$，截距为 $a\lambda k/(1+a^2\lambda)>0$。在均衡状态下，公众预期必须与中央银行的行为保持一致，即要求有 $\pi^e=\pi^d$，故最终的均衡点一定会在 45°线上。由于私人部门能完全预期到均衡的通货膨胀水平，由 (3.18) 式可知，最终的产出不会发生变化。这种通胀偏差的程度，将随着产出扭曲 k、货币意外对产出的效应 a，以及中央银行对产出目标的权重 λ 的增加而提高。

由 (3.22) 式可知，正的供给冲击 u 会引起货币增长与通货膨胀的降低，中央银行的这种反应可以减少 u 对产出的影响[①]，这就是稳定化政策的效果。

将 (3.18) 式和 (3.22) 式代入二次损失函数 (3.17) 式，可以得到相机抉择情况下中央银行的损失函数为：

$$V^d = \frac{1}{2}\lambda\left[\left(\frac{1}{1+a^2\lambda}\right)u + av - k\right]^2 + \frac{1}{2}\left[a\lambda k - \left(\frac{a\lambda}{1+a^2\lambda}\right)u + v\right]^2 \tag{3.23}$$

该损失函数的无条件期望值为：

$$E[V^d] = \frac{1}{2}\lambda(1+a^2\lambda)k^2 + \frac{1}{2}\left[\left(\frac{\lambda}{1+a^2\lambda}\right)\sigma_u^2 + (1+a^2\lambda)\sigma_v^2\right] \tag{3.24}$$

如果中央银行在公众预期形成之前承诺实施某种货币政策规则，假设这种规则能对供给冲击作出反应，形式如下：

$$\Delta m^c = b_1 + b_2 u \tag{3.25}$$

---

① 由 (3.22) 式可知，$\pi - \pi^e = -\frac{a\lambda}{1+a^2\lambda}u + v$，将这一结果代入 (3.18) 式有：$y = y_n + \frac{1}{1+a^2\lambda}u + av$，由于 u 的系数小于 1，故供给冲击对产出的影响程度降低了。

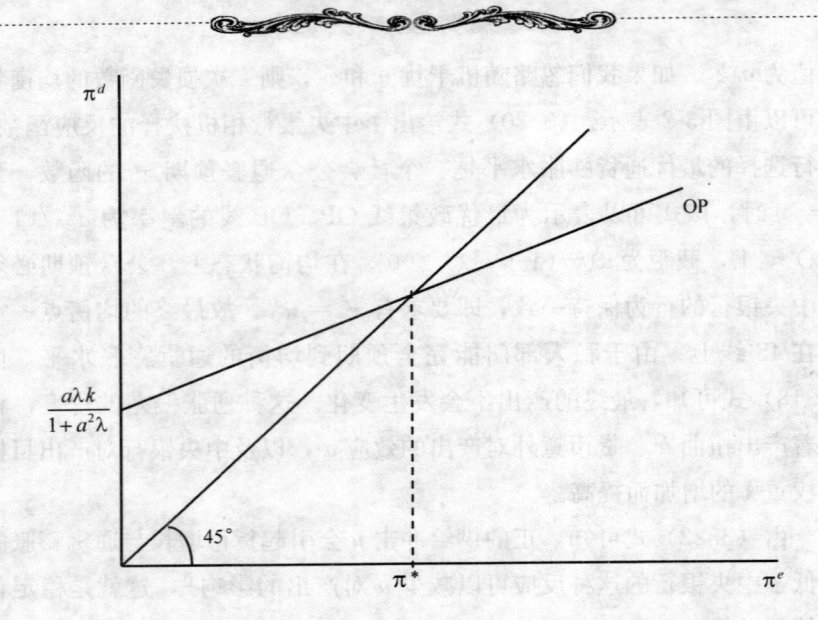

图 3-2 相机抉择下的均衡通货膨胀水平

其中，上标 c 表示货币政策规则。由（3.25）式可知，$\pi^e = E(\Delta m^c) = b_1$，将这一条件代入损失函数（3.17）式有：

$$V^c = \frac{1}{2}\lambda[a(b_2 u + v) + u - k]^2 + \frac{1}{2}(b_1 + b_2 u + v)^2 \quad (3.26)$$

（3.26）式的无条件期望值为：

$$E[V^c] = \frac{1}{2}\lambda[(1 + ab_2)^2\sigma_u^2 + a^2\sigma_v^2 + k^2] + \frac{1}{2}(b_1^2 + b_2^2\sigma_u^2 + \sigma_v^2)$$

$$(3.27)$$

中央银行在实施货币政策规则时，需要在公众预期形成之前，以及在观测到供给冲击 u 之前，为自己确定好参数 b_1 和 b_2 的值。选择 b_1 和 b_2 的值就是为了最小化损失函数（3.26）式的无条件期望（3.27）式，易求得 $b_1 = 0$，$b_2 = -\dfrac{a\lambda}{1 + a^2\lambda}$。也就是说，中央银行如果按照事先承诺的货币政策规则行事，平均通货膨胀水平就为 0，即货币政策规则能很好地解释通胀偏差问题。但对供给冲击的反应仍与相机抉择情形下一

3 规则还是相机抉择：转型期中国货币政策操作规范的选择

样。将 b_1 和 b_2 的值代入（3.27）式有：

$$E[V^c] = \frac{1}{2}\lambda k^2 + \frac{1}{2}\left[\left(\frac{\lambda}{1+a^2\lambda}\right)\sigma_u^2 + (1+a^2\lambda)\sigma_v^2\right] \quad (3.28)$$

比较（3.28）式和（3.24）式，有：

$$E[V^d] - E[V^c] = \frac{1}{2}(a\lambda k)^2 \quad (3.29)$$

由（3.29）式可知，中央银行如果执行货币政策规则，不但可以有效地解决通胀偏差问题，还可以比实行相机抉择的货币政策减少损失 $(a\lambda k)^2/2$，这个社会成本正好是非零通货膨胀（通胀偏差）带来的损失。

通过对时间非一致性和通胀偏差的理论分析，我们可以发现规则一般来说是优于相机抉择的。但要回答"中国的货币政策操作究竟应以规则为主还是应以相机抉择为主"这一问题，首先需要对转型期中国货币政策的实践进行经验分析，在此基础上，再比较规则型货币政策和相机抉择型货币政策的相对优劣情况，以对转型期的中国货币政策操作规范进行选择。

3.2 转型期中国货币政策操作实践的回顾

改革开放以前，中国实行高度集中的计划经济体制，宏观经济调控主要依靠计划和财政手段，货币、信贷手段处于从属地位。在"大一统"的金融格局下，中国人民银行集中中央银行与专业银行、银行与非银行金融机构的诸多职能于一身，货币政策实际上就是综合信贷政策。

20 世纪 80 年代，随着传统计划经济体制向市场经济体制的转型，金融改革和货币政策的操作方式也有了很大的发展和变化。中国人民银行于 1984 年开始专门履行中央银行职能，集中统一的计划管理体制逐步转变为以国家直接调控为主的宏观调控体制。虽然信贷现金计划管理仍居主导地位，但间接金融工具已开始启用。这一期间是我国经济高速发展时期，大量超经济增长发行的货币导致商品供需失衡，物价持续上涨。中国人民银行针对三次货币扩张，进行了三次货币紧缩。

进入20世纪90年代，随着中国金融体制改革的逐步深入，货币政策操作逐步向间接调控转变。从1993年至今，中国货币政策操作可以明显地分为三个阶段：第一阶段从1993年到1997年，通过实行适度从紧的货币政策，积极治理通货膨胀，成功实现了"软着陆"；第二阶段从1998年开始到2002年，货币政策以适度放松为主要特征，旨在治理通货紧缩，促进经济增长；第三阶段从2003年开始至今，货币政策调控的明显特征是为了防止出现新一轮的经济过热。

3.2.1 1993年至1997年的货币政策操作

由于20世纪80年代中后期开始对国有企业的放权让利以及软预算约束的存在，中国经济在20世纪90年代初期出现了明显的"泡沫"现象，带来了一系列问题：一是投资与消费需求同时膨胀。工业产值从1992年7月至1993年5月连续10个月保持20%以上的增长率，能源、原材料等基础产业投资比重呈下降趋势，社会商品零售额同比增长速度高达27.3%，经济结构矛盾突出。二是通货膨胀高达两位数，1993年为13.2%，1994年高达21.7%。三是货币供应量超常增长，现金流通量M_0增幅超过50%，狭义货币M_1增幅超过40%。四是金融秩序混乱，乱集资、乱拆借、乱提利率、乱放贷款现象严重，银行备付金骤降，部分银行出现支付困难。

针对1993年到1994年出现的严重通货膨胀现象，中央开始推行从1993年至1997年长达四年之久的"软着陆"宏观调控。从治理金融秩序入手，深化金融体制改革，引导金融交易行为，完善金融法规建设，强化中央银行的宏观调控能力，并且加强了宏观政策之间的协调配合。在这一时期采取的货币政策主要有：

(1) 整顿金融秩序

3 规则还是相机抉择：转型期中国货币政策操作规范的选择

首先是制止违规拆借资金，规范货币市场。1993 年 6 月，中国人民银行要求各商业银行清收违规拆借资金，停止新的违规拆借、停止向非银行金融机构和非金融企业拆借、停止省以下同业拆借市场的业务以及停止对银行自办经济实体的资金投入。其次是清理、整顿金融机构。从 1993 年下半年开始，中央银行严肃查处乱设金融机构和金融机构越轨从事金融业务的行为。三是加强金融监管，规范金融行为。1995 年对金融机构的设立、业务范围、资本金来源、高级管理人员任职资格等进行清理规范；1996 年完成对非银行金融机构的再登记工作，当年撤销撤并各类金融机构及其分支机构 5589 家；重申银行与证券、保险、信托分业经营原则，撤并了 150 家国有商业银行所办的信托投资公司；按"清算登记、核实审批、规范核算、严肃纪律"的要求，对国有商业银行围绕"规模"的资金运用以及私设账外账行为进行了严肃查处。

(2) 强化了中央银行的宏观调控能力

1993 年 7 月，中央银行收回了原属省级分行 7% 的规模调剂权，将信贷规模的分配和再贷款权、准备金利率制定和调节权、货币发行权高度集中于中国人民银行总行。1994 年，中央银行停止向财政透支，停办了专项贷款。1995 年，《中华人民共和国中国人民银行法》颁布实施，并规定我国中央银行的货币政策目标是"稳定币值，并以此促进经济增长"。

(3) 调整了货币政策的中介目标，采用新的货币政策工具

首先，我国金融调控目标的实现由直接目标向间接目标过渡。从 1994 年开始，中国人民银行逐步缩小了信贷规模的控制范围。从 1994 年第 3 季度开始，中央银行正式向社会公布季度货币供应量指标，这表明在经历了 20 世纪 90 年代初金融失控局面的冲击后，中央银行意识到了利用信贷规模和现金投放作为政策工具的货币政策调控机制的缺陷，开始逐步转向以货币供应量为货币政策的中介目标。1995 年初宣布将货币供应量列为货币政策的控制目标之一，1996 年开始公布货币供应

量的年度调控目标。其次，对商业银行开始实行资产负债比例管理。1994年推行新一轮金融体制改革，强调了国有商业银行的统一法人体制和统一流动性管理，对商业银行的信贷资金实行比例管理，对四家国有独资商业银行实行增量考核，对其他商业银行实行按余额考核。第三，大力发展货币市场，开始进行公开市场操作。1995年，财政部采取价格招标的方式发行国债，国债利率逐步实现了市场化，国债发行品种也增加了3个月、6个月和1年期三个品种。1996年1月，全国统一的银行间拆借市场开始运作。4月，开始试办公开市场业务，为中央银行利用国债进行微调奠定了基础。第四，扩大再贴现业务。为推广商业票据的使用，鼓励商业银行开办商业票据的贴现业务，1996年中央银行还扩大了再贴现业务，当年全国商业汇票签发额近4000亿元，商业银行累计办理贴现1955亿元，中央银行办理再贴现1160亿元。

（4）灵活运用利率杠杆，加强利率监管

为了鼓励居民进行储蓄，中国人民银行在1993年5月和7月连续两次提高银行存、贷款利率，同时对3年期、5年期和8年期定期储蓄存款实行保值。1995年1月1日和7月1日两次小幅上调中央银行的再贷款利率和商业银行的贷款利率。在通货膨胀水平明显下降后，中国人民银行宣布从1996年4月停办新的保值储蓄业务，并于当年的5月1日和8月23日连续两次大幅下调存贷款利率。1997年10月23日，中国人民银行再次下调利率水平（见表3-2）。

表3-1　1993—1997年的货币政策调控效果

特　征	指　标	1993	1994	1995	1996	1997
经济增长	GDP增长率（%）	13.5	12.6	10.5	9.6	8.8
平稳回落	工业总产值增长率（%）	27.3	24.2	20.3	16.6	13.1
通胀压力	零售价格增长率（%）	13.2	21.7	14.8	6.1	0.8
逐步消除	消费价格增长率（%）	14.7	24.1	17.1	8.3	2.8
固定资产投资趋于正常	固定资产投资增长率（%）	58.6	31.4	17.5	18.2	8.9

续表 3-1

特征	指标	1993	1994	1995	1996	1997
货币供应量投放趋缓	M_2增长率（%）	37.3	34.4	29.5	25.3	19.6
	M_1增长率（%）	38.9	26.8	16.8	18.9	22.1
	M_0增长率（%）	35.3	24.3	8.2	11.6	15.6
外汇储备稳步增加	外汇储备（亿美元）	212	516.2	736	1050	1399

资料来源：相关各年《中国统计年鉴》。

（5）实施汇率并轨，干预汇率形成，协调运用本外币政策

从 1994 年 3 月开始，中央银行直接介入全国统一的银行间外汇市场，并进行外汇公开市场操作，以平衡市场外汇供求，保持人民币汇率的稳定。1994 年 4 月，中国实行外汇管理体制改革，结束了汇率双轨制，实现了汇率并轨。在我国外贸进出口持续顺差的情况下，中央银行通过外汇市场买进外汇，增加国家外汇储备，保持人民币汇率的持续稳定，并及时运用外汇冲销操作，有效抵消了因购买外汇而大量被动投放基础货币的负面影响。

通过以上货币政策的综合运用以及其他政策的协调配合，从 1993 年下半年开始的以整顿金融秩序、治理通货膨胀为首要任务的金融宏观调控取得了明显效果。通过 4 年的宏观调控，我国经济也成功实现了"软着陆"，具体成果见表 3-1。

3.2.2　1998 年至 2002 年的货币政策操作

1998—2002 年，中国人民银行针对中国面临的通货紧缩形势，积极采用各种货币政策措施，有效刺激了国内需求，遏制了消费物价指数持续负增长和企业开工不足、失业人口不断增长的势头。

（1）大幅度降低利率水平，扩大贷款利率浮动区间，稳步推进利率市场化进程

1998 年中央银行共下调 3 次利率水平（见表 3-2），1999 年 6 月 10

日和 2002 年 2 月 21 日又下调 2 次利率水平后,居民储蓄存款利率为 1.98%。2002 年 2 月 21 日最后一次下调利率时,在利率期限结构上采取短期存贷款利率降幅大于长期存贷款利率的做法,以达到长期内稳定居民利率预期,短期内增加消费和投资的目的。

表 3-2 1996 年以来中国利率调整情况一览表

利率 调整时间	中央银行基准利率		商业银行存款利率		商业银行贷款利率	
	准备金存款利率	中央银行再贷款利率(1 年期)	居民储蓄存款利率(1 年期)	活期储蓄存款利率	短期贷款利率(1 年期)	中长期贷款利率(3 年期)
1996.05.01	8.82	10.98	9.18	2.97	10.98	13.14
1996.08.23	8.28	10.62	7.47	1.98	10.08	10.98
1997.10.23	7.56	9.36	5.67	1.71	8.64	9.36
1998.03.25	5.22	7.92	5.22	1.71	7.92	9.00
1998.07.01	3.51	5.67	4.77	1.44	6.93	7.11
1998.12.07	3.24	5.13	3.78	1.44	6.39	6.66
1999.06.10	2.07	3.78	2.25	0.99	5.85	5.94
2002.02.21	1.89	3.24	1.98	0.72	5.31	5.49
2004.10.29	1.89	3.87	2.25	0.72	5.58	5.76
2006.04.28	1.89	3.87	2.25	0.72	5.85	6.03
2006.08.19	1.89	3.87	2.52	0.72	6.12	6.30

资料来源:《中国人民银行统计季报》各期。

1998 年以来我国的利率市场化改革取得了明显进展,到 1999 年底,已经放开了银行间同业拆借利率,放开了贴现市场、债券回购及现券市场利率,政策性金融债和国债发行采取了市场化的利率招标形式。

(2) 加大公开市场操作力度,灵活调控基础货币

中国人民银行于 1996 年 4 月首次开展公开市场业务,当时的操作对象是我国 1996 年发行的短期国债,交易规模小,对商业银行流动性的影响不大,只做了几笔就停止了。1998 年恢复后,公开市场业务日益成为货币政策操作的重要工具,当年共操作了 36 次,向商业银行融资 1761 亿元,净投放基础货币 701.5 亿元;1999 年公开市场业务债券操作成交 7076 亿元,净投放基础货币 1919.7 亿元;2000 年为控制商业银行流动性,稳定货币增长率,人民银行从前两年以投放基础货币为

3 规则还是相机抉择：转型期中国货币政策操作规范的选择

主转向收回商业银行过多的流动性（谢平，2004），当年 8 月 1 日起在已有逆回购操作的基础上启动了正回购操作，当年净回笼基础货币 817.14 亿元；2001 年加大了公开市场操作力度，全年共进行了 54 次交易，净回笼基础货币 296.2 亿元；2002 年净回笼了 1021.4 亿元（见表 3-3）。

表 3-3　1998—2002 年的公开市场操作情况　　单位：亿元

年　份	1998	1999	2000	2001	2002
操作次数	36	60	50	54	50
增加基础货币	718.4	2715.7	2335	8227.1	1798.3
减少基础货币	16.9	796	3152.14	8523.2	2819.7
合　计	701.5	1919.7	−817.14	−296.2	−1021.4

注：合计中负号表示减少基础货币供给，正号表示增加基础货币供给。

资料来源：谢平：《中国货币政策分析：1998—2002》，载《金融研究》2004 年第 8 期，第 4 页。

（3）取消贷款限额控制，灵活运用信贷政策，调整贷款结构

中国人民银行从 1998 年 1 月 1 日起取消了对商业银行的贷款限额控制；1999 年是信贷政策调整措施较多的一年，在消费信贷、农村信贷、对外贸易融资、中小企业贷款、住房贷款、助学贷款等方面发布了一系列政策规章；2000 年，中国人民银行继续改善金融机构的资产结构，特别是放宽了消费信贷的执行条件；2001 年人民银行及时对我国消费信贷政策、农村信贷政策和国家助学贷款政策进行了调整；2002 年中国人民银行发布了开展信贷创新等 10 条指导意见，鼓励商业银行提高金融服务水平，支持中小企业特别是小企业的发展（杨丽，2004）。

（4）加强对商业银行的"窗口指导"

从 1998 年 3 月开始，中国人民银行坚持每月召开经济金融形势分析会，通报全国金融情况，同时根据形势发展预测货币政策趋势；各综合经济部门介绍各部门的经济运行情况；各商业银行介绍各行的情况，同时向中央银行提出货币信贷政策要求。"窗口指导"发挥了沟通信息、

统一认识的作用,对研究制定货币政策,提高货币政策执行效果发挥了积极作用。

表 3-4   1998—2002 年的货币政策调控效果

特 征	指标		1998	1999	2000	2001	2002
经济增长平稳	GDP 增长率（%）	目标	8	7	7	7	7
		实际	7.8	7.1	8	7.3	8
通胀压力逐渐释放	物价增长率（%）	目标	5	2	1	1-2	1-2
		实际	−2.6	−1.4	0.4	0.7	−0.8
货币供应量稳步提高	M_1 增长率（%）	目标	17	14	15-17	13-14	13
		实际	11.9	17.7	16.0	12.65	16.82
	M_2 增长率（%）	目标	16-18	14-15	14-15	15-16	13
		实际	15.3	14.7	12.3	14.42	16.78
贷款结构改善信贷规模增加	金融机构贷款增加额（亿元）	目标	9000—10000	13550	11000	13000	13000
		实际	11491	12846	13347	12913	18475

注:1998 年物价增长率为零售物价增长率,其余年份为消费物价增长率;1998 年金融机构贷款增加额目标值为国家银行贷款增加额目标值,当年国家银行贷款增加 9100 亿元。

资料来源:相关各年《中国金融年鉴》。

3.2.3　2003 年以来的货币政策操作

(1) 逐步完善公开市场操作体系,灵活运用存款准备金率工具,保持基础货币的平稳增长

2003 年开始我国外汇供给持续大于需求,且每年的外汇储备持续增加(见表 3-7)。中国人民银行通过公开市场业务买入外汇数量持续上升,导致基础货币快速增长。为稳定基础货币增长,中国人民银行于 2002 年 6 月 25 日开始进行收回流动性的公开市场正回购操作。并于 2002 年 9 月 24 日发行中央银行票据这一操作工具,用于收回市场的流动性,取得了明显的成效(见表 3-7)。在此期间,中国人民银行通过建立健全流动性管理体系,完善公开市场业务决策制度、交易制度和一

3 规则还是相机抉择：转型期中国货币政策操作规范的选择

级交易商管理制度，推进了公开市场操作频率、操作品种和技术支持系统等方面的创新。2005年，中央银行灵活安排公开市场操作工具组合和期限结构，合理把握操作力度和操作节奏，充分发挥公开市场操作预调和微调的作用，有效对冲外汇占款增长，同时引导货币市场利率平稳运行。2005年共发行125期央行票据，发行总量27882亿元，年末央行票据余额为20662亿元；全年累计回笼基础货币35924亿元，累计投放基础货币22076亿元，投放、回笼相抵，通过人民币公开市场操作净回笼基础货币13848亿元（见表3-5）。2006年前三季度，通过人民币公开市场操作净回笼基础货币6450亿元。中国人民银行在2003年9月提高存款准备金率1个百分点之后，于2004年4月25日再次提高金融机构存款准备金率0.5个百分点，即执行7.5%的水平，以控制货币信贷总量过快增长，保持国民经济持续快速健康发展。2006年以来，为了加强流动性管理，促使商业银行有序调整贷款行为，合理控制货币信贷增长，经国务院批准，中国人民银行于6月16日、7月21日和11月3日宣布上调金融机构存款准备金率各0.5个百分点，分别从7月5日、8月15日和11月15日起生效。7月5日和8月15日上调存款准备金率以后，金融市场运行平稳，货币市场利率水平总体略有上升，股票市场维持上涨态势。

表 3-5 2003—2005 年的公开市场操作统计 （单位：亿元）

年 份		2003	2004	2005
投放基础货币		10492	16098	22076
回笼基础货币		13186	6690	35924
净投放基础货币		-2694	9408	-13848
发行中央银行票据	发行期数	63期	105期	125期
	金额	7226.8	15072	27882
央行票据余额		3376.8	9742	20662

注：数据来自中国人民银行网站公布的货币政策执行报告，http://www.pbc.gov.cn/huobizhengce/huobizhengce/huobizhengcezhixingbaogao/。

(2) 充分发挥利率的调节作用，逐步推进利率市场化改革

在 2002 年 2 月 21 日最后一次降低金融机构的存贷款利率后，随着宏观经济形式的变化，中央银行开始调高利率。为控制基础货币投放，从 2004 年 3 月 25 日起，将用于流动性支持的再贷款利率上浮 0.63 个百分点，再贴现利率上浮 0.27 个百分点。10 月 29 日，上调金融机构存贷款基准利率，一年期存贷款利率提高了 0.27 个百分点，长期存贷款利率调整幅度大于短期。同时人民银行也采取了一些结构性调整措施。2006 年 4 月 28 日，中国人民银行上调金融机构贷款基准利率。其中，金融机构一年期贷款基准利率上调 0.27 个百分点，由 5.58% 提高到 5.85%；其他各档次贷款利率也相应调整。2006 年 8 月 19 日，中国人民银行再次上调金融机构人民币存贷款基准利率。金融机构一年期存款基准利率上调 0.27 个百分点，由 2.25% 提高到 2.52%；一年期贷款基准利率上调 0.27 个百分点，由 5.85% 提高到 6.12%；其他各档次存贷款基准利率也相应调整，长期利率上调幅度大于短期利率上调幅度。

同时中央银行在加快利率市场化改革方面也做了大量的工作。本着先放开货币市场利率和债券市场利率，再逐步推进存、贷款利率的市场化的指导思想。存、贷款利率市场化按照"先外币、后本币；先贷款、后存款；先长期、大额，后短期、小额"的顺序进行，我国的利率市场化改革稳步向前推进（见表 3-6）。

表 3-6　1996 年以来的利率市场化改革

市场化改革进程	改　革　措　施
货币、债券利率市场化改革	1. 1996 年 6 月 1 日人民银行放开了银行间同业拆借利率 2. 1997 年 6 月放开银行间债券回购利率 3. 1998 年 8 月，国家开发银行在银行间债券市场首次进行了市场化发债 4. 1999 年 10 月，国债发行也开始采用市场招标形式，从而实现了银行间市场利率、国债和政策性金融债发行利率的市场化

3 规则还是相机抉择：转型期中国货币政策操作规范的选择

续表 3-6

市场化改革进程	改 革 措 施
金融机构贷款利率市场化改革	1.1998 年、1999 年人民银行连续三次扩大金融机构贷款利率浮动幅度 2.2002 年初，在全国八个县农村信用社进行利率市场化改革试点，贷款利率浮动幅度由 50% 扩大到 100%，存款利率最高可上浮 50%。当年 9 月份，改革试点进一步扩大到直辖市以外的每个省、自治区，温州利率改革开始实施 3.2003 年，放开人民币各项贷款的计、结息方式，由借贷双方协商确定 4.2004 年 1 月 1 日，人民银行再次扩大金融机构贷款利率浮动区间。商业银行、城市信用社贷款利率浮动区间扩大到 [0.9, 1.7]，农村信用社贷款利率浮动区间扩大到 [0.9, 2]，贷款利率浮动区间不再根据企业所有制性质、规模大小分别制定。扩大商业银行自主定价权，提高贷款利率市场化程度，企业贷款利率最高上浮幅度扩大到 70%，下浮幅度保持 10% 不变。在扩大金融机构人民币贷款利率浮动区间的同时，推出放开人民币各项贷款的计、结息方式和 5 年期以上贷款利率的上限等其他配套措施
存款利率市场化改革	1.1999 年 10 月，人民银行批准中资商业银行法人对中资保险公司法人试办由双方协商确定利率的大额定期存款（最低起存金额 3000 万元，期限在 5 年以上不含 5 年），进行了存款利率改革的初步尝试 2.2002 年规定存款利率最高可上浮 50% 3.2003 年 8 月 1 日起，邮政储蓄新增存款转存中国人民银行的部分，按照金融机构准备金存款利率（年利率为 1.89%）计息，此前的邮政储蓄老转存款暂按原转存款利率计息（年利率为 4.131%），同时允许邮政储蓄新增存款由邮政储蓄机构在规定的范围内自主运用 4.2004 年 10 月 29 日起，建立人民币存款利率下浮制度 5.3 月 17 日将金融机构在中国人民银行的超额存款准备金利率下调到 0.99%，同时放开金融机构同业存款利率，允许金融机构自行确定除活期和定期整存整取存款外的其他存款种类的计结息规则

续表 3-6

市场化改革进程	改革措施
外币利率市场化	1. 2000 年 9 月，放开外币贷款利率和 300 万美元（含 300 万）以上的大额外币存款利率；300 万美元以下的小额外币存款利率仍由人民银行统一管理 2. 2002 年 3 月，人民银行统一了中外资金融机构外币利率管理政策，实现中外资金融机构在外币利率政策上的公平待遇 3. 2003 年 7 月，放开了英镑、瑞士法郎和加拿大元的外币小额存款利率管理，由商业银行自主确定 4. 2003 年 11 月，对美元、日元、港币、欧元小额存款利率实行上限管理，商业银行可根据国际金融市场利率变化，在不超过上限的前提下自主确定 5. 五次上调境内商业银行美元、港币小额外币存款利率上限。其中一年期美元存款利率上限累计提高 2.125 个百分点至 3%，一年期港币存款利率上限累计提高 1.8125 个百分点至 2.625%

资料来源：中国人民银行网站公布的《稳步推进利率市场化报告》，网址为：http://www.pbc.gov.cn/huobizhengce/huobizhengce/huobizhengcezhixingbaogao/。

(3) 发挥信贷政策在经济调整中的积极作用

加强和改进中央银行"窗口指导"，改进信贷政策的实施方式，对促进资源的合理配置以及国民经济的结构优化有很大的作用。2003 年以来，中央银行加强了对商业银行的风险提示，及时向金融机构传达宏观调控的意图。2004 年提醒商业银行既要重视和防止货币信贷过快增长，也要防止"急刹车"和"一刀切"，坚持有保有压的原则，合理把握贷款进度和投向。引导金融机构加大对农业、非公有制经济及中小企业、扩大消费、增加就业和助学等方面的贷款支持。2005 年在这方面也采取了多项措施，如指导金融机构认真落实"区别对待、有保有压"的宏观调控方针，加大对农业、增加就业、助学、非公经济和中小企业等经济薄弱环节的信贷支持同时调整商业银行自营性个人住房贷款政

3 规则还是相机抉择：转型期中国货币政策操作规范的选择

策；加强了商业银行存贷期限错配、信贷资金结构和流向预警监测分析，引导商业银行合理控制中长期贷款，扩大流动资金贷款；对重点行业、重点企业、重点地区的信贷集中状况以及信贷风险进行动态评估监测，及时发布预警信息；发挥差别存款准备金率的正向激励作用，促进金融机构稳健经营。2006年以来，中国人民银行认真贯彻落实中央宏观调控方针政策，加强信贷政策引导，继续通过窗口指导加强与金融机构的沟通，引导金融机构认真贯彻落实国家宏观调控要求，合理控制贷款增长，调整贷款结构。一是重视做好对农民工的金融服务工作；二是加强信贷政策与产业政策的协调配合，要求严格控制基本建设等中长期贷款，引导信贷资金合理流动，促进经济结构调整、产业结构升级，同时继续加强对房地产市场的监测、分析和调控；三是引导商业银行继续贯彻落实国家各项区域经济发展政策，根据当地经济发展需要，合理投放信贷；四是继续发挥信贷政策的"扶弱"功能，引导金融机构进一步做好助学贷款工作，继续做好对就业、非公经济、中小企业、贫困地区、民族地区等的信贷支持。

（4）稳步推进金融企业改革重组，金融企业竞争力加强

2003年以来，外资银行进入中国市场的步伐不断加快，我国的银行业也进行了大刀阔斧的改革。2003年，中国人民银行开始对农村信用社进行改革试点。经过几年来的努力，农村信用社资产质量和经营财务状况有所改善。截至2006年9月末，全国农村信用社不良贷款比例为12.1%，与2002年末相比下降了24.8个百分点；实施了增资扩股，资本充足率得到充实；自2004年实现了近十年来首次轧差盈余，盈余水平逐年有所提高。2004年对中国银行、中国建设银行、交通银行股份制改革涉及的不良资产处置方案，按照市场化处置程序顺利完成了有关可疑类贷款处置和其他财务重组专项资金支持的有关工作，使改革试点银行资产质量得到明显改善，资本充足水平进一步提高。2005年国有商业银行股份制改革稳步推进，成效显著。通过财务重组、内部改革和不断发展，中国银行、中国建设银行、中国工商银行

的财务状况显著改善，盈利能力明显提高，公司治理结构不断完善，相对独立的内控体系和完善的风险防范体制初步形成，业务创新取得成效，服务质量进一步提高。建设银行以每股 2.35 港元发行 305 亿股新股，于 2005 年 10 月 27 日在香港联交所成功上市。中国银行首次公开发行上市圆满成功，H 股和 A 股分别于 2006 年 6 月 1 日和 7 月 5 日在香港联交所和上海证券交易所挂牌上市。中国银行共发行 H 股 294 亿股，发行价为每股 2.95 港元，筹集资金 867 亿港元（约合 112 亿美元）；发行 A 股 64.94 亿股，发行价为每股 3.08 元人民币，筹集资金近 200 亿元人民币。中国工商银行于 2005 年 10 月 28 日整体改制为股份有限公司，产权主体明确，初步建立了现代公司治理结构。2006 年 10 月 27 日中国工商银行同时在香港联合证券交易所和上海证券交易所上市，首次公开发行上市圆满成功。在超额配售选择权行使前，中国工商银行 A+H 股发行规模合计达 191 亿美元，成为世界规模最大的首次公开发行。有关部门目前正结合社会主义新农村建设和农村金融体制改革的总体规划，积极研究中国农业银行股份制改革方案。

（5）人民币汇率体制改革逐步深化，汇率形成机制逐步完善，外汇储备稳步增长

近年来，中国人民银行在汇率体制改革上不断探索，采取了一系列深化外汇管理体制改革、保持人民币汇率稳定、促进国际收支平衡的措施。在汇率形成机制方面，经国务院批准，中国人民银行宣布自 2005 年 7 月 21 日开始实行以市场供求为基础、参考一篮子货币进行调节、有管理的浮动汇率制度。央行和外汇管理局也以此为契机，加快了外汇管理体制改革的步伐，大力发展外汇市场。

截至 2005 年末，我国外汇储备为 8189 亿美元，比上年末增加 2089 亿美元，增长 34.3%，增幅比上年下降 17 个百分点。2006 年 9 月末，外汇储备余额 9879 亿美元，比上年末增加 1690 亿美元。2005 年 7 月 21 日以来，新的人民币汇率形成机制运行平稳，人民币汇率

3 规则还是相机抉择:转型期中国货币政策操作规范的选择

弹性增强。截至 2005 年 12 月 31 日,人民币对美元汇率中间价最高达 8.0702 元人民币/美元,最低为 8.1128 元人民币/美元,其中 67 个交易日升值、46 个交易日贬值,最大单日升值、贬值幅度均为万分之七。2006 年初至 9 月末,人民币对美元汇率累计升值 2.04%;2005 年 7 月汇率改革以来至 2006 年 9 月末,人民币对美元汇率累计升值 4.65%。

表 3-7　2003 年以来的货币政策调控效果

特征	指标		2003	2004	2005
经济增长速度加快	GDP 增长率（%）	目标值	7	7	8
		实际值	9.1	9.5	9.9
通货膨胀势头得到抑制	CPI 增长率（%）	目标值	1	3	4
		实际值	1.2	3.9	1.8
货币供应量稳步回收,流动性得到有效控制	M_1 增长率（%）	目标值	16	17	15
		实际值	18.7	13.6	10.7
	M_2 增长率（%）	目标值	16	17	15
		实际值	19.6	14.6	17.6
基础货币供应平稳	基础货币余额（万亿)		5.23	5.9	6.4
贷款额平稳增加	金融机构本外币贷款余额（万亿)		17	18.9	20.7
对外贸易顺差额扩大	贸易累计顺差（亿美元）		255	320	1019
外汇储备快速增长	外汇储备累计余额（亿美元）		4032.5	6099	8189

注:增长率数值为相比上年同期增长率。

资料来源:数据来自中国人民银行网站公布的货币政策执行报告,网址为:http://www.pbc.gov.cn/huobizhengce/huobizhengce。

通过对我国货币政策操作实践的回顾,直观上我们可以判断,中国的货币政策操作是典型的"相机抉择型"操作:经济过热时紧缩,经济衰退时扩张。但同时又存在一些"规则型"操作的现象,如制定各层次货币供应量的年度增长目标等。也就是说,中国的货币政策是一种相机抉择和规则并重的政策。那么,从货币政策的实际效果来看,中国的货

67

币政策究竟是"相机抉择型"为主还是"规则型"为主？接下来我们将对这一问题进行实证判断。

3.3 中国货币政策规则性和相机抉择性的实证判断

3.3.1 检验方法的说明

我们首先给出货币政策与工具变量之间的度量方程，从中可以得出货币政策的状态指标和货币政策冲击，并识别出其中的规则性（可预期）成分和相机抉择性（不可预期）成分。一般来说，货币政策状态可以表示为货币政策工具变量的线性函数（Walsh，1998）：

$$(MPI)_t = \lambda Z_{t-1} + \varepsilon_t, t = 1,\cdots,T \tag{3.30}$$

其中，T 是表示数据时间长度的样本容量；$(MPI)_t$ 表示 t 时的货币政策状态指标，本书将分别选取"M_1 增长率"、"M_2 增长率"作为货币政策状态指标；Z_{t-1} 是利用截止到 $t-1$ 期的所有信息来预测 $(MPI)_t$ 的经济变量（向量形式）；λ 是边际系数向量（可能是弹性或半弹性系数）。假设随机残差 ε_t 序列不相关，且与解释向量 Z_{t-1} 相互独立。

一般情形下，向量 Z_{t-1} 的选取大多涉及货币政策的名义目标（利率或物价水平）、实际目标（实际收入或就业量）和政策目标（政策预算赤字融资等）。如果选择了较为合适的解释变量，那么货币政策状态指标当中可以由 λZ_{t-1} 说明的部分就是可预期的货币政策变化，也就是由规则性货币政策形成的变化；在货币政策状态指标中除去可预期的部分，即（3.30）式中的残差序列 ε_t，便是由于相机抉择性货币政策行为造成的，也就是货币政策变化中不可预期的成分。

如果估计出规则性货币政策系数 $\hat{\lambda}$，并且分离出（3.30）式的随机残差 $\hat{\varepsilon}_t$，就可以定义规则性货币政策成分 $(MPI)_t^r = \hat{\lambda} Z_{t-1}$ 和相机抉择

3 规则还是相机抉择:转型期中国货币政策操作规范的选择

性货币政策成分 $(MPI)_t^u = \hat{\varepsilon}_t$。在相机抉择性成分中,可以定义正向相机抉择冲击成分 $(MPI)_t^{u+} = \max(\hat{\varepsilon}_t, 0)$ 和负向相机抉择冲击成分 $(MPI)_t^{u-} = \min(\hat{\varepsilon}_t, 0)$。

为了分析货币政策的实际效用,必须建立货币政策成分与实际产出之间的关联方程。我们假定实际产出方程由下列线性形式给出:

$$Y_t = \alpha_0 + \sum_{i=1}^{m} \alpha_{1i} Y_{t-i} + \sum_{i=1}^{n} \beta_i^u (MPI)_{t-i}^u + \sum_{i=1}^{n} \beta_i^e (MPI)_{t-i}^e + v_t \qquad (3.31)$$

$$Y_t = \alpha_0 + \sum_{i=1}^{m} \alpha_{1i} Y_{t-i} + \sum_{i=1}^{n} \beta_i^{u+} (MPI)_{t-i}^{u+} + \sum_{i=1}^{n} \beta_i^{u-} (MPI)_{t-i}^{u-} + \sum_{i=1}^{n} \beta_i^e (MPI)_{t-i}^e + v_t \qquad (3.32)$$

(3.31)式未对货币政策的相机抉择成分进行分解,(3.32)式将相机抉择成分分解为正向冲击和负向冲击。其中,Y_t 是真实 GDP 的增长率;v_t 是随机误差项;系数序列 β_i^{u+}、β_i^{u-}、β_i^e 分别表示正向相机抉择冲击 $(MPI)_{t-i}^{u+}$、负向相机抉择冲击 $(MPI)_{t-i}^{u-}$ 和规则性成分 $(MPI)_{t-i}^e$ 对实际产出的边际影响。

为了分析货币政策的规则性成分和相机抉择性成分的名义影响,我们还可以建立货币政策成分与通货膨胀之间的关联方程:

$$\pi_t = \alpha_0 + \sum_{i=1}^{m} \alpha_{1i} \pi_{t-i} + \sum_{i=1}^{n} \beta_i^u (MPI)_{t-i}^u + \sum_{i=1}^{n} \beta_i^e (MPI)_{t-i}^e + w_t \qquad (3.33)$$

$$\pi_t = \alpha_0 + \sum_{i=1}^{m} \alpha_{1i} \pi_{t-i} + \sum_{i=1}^{n} \beta_i^{u+} (MPI)_{t-i}^{u+} + \sum_{i=1}^{n} \beta_i^{u-} (MPI)_{t-i}^{u-} + \sum_{i=1}^{n} \beta_i^e (MPI)_{t-i}^e + w_t \qquad (3.34)$$

我们分别用狭义货币 M_1 和广义货币 M_2 的同比增长率 $g(M_1)_t$ 和 $g(M_2)_t$ 作为货币政策的状态指标,选取的规则性货币政策的解释变量有:社会消费品零售额增长率 $g(SC)_t$,表示货币的交易媒介需求;名义一年期储蓄存款利率 R_t,表示货币持有的机会成本;中央银行对政

府债权增长率 $g(G)_t$，表示货币的赤字融资需求[①]。模型中我们还引入 $g(M_2)_t$ 的自回归成分，以形成变量之间的动态影响。我们采用季度数据进行分析，样本范围为 1994 年第 1 季度至 2005 年第 2 季度，所有数据均来自各期《中国人民银行统计季报》。

用 $g(M_1)$ 作为货币政策状态指标估计出的货币政策状态模型为：

$$g(M_1) = 4.8484 + 0.7188g(M_1)(-1) - 0.0243g(SC) - 0.0149g(G) + 0.0280R$$
$$\quad\;\; (1.9856)\quad (0.1162)\qquad\quad (0.0957)\qquad\quad (0.0210)\qquad (0.2123)$$

$$(3.35)$$

$R^2 = 0.5608\quad$ Adjusted-$R^2 = 0.5134$

DW $= 1.6422\quad$ F 值 $= 11.8097$

用 $g(M_2)$ 作为货币政策状态指标估计出的货币政策状态模型为：

$$g(M_2) = 1.8059 + 0.7954g(M_2)(-1) + 0.0729g(SC) + 0.0225g(G) + 0.1421R$$
$$\quad\;\; (1.2098)\quad (0.1059)\qquad\quad (0.0613)\qquad\quad (0.0118)\qquad (0.1839)$$

$$(3.36)$$

$R^2 = 0.9307\quad$ Adjusted-$R^2 = 0.9232$

DW $= 2.1806\quad$ F 值 $= 124.1835$

通过比较 (3.35) 式和 (3.36) 式的可决系数及 DW 值，可以看出 (3.36) 式的拟合效果明显优于 (3.35) 式，此外，(3.35) 式还有比较严重的残差序列自相关现象，故我们只选用 (3.36) 式作为本书分析的货币政策状态模型。

根据 (3.36) 式表示的货币政策状态模型，我们可以得到货币政策的各种冲击成分 GM2FIT（即可预期的规则性成分 $(MPI)_t^e$）、GM2UNFIT（即不可预期的相机抉择性成分 $(MPI)_t^u$）、GM2UNFIT_U

[①] 尽管 2003 年 12 月 27 日十届全国人大常委会第六次会议审议通过的《中华人民共和国中国人民银行法（修正）》第二十九条明确规定"中国人民银行不得对政府财政透支，不得直接认购、包销国债和其他政府债券"，但历史上的财政透支仍然存在。另一方面，如果财政部的预算赤字增加，国债发行总额就会增加，由于我国商业银行持有的国债规模增长较快，中央银行与商业银行之间的交易行为（如公开市场操作）往往也会导致中央银行持有的国债总量增加。

(即正向相机抉择冲击成分(MPI)$_t^{u+}$)、$GM2UNFIT\_D$(即负向相机抉择冲击成分(MPI)$_t^{u-}$)(具体数据见本章附表)。

3.3.2 货币政策的实际效果

接下来,我们直接建立并估计真实 GDP 增长率[①]($GRGDP$)$_t$基于货币政策可预期(规则性)成分(MPI)$_t^e$和不可预期(相机抉择性)成分(MPI)$_t^{u+}$、(MPI)$_t^{u-}$的回归方程。根据 AIC 和 SC 等信息准则,选择的模型阶数为 $m=1$,$n=4$。我们采用普通最小二乘法(OLS)估计模型,显著性检验采取具有系数约束的 F-统计量检验(Mills,1999),估计结果如下(上标 * 号表示至少在 10% 的水平上显著):

$GRGDP = -5.3503 + 0.7086^* GRGDP(-1) + 1.4719 GM2FIT$
$\qquad - 2.6864 GM2FIT(-1) + 3.1753^* GM2FIT(-2)$
$\qquad - 1.8121 GM2FIT(-3) + 0.3445 GM2FIT(-4)$
$\qquad + 0.6815 GM2UNFIT - 1.7118 GM2UNFIT(-1)$
$\qquad + 1.1179 GM2UNFIT(-2) - 1.6547^* GM2UNFIT(-3)$
$\qquad + 1.4795 GM2UNFIT(-4)$ \hfill (3.37)

$R^2 = 0.9204$ 修正的 $R^2 = 0.8868$ $DW = 1.5723$
$AIC = 5.5567$ $SC = 6.0739$ F 值 $= 27.3444$

$GRGDP = -11.4487 + 0.6621^* GRGDP(-1) + 1.5669 GM2FIT$
$\qquad - 2.3304 GM2FIT(-1) + 2.5319^* GM2FIT(-2)$
$\qquad - 1.4743 GM2FIT(-3) + 0.3201 GM2FIT(-4)$
$\qquad + 0.4166 GM2UNFIT\_U - 1.6485 GM2UNFIT\_U(-1)$
$\qquad + 1.8710 GM2UNFIT\_U(-2) - 0.8821 GM2UNFIT\_U(-3)$
$\qquad + 2.3200 GM2UNFIT\_U(-4) - 0.1471 GM2UNFIT\_D$
$\qquad - 2.2551^* GM2UNFIT\_D(-1) - 0.7652 GM2UNFIT\_D(-2)$

[①] 这里的真实 GDP 是用名义 GDP 除以 CPI 得到的,真实 GDP 增长率是指季度累计增长率。

$$-1.9255GM2UNFIT\_D(-3)+0.1344GM2UNFIT\_D(-4)$$

(3.38)

$R^2=0.9385$　修正的 $R^2=0.8917$　$DW=1.4562$

$AIC=5.5567$　$SC=6.0739$　F 值$=20.0311$

从估计结果（3.37）式可以看出：第一，对于真实 GDP 增长率起决定作用的是其自回归成分，当期增长率中的 70% 左右的成分是由前期增长速度决定的，说明我国的经济增长有很强的增长惯性。第二，规则性货币政策将在滞后 2 个季度后产生最大影响，而且滞后影响具有较大弹性（弹性系数为 3.1753，并且系数显著）；相机抉择性货币政策在滞后 1 个季度后对产出产生最大影响，影响系数为－1.7118。第三，规则性货币政策的整体影响（系数和）为 0.4932，具有实际扩张作用；而相机抉择性货币政策的整体影响为－0.0876，对真实产出具有收缩作用。

在对相机抉择性货币政策成分进行分解后的估计结果（3.38）式表明：第一，我国的经济增长有明显的增长惯性，当期增长中有 66% 左右的成分是由前期增长决定的。第二，规则性货币政策成分仍在滞后 2 个季度后产生最大影响，影响系数为 2.5319；正向相机抉择性货币政策成分的最大影响产生于滞后 4 个季度后，影响系数为 2.3200；负向相机抉择性货币政策成分在滞后 1 个季度后产生最大影响（影响的弹性系数为－2.2551，且系数显著），这说明负向相机抉择冲击对经济的影响比较快。第三，规则性货币政策的整体影响为 0.6142，对真实产出具有扩张作用；正向相机抉择冲击成分的整体影响为 2.0770，对经济增长具有显著的扩张效应；而负向相机抉择冲击成分的整体影响高达－4.9585，对经济增长具有较强的收缩效应。

3.3.3　货币政策的名义效果

为了分析规则性货币政策和相机抉择性货币政策对通货膨胀的影

3 规则还是相机抉择：转型期中国货币政策操作规范的选择

响，我们也可以建立并估计通货膨胀率①（PAI）,基于货币政策可预期（规则性）成分$(MPI)_t^r$和不可预期（相机抉择性）成分$(MPI)_t^{u+}$、$(MPI)_t^{u-}$的回归方程。根据 AIC 和 SC 等信息准则，选择的模型阶数仍为 $m=1$，$n=4$。采用普通最小二乘法（OLS）估计的模型如下（上标 * 号表示至少在 10% 的水平上显著）：

$PAI = 2.0194 + 0.9833^* PAI(-1) - 0.2702 GM2FIT$
$\quad + 0.9168 GM2FIT(-1) - 1.5254^* GM2FIT(-2)$
$\quad + 0.8713 GM2FIT(-3) - 0.1176 GM2FIT(-4)$
$\quad - 0.0994 GM2UNFIT + 0.3316 GM2UNFIT(-1)$
$\quad - 0.4104 GM2UNFIT(-2) + 0.8403^* GM2UNFIT(-3)$
$\quad + 0.0112 GM2UNFIT(-4)$ \hfill (3.39)

$R^2 = 0.9540$ 修正的 $R^2 = 0.9346$ $DW = 2.0848$
$AIC = 2.5355$ $SC = 3.0527$ F 值 $= 49.0713$

$PAI = 1.8952 + 0.9346^* PAI(-1) - 0.1276 GM2FIT$
$\quad + 0.6609 GM2FIT(-1) - 1.4825^* GM2FIT(-2)$
$\quad + 1.0126 GM2FIT(-3) - 0.2076 GM2FIT(-4)$
$\quad + 0.2362 GM2UNFIT\_U - 0.1314 GM2UNFIT\_U(-1)$
$\quad - 0.1511 GM2UNFIT\_U(-2) + 1.0493^* GM2UNFIT\_U(-3)$
$\quad - 0.0318 GM2UNFIT\_U(-4) - 0.4517^* GM2UNFIT\_D$
$\quad + 0.4982 GM2UNFIT\_D(-1) - 0.4261 GM2UNFIT\_D(-2)$
$\quad + 0.7436^* GM2UNFIT\_D(-3) - 0.0431 GM2UNFIT\_D(-4)$
\hfill (3.40)

$R^2 = 0.9709$ 修正的 $R^2 = 0.9488$ $DW = 1.7611$
$AIC = 2.3409$ $SC = 3.0735$ F 值 $= 43.8294$

根据估计结果（3.39）式和（3.40）式可以看出，不论对相机抉择性货币政策成分是否进行区分，我国的通货膨胀基本上是由其自回归部

---
① 这里的通货膨胀率是指用 CPI 衡量的通货膨胀率。

分解释的（分别为98.33%和93.46%）。在不对相机抉择性货币政策进行区别的情况下，规则性货币政策成分的整体影响为－0.1251，说明规则性货币政策对通货膨胀具有微弱的抑制作用，这种反向抑制效果在滞后2个季度后最大（弹性系数为－1.4825，且显著）；相机抉择性货币政策成分的整体影响为0.0112，说明相机抉择性货币政策对通货膨胀有轻微的刺激作用，这种影响在滞后3个季度时最大（影响系数为0.8403，且显著）。估计结果（3.40）式显示了将相机抉择性货币政策成分分解为正向冲击和负向冲击后的情况，此时规则性货币政策成分对通货膨胀的整体影响为－0.1442，仍然是有微弱的抑制通胀作用，并在滞后2个季度后影响最大；正向相机抉择性货币政策冲击的整体影响为0.9712，在滞后3个季度后对通货膨胀的刺激效果最明显（弹性系数为1.0493，且显著）；负向相机抉择性货币政策冲击的整体影响为0.3209，也是在滞后3个季度后影响最大，但缺乏弹性（弹性系数为0.7436）。

3.3.4 规则性和相机抉择性货币政策成分的动态影响

通过前文对我国货币政策实践的简单回顾，我们并不能对中国货币政策究竟是以规则为主还是以相机抉择为主作出明确的判断，而这种判断对于分析中国的货币政策操作规范转型问题却是至关重要的。为了明确得出中国的货币政策操作究竟以哪种货币政策成分为主的结论，我们可以通过建立分别包括产出因素（GRGDP）和通货膨胀（PAI）以及各种货币政策成分的VAR系统来对规则性货币政策和相机抉择性货币政策的作用进行动态分析。

假设两个VAR系统的内生变量分别为：

$X(GDP)_t = ((GRGDP)_t, (MPI)_t^c, (MPI)_t^u)'$ 或

$X(GDP)_t = ((GRGDP)_t, (MPI)_t^c, (MPI)_t^{u+}, (MPI)_t^{u-})'$ (3.41)

$X(PAI)_t = ((PAI)_t, (MPI)_t^c, (MPI)_t^u)'$ 或

$X(PAI)_t = ((PAI)_t, (MPI)_t^c, (MPI)_t^{u+}, (MPI)_t^{u-})'$ (3.42)

3 规则还是相机抉择：转型期中国货币政策操作规范的选择

上述 VAR 模型的简化式方程为：

$$X_t = A_0 + A_1 X_{t-1} + \cdots A_p X_{t-p} + \varepsilon_t \tag{3.43}$$

其中，$A_i(i=0,1,\cdots,p)$ 是系数矩阵，ε_t 是简化式冲击向量，表示作用在 X_t 各个分量上的复合冲击。给定上述变量顺序，我们就可以利用 Cholesky 分解得到内生变量的脉冲反应函数（刘金全等，2004）。

根据 AIC 信息准则和 SC 信息准则，我们选取自回归的阶数为 $p=4$。

图 3-3 显示了真实 GDP 增长率分别对来自规则性货币政策成分和相机抉择性货币政策成分 1 单位标准差的冲击反应过程。在不区分正负向相机抉择冲击的情况下，规则性货币政策成分对真实 GDP 有明显的正向影响，这种影响在滞后 2 个季度后达到最大，之后这种影响逐步减弱；相机抉择性货币政策成分对真实 GDP 的影响在滞后 3 个季度内是负向的，但在随后的 4 个季度中正向影响越来越明显，在滞后 7 个季度时正向影响达到最大，之后正向影响逐步减弱直至出现负向影响，但在滞后 11 个季度后又产生正向影响。根据前文模型（3.37）式的分析，相机抉择性货币政策成分对真实 GDP 增长率的净影响是负向的，这说明相机抉择性货币政策成分的存在明显加大了我国 GDP 增长率的不规则波动。

表 3-8 给出了规则性货币政策成分和相机抉择性货币政策成分对真实 GDP 增长率影响的预测方差分解结果。53% 左右的真实 GDP 增长率波动是由其本身的波动解释的；规则性货币政策成分在滞后 5 个季度时能解释最大为 24.48% 的 GDP 增长率的波动，随后规则性成分的影响有所减少，但在滞后 8 个季度后的解释程度基本稳定在 17.5% 左右；相机抉择性货币政策成分对真实 GDP 增长率的影响则是逐期增大的，在滞后 8 个季度后相机抉择性成分对 GDP 波动的解释程度就基本稳定在 29% 左右了。

Response of GRGDP to Cholesky One S.D. Innovations

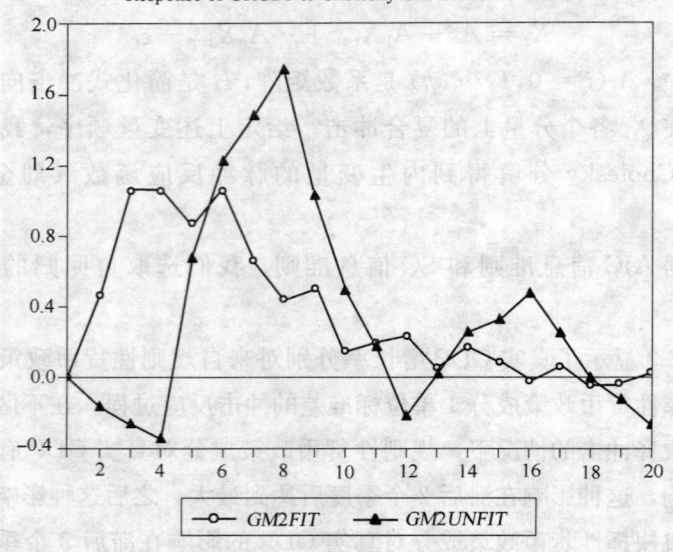

图 3-3　规则性和相机抉择性货币政策成分对 *GRGDP* 的冲击

表 3-8　规则性和相机抉择性货币政策成分对 *GRGDP* 影响的预测方差分解

Period	S.E.	GRGDP	GM2FIT	GM2UNFIT
1	2.439405	100.0000	0.000000	0.000000
2	2.955168	97.24446	2.436266	0.319273
3	3.316944	87.07491	12.03145	0.893647
4	3.617511	79.64417	18.66136	1.694471
5	3.814033	73.33462	22.01742	4.647954
6	4.202560	63.18879	24.48010	12.33111
7	4.644894	57.71109	22.04719	20.24172
8	5.125008	52.96444	18.85294	28.18262
9	5.377171	52.73193	17.97654	29.29153
10	5.470785	53.46380	17.43857	29.09763
11	5.486607	53.50727	17.46095	29.03178
12	5.495855	53.32761	17.57726	29.09513

3 规则还是相机抉择：转型期中国货币政策操作规范的选择

如果将相机抉择性货币政策成分细分为正向冲击成分和负向冲击成分，就可以进一步分析正向相机抉择冲击和负向相机抉择冲击对GDP增长率波动的影响，结果见图3-4和表3-9。图3-4中显示的规则性货币政策成分的影响与图3-3中的结果一样，仍然是在滞后2个季度时对真实GDP增长率的影响达到最大，之后的影响逐渐减弱，整体上对真实GDP有扩张作用。正向相机抉择冲击成分在短期内对 $GRGDP$ 有负面影响，但在1个季度后就会强劲地促进 $GRGDP$ 增加，这种影响在滞后7个季度内持续存在。负向相机抉择冲击成分对 $GRGDP$ 的影响却是不确定的，先是负面影响，然后是正向影响，在滞后5个季度达到最大正向影响后又会造成 $GRGDP$ 的下降，在滞后11个季度后还会再次产生正向冲击，明显引起GDP增长率的不规则波动。

由表3-9的预测方差分解结果可以看出，造成 $GRGDP$ 波动的44%的贡献来自于其自身的因素。规则性货币政策成分对 $GRGDP$ 波动的贡

Response of GRGDP to Cholesky One S.D. Innovations

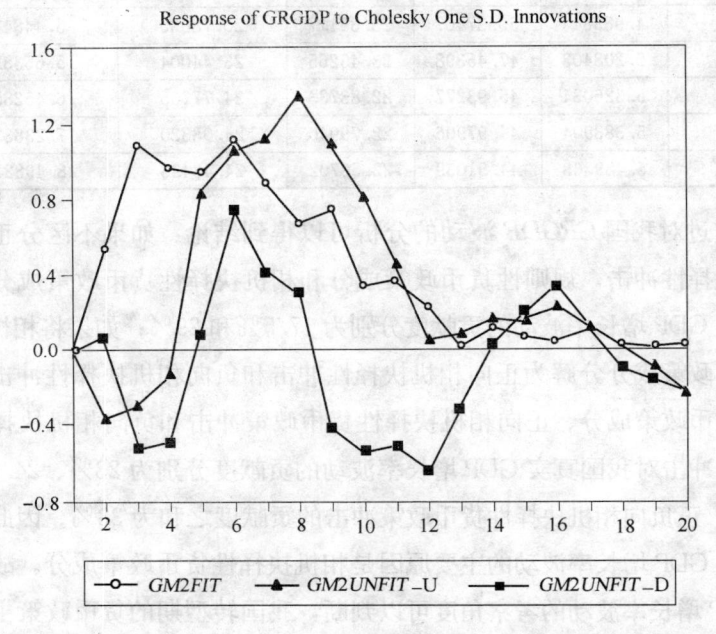

图 3-4 规则性和正负向相机抉择性货币政策成分对 $GRGDP$ 的冲击

献在滞后 6 个季度后就基本稳定在 23% 左右了；而正向相机抉择性冲击成分和负向相机抉择性冲击成分对真实 GDP 波动的贡献都是逐期增加的。正向相机抉择性冲击对 GRGDP 波动的贡献最终稳定在 24.5% 左右，而负向相机抉择性冲击对 GRGDP 波动的解释能力最终是 8.5% 左右，这样正负向相机抉择性货币政策冲击对真实 GDP 波动的总贡献度就是 33% 左右。

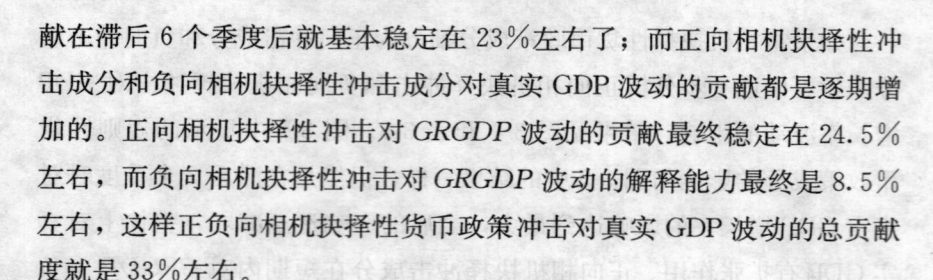

表 3-9　规则性和正负向相机抉择性货币政策成分对 GRGDP 影响的预测方差分解

Period	S.E.	GRGDP	GM2FIT	GM2UNFIT_U	GM2UNFIT_D
1	2.443529	100.0000	0.000000	0.000000	0.000000
2	2.982920	95.15642	3.268149	1.546027	0.029407
3	3.375388	82.55652	12.95881	2.006885	2.477789
4	3.675790	76.34476	17.90039	1.819973	3.934873
5	3.925130	68.78276	21.55481	6.166785	3.495644
6	4.360066	59.32621	24.00801	10.91752	5.748265
7	4.691518	54.78189	24.31015	15.17246	5.735498
8	4.983344	50.37407	23.39117	20.78635	5.448421
9	5.208403	47.45398	23.45265	23.44004	5.653329
10	5.326034	45.93277	22.83733	24.77705	6.452853
11	5.383904	44.97906	22.79940	24.98320	7.238331
12	5.439363	44.51039	22.50702	24.48438	8.498213

通过对我国 GRGDP 波动的分析可以得到结论：如果不区分正负向相机抉择性冲击，规则性货币政策成分和相机抉择性货币政策成分对我国真实 GDP 增长率波动的贡献度分别为 17.5% 和 29%；如果将相机抉择性货币政策成分分解为正向相机抉择性冲击和负向相机抉择性冲击，规则性货币政策成分、正向相机抉择性货币政策冲击和负向相机抉择性货币政策冲击对我国真实 GDP 增长率波动的贡献度分别为 23%、24.5% 和 8.5%，正负向相机抉择性货币政策冲击的贡献度之和为 33%。因此，我国真实 GDP 增长率波动的主要原因是相机抉择性货币政策成分。故从真实 GDP 增长率波动的考察角度可以判断，我国转型期的货币政策主要是通过相机抉择性货币政策成分对 GDP 波动产生影响的。也就是说，转型

3 规则还是相机抉择：转型期中国货币政策操作规范的选择

期中国的货币政策操作是以相机抉择性货币政策操作为主的。

图 3-5 显示了我国的通货膨胀率分别对来自规则性货币政策成分和相机抉择性货币政策成分 1 单位标准差的冲击反应过程。在不区分正负向相机抉择冲击的情况下，规则性货币政策成分在短期内对通货膨胀率有轻微的刺激作用，但在滞后 1 个季度后开始对通货膨胀有明显的抑制作用，这种抑制作用在滞后 5 个季度后达到最大，之后这种影响逐步减弱，但根据前文模型（3.39）式的分析，规则性货币政策成分总体上是有利于抑制通货膨胀的。相机抉择性货币政策成分对通货膨胀有明显的刺激作用，在滞后 4 个季度后这种作用达到最大，随后这种影响越来越小，但根据模型（3.39）式的分析，相机抉择性货币政策成分对通货膨胀的整体影响是正向的，也就是说，相机抉择性货币政策成分的存在加大了我国的通货膨胀程度。

表 3-10 给出了规则性货币政策成分和相机抉择性货币政策成分对

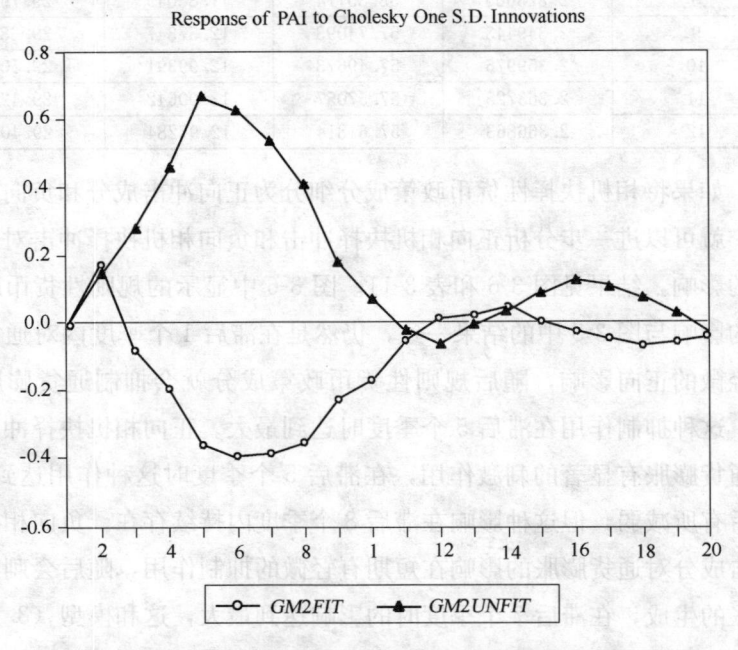

图 3-5 规则性和相机抉择性货币政策成分对通货膨胀的冲击

通货膨胀的预测方差分解结果。57%左右的通货膨胀波动是由其本身的因素解释的;规则性货币政策成分对通货膨胀波动的解释程度是逐期增加的,在滞后8个季度后规则性货币政策成分对通货膨胀波动的贡献度基本稳定在13%的水平;相机抉择性货币政策成分对通货膨胀波动的影响也是逐期增大的,在滞后7个季度后相机抉择性成分对通货膨胀波动的解释程度基本稳定在29%左右的水平。

表 3-10 规则性和相机抉择性货币政策成分对通货膨胀影响的预测方差分解

Period	S. E.	PAI	GM2FIT	GM2UNFIT
1	0.780987	100.0000	0.000000	0.000000
2	1.133219	95.93149	2.315132	1.753377
3	1.411910	93.05091	1.825106	5.123988
4	1.686687	86.35266	2.625766	11.02157
5	1.923496	73.73328	5.578219	20.68850
6	2.120676	66.24665	8.093052	25.66030
7	2.248479	61.25723	10.19395	28.54883
8	2.323665	58.35774	11.88049	29.76178
9	2.349443	57.74093	12.57347	29.68560
10	2.359976	57.49673	12.99391	29.50936
11	2.363725	57.57057	13.00642	29.42301
12	2.366863	57.61814	12.97284	29.40902

如果将相机抉择性货币政策成分细分为正向冲击成分和负向冲击成分,就可以进一步分析正向相机抉择冲击和负向相机抉择冲击对通货膨胀的影响,结果见图 3-6 和表 3-11。图 3-6 中显示的规则性货币政策成分的影响与图 3-5 中的结果一致,仍然是在滞后 1 个季度内对通货膨胀有轻微的正向影响,随后规则性货币政策成分就会抑制通货膨胀的生成,这种抑制作用在滞后 5 个季度时达到最大。正向相机抉择冲击成分对通货膨胀有显著的刺激作用,在滞后 5 个季度时这种作用达到最大,随后有所减弱,但这种影响在滞后 8 个季度内持续存在。负向相机抉择冲击成分对通货膨胀的影响在短期有轻微的抑制作用,随后会刺激通货膨胀的生成,在滞后 7 个季度时的影响达到最大,这和模型(3.40)式的结论是一致的。

3 规则还是相机抉择：转型期中国货币政策操作规范的选择

Response of PAI to Cholesky One S.D. Innovations

[Figure: GM2FIT, GM2UNFIT-U, GM2UNFIT-D]

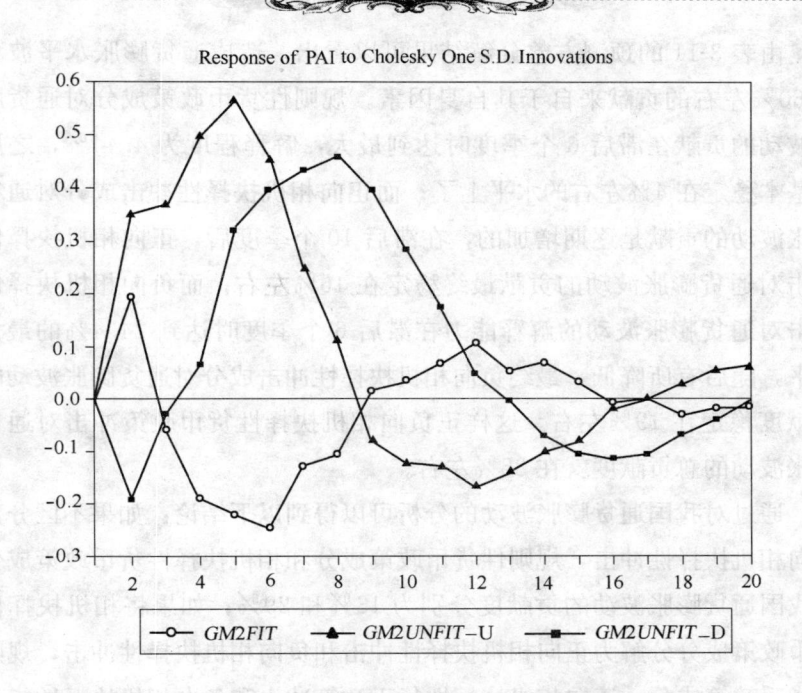

图 3-6 规则性和正负向相机抉择性货币政策成分对通货膨胀的冲击

表 3-11 规则性和正负向相机抉择性货币政策成分对通货膨胀影响的预测方差分解

Period	S. E.	PAI	GM2FIT	GM2UNFIT _ U	GM2UNFIT _ D
1	0.701303	100.0000	0.000000	0.000000	0.000000
2	1.091656	83.20830	3.202372	3.151115	10.43821
3	1.340899	80.87242	2.334620	2.134921	14.65804
4	1.621277	75.90331	2.989750	1.629010	19.47793
5	1.850851	67.71124	3.744419	4.261209	24.28313
6	2.063622	64.03287	4.439569	7.126245	24.40132
7	2.225970	63.74437	4.148591	9.889335	22.21770
8	2.330094	62.60421	3.992197	12.88527	20.51832
9	2.402600	62.06979	3.758435	14.76852	19.40326
10	2.429471	61.28015	3.696961	15.79232	19.23057
11	2.440562	60.75536	3.741014	16.16003	19.34360
12	2.449254	60.35602	3.900295	16.08168	19.66201

由表 3-11 的预测方差分解结果可以看出，造成通货膨胀水平波动的 60% 左右的贡献来自于其自身因素。规则性货币政策成分对通货膨胀波动的贡献在滞后 6 个季度时达到最大，解释程度为 4.44%，之后就基本稳定在 4% 左右的水平上了；而正向相机抉择性冲击成分对通货膨胀波动的贡献是逐期增加的，在滞后 10 个季度后，正向相机抉择性冲击对通货膨胀波动的贡献最终稳定在 16% 左右；而负向相机抉择性冲击对通货膨胀波动的解释能力在滞后 6 个季度时达到 24.4% 的最大水平，随后有所降低，最终负向相机抉择性冲击成分对通货膨胀波动的贡献度稳定在 19% 左右。这样正负向相机抉择性货币政策冲击对通货膨胀波动的总贡献度就在 35% 左右。

通过对我国通货膨胀波动的分析可以得到以下结论：如果不区分正负向相机抉择性冲击，规则性货币政策成分和相机抉择性货币政策成分对我国通货膨胀波动的贡献度分别为 13% 和 29%；如果将相机抉择性货币政策成分分解为正向相机抉择性冲击和负向相机抉择性冲击，规则性货币政策成分、正向相机抉择性货币政策冲击和负向相机抉择性货币政策冲击对我国通货膨胀波动的贡献度分别为 4%、16% 和 19%，正负向相机抉择性货币政策冲击的贡献度之和为 35%。因此，我国通货膨胀波动的主要原因也是相机抉择性货币政策成分。从通货膨胀波动的考察角度我们可以判断，我国转型期的货币政策主要是通过相机抉择性货币政策成分对通货膨胀产生影响的。

因此，不论是从产出的角度还是从通货膨胀的角度进行分析，我们都可以得到结论：转型期中国的货币政策操作主要是相机抉择型的。

3.4 规则型货币政策操作的动态模拟

既然我们通过实证分析得出中国转型期的货币政策是以相机抉择型操作为主的结论，那么，如果货币政策操作实现从相机抉择型向规则型

3 规则还是相机抉择：转型期中国货币政策操作规范的选择

的转型，我国的经济波动（本书用产出增长率和通货膨胀率衡量）是否会大大减小？我们可以通过对规则型货币政策操作的动态模拟对这一问题进行解答。如果结论是规则型货币政策操作可以减少我国经济的波动，即可以减少我国的经济福利损失（损失函数通常用产出方差和通胀方差的加权和表示），那么，我国的货币政策操作由目前的相机抉择型向规则型转型就是可行的。

3.4.1 模拟序列的生成

前文我们将 M_2 的增长率作为描述货币政策状态的指标。根据规则成分和相机抉择成分的分离过程，将能够解释货币需求的可预期部分作为货币政策的规则成分（GM2FIT），将残差视为货币政策的相机抉择成分（GM2UNFIT）。这个对货币政策成分的分离过程意味着货币政策的规则性成分和相机抉择性成分所包含的信息是互斥的，因此这两个时间序列 GM2FIT 和 GM2UNFIT 就应是正交的。我们将序列向量 GM2FIT（42×1）和 GM2UNFIT（42×1）的元素对应相乘之后可以得到一个序列向量 a（42×1），a 的所有元素之和为零，标准差为 33.26258。作为比较，我们可以用计算机生成一个标准差只有 0.01，均值为 0 的服从正态分布的随机序列向量 a'。用序列向量 a' 除以序列 GM2FIT 得到一个新的序列 GM2UNFIT_SM，我们可以用这个新的序列作为模拟的相机抉择成分。而且 GM2UNFIT_SM 满足以下三个条件：(1) 与货币政策的规则性成分 GM2FIT 正交；(2) 是一个服从正态分布的残差序列；(3) 其标准差比 GM2UNFIT 小很多。第三个条件意味着模拟生成的相机抉择成分的波动要比真实的相机抉择成分小很多。由于我们保持规则性货币政策成分不变，这样就可以使得规则成分的影响相对变大了。如果中国的货币政策操作规范实现了转型，即以规则性货币政策操作为主，那么，规则性货币政策成分对产出和通货膨胀等宏观经济变量的影响就是主要的，而相机抉择性成分的影响就会相对小很多。

表 3-12　模拟的规则型货币政策对 GRGDP 影响的预测方差分解

Period	S. E.	GRGDP	GM2FIT	GM2UNFIT_SM
1	2.418890	100.0000	0.000000	0.000000
2	2.967216	99.89219	0.061203	0.046608
3	3.322199	95.06974	0.520194	4.410070
4	3.867353	80.31874	16.08716	3.594098
5	4.275108	66.80699	29.99595	3.197067
6	4.553191	60.10120	37.05515	2.843651
7	4.784695	56.73867	40.39927	2.862059
8	4.887524	56.91222	39.33479	3.753000
9	5.024890	58.04919	37.26938	4.681423
10	5.151733	58.72491	35.88875	5.386343
11	5.215275	58.74652	35.52778	5.725695
12	5.223219	58.83418	35.42259	5.743229

为了验证我们模拟的相机抉择性货币政策成分 GM2UNFIT_SM 和原始的规则性成分 GM2FIT 对产出和通货膨胀的作用是否发生了变化，我们可以用 GRGDP－GM2FIT－GM2UNFIT_SM（产出增长—规则成分—模拟的相机抉择成分）以及 PAI－GM2FIT－GM2UNFIT_SM（通货膨胀—规则成分—模拟的相机抉择成分）分别建立 VAR 系统，然后进行预测方差分解的分析（结果分别见表 3-12 和表 3-13），再将分析结果与前文用 GRGDP－GM2FIT－GM2UNFIT（产出增长—规则成分—相机抉择成分）和 PAI－GM2FIT－GM2UNFIT（通货膨胀—规则成分—相机抉择成分）建立的 VAR 系统进行比较。

3 规则还是相机抉择:转型期中国货币政策操作规范的选择

表 3-13 模拟的规则型货币政策对通货膨胀影响的预测方差分解

Period	S. E.	PAI	GM2FIT	GM2UNFIT_SM
1	0.904038	100.0000	0.000000	0.000000
2	1.351397	97.87703	2.077304	0.045670
3	1.702226	97.31580	2.582067	0.102137
4	1.979287	94.57169	5.342579	0.085731
5	2.140079	92.40970	7.454448	0.135853
6	2.265658	90.92843	8.920688	0.150886
7	2.335963	90.06533	9.690402	0.244271
8	2.373868	90.02711	9.644426	0.328468
9	2.399582	90.13981	9.478816	0.381376
10	2.416870	90.22467	9.366976	0.408350
11	2.434337	90.23567	9.354899	0.409432
12	2.448746	90.21250	9.382542	0.404962

由表 3-12 可以看出,模拟的相机抉择成分对产出增长波动的贡献度仅为 5.7% 左右,规则性货币政策成分的贡献度为 35.5% 左右;而表 3-8 反映的真实的相机抉择成分对我国产出增长波动的解释力高达 29% 左右,规则性成分的影响仅为 17.5%。模拟后的相机抉择性成分对产出的影响程度大大减小了,这说明我们模拟的相机抉择性成分对产出的影响符合货币政策操作规范转型后的情况。

由表 3-13 可以看出,模拟的相机抉择成分对通货膨胀波动的贡献度仅为 0.4% 左右,规则性货币政策成分的贡献度为 9.5% 左右;而表 3-10 反映的真实的相机抉择成分对我国通货膨胀波动的解释力高达 29% 左右,规则性成分的影响仅为 13%。模拟后的相机抉择性成分对通货膨胀的影响程度大大减小了，这说明我们模拟的相机抉择性成分对通货膨胀的影响也符合货币政策操作规范转型后的情况。

3.4.2 产出波动和通胀波动的模拟结果

由于模拟的序列不是真实的相机抉择成分，因此 VAR 系统的反应系数仍应采用由 $GRGDP-GM2FIT-GM2UNFIT$ 和 $PAI-GM2FIT-GM2UNFIT$ 建立的 VAR 估计出的结果。根据真实数据得到的 VAR 反应系数，我们可以递归得到产出增长的模拟值 $GRGDP\_SM$ 以及通货膨胀的模拟值 PAI_SM。由于 VAR 系统中的滞后阶数为 4，这样 $GM2FIT$ 和 $GM2UNFIT$ 等序列就是从 1995 年开始才有观测值，故 $GRGDP\_SM$ 和 PAI_SM 的值是从 1996 年开始的。模拟的结果见表 3-14。

表 3-14 规则型货币政策操作的动态模拟效果

		标准差	方差	方差的减小程度
相机抉择成分 $GM2UNFIT$	原始值	1.5902		
（1995Q1－2005Q2）	模拟值	0.0005		
真实产出增长率 $GRGDP$	原始值	10.2020	104.0797	17.27%
（1996Q1－2005Q2）	模拟值	9.2792	86.1031	
通货膨胀率 PAI	原始值	2.9637	8.7834	15.87%
（1996Q1－2005Q2）	模拟值	2.7184	7.3896	

可以看到，如果中国的货币政策操作规范实现了由目前的相机抉择型向规则型的转型，即让规则型货币政策成分对宏观经济变量发挥主要影响，弱化相机抉择性货币政策成分的作用，我国经济的波动将会明显下降，经济增长的持续性和稳定性得到明显增强（见图 3-7 和图 3-8）。具体来讲，产出增长的波动方差将由 104.0797 降低到 86.1031，改善程度为 17.27%；通货膨胀的波动方差将由 8.7834 降低到 7.3896，改善程度为 15.87%。

3 规则还是相机抉择:转型期中国货币政策操作规范的选择

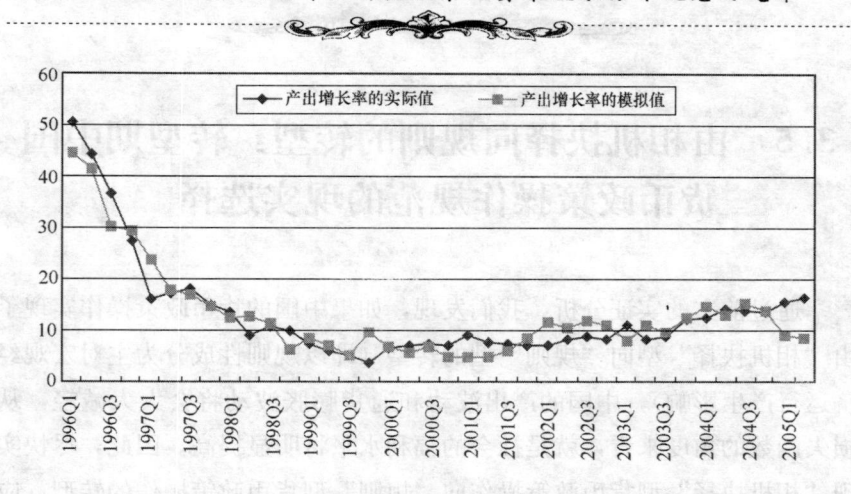

图 3-7 真实产出增长率实际值和模拟值的对比

图 3-8 通货膨胀率实际值和模拟值的对比

图 3-7 显示了真实产出增长率的实际值和模拟值的对比情况,模拟后的产出增长率波动的改善情况直观上还很难判断。但从图 3-8 显示的通货膨胀的实际值和模拟值来看,转型后的货币政策操作可以明显降低通货膨胀的波动程度,更为重要的是,根据我们模拟的结果,1997 年至 2002 年间的通货紧缩完全可以避免。

3.5 由相机抉择向规则的转型：转型期中国货币政策操作规范的现实选择

通过前文的实证分析，我们发现，如果中国的货币政策操作实现了由"相机抉择"型向"规则"型的转型（即以规则性成分为主对宏观经济运行产生影响），中国的产出波动和通货膨胀波动将会大大减轻，从损失函数的角度来看，就是社会的福利水平将明显提高。因此，尽快实现"相机抉择"型货币政策操作向"规则"型货币政策操作的转型，应是我国中央银行的明智选择。

3.5.1 中国已不适合采用"相机抉择"型货币政策

(1) 我国的货币政策操作具有明显的"顺周期"特征，与"相机抉择"的本质不符

在西方发达国家，按"相机抉择"操作的货币政策具有明显的"逆经济风向调节"的"反周期"行为特征，这是由于西方货币当局一般被赋予了广泛的权力，具有高度的独立性，可以在对经济运行态势做出相应预测和判断的基础上，自主决定货币政策的调节方向和力度。而我国中央银行在实施货币政策的过程中，在很大程度上只是政府的经济计划和行政指令的执行者。在这种情况下，货币政策实施的方向、时机和力度就难免受到各种外在压力和干扰。这样一来，在经济已经有过热倾向时，为了保证经济的持续快速增长，中央银行往往不能采用"反周期"的紧缩政策。

(2) "相机抉择"型货币政策是我国金融风险累积的重要原因

回顾我国 20 多年的货币政策调控实践可以看出，"一收就死，一放就乱"一直是我国货币政策调节的顽症。我国当前金融领域累积的各种风险之所以形成，与我国货币政策的一次次收放密切相关。当宏观经济

3 规则还是相机抉择：转型期中国货币政策操作规范的选择

过热时，虽然实行紧缩的货币政策可以给经济降温，但要付出相应的代价。如企业已经上马的大规模投资由于缺乏必要的后续资金注入而成为银行的呆账（江苏铁本事件[①]就是典型例证）。当宏观经济偏冷时，扩张性货币政策又会使得企业由于融资成本过低，对前景盲目乐观，从而出现强烈的投资冲动，最终导致金融风险加大。

（3）我国的货币政策调节具有"一刀切"倾向，不能进行"微调"

在发达市场经济国家中，实施"相机抉择"型货币政策主要是用能动性名义国民收入波动来抵消因需求干扰等因素导致的自发性名义国民收入波动，旨在使经济运行稳定在货币当局所期望的水平区间之内。因此，"相机抉择"型货币政策规范能取得预期效果的关键在于掌握好货币政策的调控之"度"，要掌握好"度"，关键又在于货币政策本身能够进行"微调"。在我国货币政策的操作过程中，由于政策工具难以自由变动和灵活操作，金融市场发育不全，中央银行很难针对经济风向的变化进行"微调"，经常是"一步到位"，并且有"一刀切"的毛病。如此进行货币政策调节的结果必然会造成经济运行的大起大落。

3.5.2 "规则"型货币政策是中国的必然选择

（1）"规则"型货币政策可以真正起到稳定经济运行的作用

由于我国目前主要是通过调节货币供应量来影响经济运行，故控制货币供应量增长率就成为当前我国货币政策操作的主要内容。如果我国中央银行按"规则"进行货币政策操作，就可以通过制定货币供应量的增长计划，有效平滑经济增长速度，以实现稳定宏观经济运行的目标。

---

① 2004年发生的江苏铁本事件是中国金融历史上一次罕见的集体"失足"事件，该事件的发生是企业违法违规操作、地方政府和金融部门严重失职违规种下的苦果。江苏省常州市6家金融机构合力帮助一个注册资本仅为3亿元的小型钢铁企业试图运作一个远远超出其承载能力的总投资高达106亿元的大项目，尽管相关责任人员均受到了应有的处罚，但铁本项目所遗留下的问题到目前还没有一个可行性补救方案。

当经济过热时,由于"规则"型货币政策操作规范的核心是按照正常的名义国民收入增长率来确定货币供给量的增长率,在货币增长率既定的条件下,超过名义国民收入增长率区间范围的总需求增长就会受到有效抑制,从而可以紧缩经济。反之,当经济运行趋冷时,按"规则"行事的货币政策会刺激投资需求和消费需求,从而可以实现经济的有效扩张。

(2)"规则"型货币政策更加适合我国转型期的国情

首先,由于"规则"型货币政策的决策程度较为简单,操作方式也相对固定,货币政策的实施难度有所下降,这样,在我国中央银行现有调控能力条件下,就会有助于减少货币政策的盲目性。其次,按"规则"行事的货币政策受政府行政干预和其他部门影响的可能性相对较小,更加适合我国中央银行独立性不高的国情,在一定程度上有利于减少货币政策的依附性。最后,"规则"型货币政策操作规范并不是一味地追求纯粹"规则",而是一个"相机抉择"成分不断减少、按"规则"行事的成分不断增加的动态过程。这样,就能在一定程度上避免由于政策急剧转向而带来的利益冲突,有利于提高货币政策的调控效果。

(3)"规则"型货币政策可以形成一个稳定的货币经济环境

随着我国向社会主义市场经济体制转型的逐步推进,市场经济的雏形已基本形成,各层次经济主体越来越需要一个稳定的宏观经济环境,当然也包括货币环境。只有在稳定的货币经济环境中,各经济主体才能形成稳定的预期,从而减少经济活动的盲目性,提高经济运行的效率。按"规则"型货币政策操作规范行事,正是适应了这种需要。由于货币政策操作"有章可循",并且"规则"型货币政策有明显的透明度和可信度,非常有利于形成稳定市场预期,从而促进稳定货币经济环境的形成。

3 规则还是相机抉择：转型期中国货币政策操作规范的选择

本 章 小 结

　　针对"相机抉择"和"规则"两种货币政策操作规范的争论，本章从理论和实证两个方面系统研究了处于转型期的中国究竟应该采用哪种货币政策操作规范这一重要现实问题。

　　从理论上来说，规则之所以优于相机抉择，是因为相机抉择不仅具有时间非一致性的特点，而且还会造成通货膨胀偏差。规则型货币政策操作由于对未来的政策路径做出了一次性的决定，使用这种货币政策操作方式具有较高的可信性，并获得了时间一致性的特征。而相机抉择的政策却只要求根据当前和未来时期的跨时优化，对每个时期的最优政策路径都进行重新推导，即使在没有出现未预期冲击的情况下也是如此，也就是说，相机抉择政策要求在每个时期都要制定新的政策路径。

　　鉴于相机抉择型政策的时间非一致性特征，尽管对整个社会来说，实现低水平的平均通货膨胀率可能是最优的，但这样的政策却不是一致的，也就是说这种相机抉择的政策不具有可信性。如果社会公众预期了一个较低的通货膨胀率，那么中央银行就将面对较高通货膨胀率的激励。由于确信中央银行会屈服于这种激励，故公众就能对较高的通货膨胀率作出准确的预期，公众和中央银行博弈的纳什均衡就是社会承受较高通货膨胀的同时即不能获得任何产出增长的好处。

　　通过对中国转型期的货币政策操作实践进行的简要回顾可以看出，中国当前的货币政策操作是一种"相机抉择"和"规则"混合的操作方式，我们在感觉到中国货币政策明显的相机抉择特征的同时也看到了诸如公布货币供应量的年度增长率目标等规则性特征。本章通过构建货币政策状态模型，分离出中国货币政策中的相机抉择性成分和规则性成分，并利用VAR分析了两种货币政策成分对中国产出增长率和通货膨胀率的影响程度，结论是中国转型期的货币政策操作是以"相机抉择"型政策为主的（辅之以"规则"型政策）。

为了回答中国的货币政策操作是否应该由当前的相机抉择型向规则型转型这一现实问题，本章模拟了规则型货币政策操作的动态效果。结果表明，如果中国的货币政策操作实现了由相机抉择型向规则型的转型，中国的产出增长率和通货膨胀率的波动将分别下降 17.27% 和 15.87%，从损失函数的角度来说，这将明显增强中国的社会福利水平。因此，尽快实现"相机抉择"型货币政策操作向"规则"型货币政策操作的转型，应是我国中央银行的明智选择。

3 规则还是相机抉择：转型期中国货币政策操作规范的选择

本 章 附 表

	GM2FIT	*GM2UNFIT*	*GM2UNFIT_U*	*GM2UNFIT_D*	*GM2UNFIT_SM*
1995Q1	33.11278	2.787523	2.787523	0	3.03464E−05
1995Q2	34.13043	−1.38573	0	−1.38573	4.22465E−06
1995Q3	31.40898	2.226716	2.226716	0	−0.00012853
1995Q4	31.79609	−2.32899	0	−2.32899	0.000325584
1996Q1	28.46653	−0.20443	0	−0.20443	−0.00030783
1996Q2	27.03361	1.155289	1.155289	0	0.000175272
1996Q3	26.55747	0.248629	0.248629	0	0.000674609
1996Q4	25.54509	−0.28699	0	−0.28699	−0.000185991
1997Q1	24.18255	−0.58435	0	−0.58435	0.000208418
1997Q2	22.43931	−0.89501	0	−0.89501	0.000384322
1997Q3	20.69625	−1.47185	0	−1.47185	−0.000125846
1997Q4	18.30361	1.277789	1.277789	0	0.000311942
1998Q1	18.67678	−3.24838	0	−3.24838	−0.000508255
1998Q2	15.38805	−1.08315	0	−1.08315	0.001001254
1998Q3	14.53987	1.645627	1.645627	0	8.6074E−05
1998Q4	15.82216	−0.98276	0	−0.98276	0.000508361
1999Q1	14.62021	3.198992	3.198992	0	0.000193896
1999Q2	16.62718	1.021624	1.021624	0	0.000745118
1999Q3	16.5281	−1.2118	0	−1.2118	0.000542978
1999Q4	14.89158	−0.15508	0	−0.15508	−0.000101563
2000Q1	14.32102	−1.27902	0	−1.27902	0.00013987
2000Q2	13.21385	0.47265	0.47265	0	0.000234672
2000Q3	13.69732	−0.32002	0	−0.32002	0.000220601
2000Q4	13.4368	−1.166	0	−1.166	−0.000395617
2001Q1	14.5648	−1.3785	0	−1.3785	−0.0009302

续表

	GM2FIT	GM2UNFIT	GM2UNFIT_U	GM2UNFIT_D	GM2UNFIT_SM
2001Q2	15.15129	1.597111	1.597111	0	−0.001089724
2001Q3	17.90545	−1.54295	0	−1.54295	0.000269386
2001Q4	17.62657	−0.02647	0	−0.02647	−0.000729186
2002Q1	16.69669	1.552705	1.552705	0	−0.001488221
2002Q2	16.99687	−2.25397	0	−2.25397	2.43707E−05
2002Q3	14.26226	2.309545	2.309545	0	−0.000777306
2002Q4	15.97307	0.896634	0.896634	0	0.000301416
2003Q1	16.39804	2.145064	2.145064	0	−0.000133128
2003Q2	18.05426	2.76294	2.76294	0	−0.000408859
2003Q3	20.18789	0.483514	0.483514	0	6.61359E−05
2003Q4	19.38984	0.18556	0.18556	0	−0.000149867
2004Q1	18.90018	0.210215	0.210215	0	0.000395271
2004Q2	18.66591	−2.30721	0	−2.30721	0.000554835
2004Q3	16.40254	−2.26654	0	−2.26654	0.000824646
2004Q4	14.7359	0.1288	0.1288	0	−0.001029432
2005Q1	15.22004	−1.00304	0	−1.00304	−8.55732E−05
2005Q2	14.59319	1.07531	1.07531	0	0.000351522

4 泰勒规则（工具规则）：实证问题及在中国的检验

近年来，大量经济学文献讨论了各种各样的货币政策规则，其中泰勒规则（1993）被广泛应用于宏观经济模型的实验及研究，这是由于泰勒规则是工具规则的典型代表。泰勒规则假定，货币当局运用货币政策工具围绕两大关键目标函数，即实际通货膨胀率和目标通货膨胀率之间的偏离程度以及实际产出水平和潜在产出水平之间的偏离程度。虽然这个规则非常简单且易于操作，但仍然能够从中把握货币当局政策调整的本质意图。考虑到其他因素对货币政策效果的影响，早期的泰勒规则原式已被作了大量修改。讨论泰勒规则以及其他泰勒型规则的文献非常多，本章先对这些文献中出现的有关泰勒规则的实证问题作一总结，然后再运用 GMM 方法和协整检验法来分析泰勒规则在中国的表现。

4.1 泰勒规则的提出

20 世纪 70 年代中期，理性预期概念的引入对宏观经济研究和政策建议的方向及思考方法产生了革命性影响。基于对时间非一致性问题的解决①，有人认为规则优于相机抉择。他们的理由是相机抉择的结果不

---

① 由于基德兰德和普雷斯科特（Kydland & Prescott, 1977）对这一问题的突出贡献，他们共同获得了 2004 年度诺贝尔经济学奖。

是一致的，次优计划就是使经济陷入不稳定的状态。基于这些理论建议，关键在于如何找到一个既简单又容易理解的可操作规则，以便公众及时发现政策制定者偏离政策规则的行为。

泰勒（1993）提出的简单货币规则正试图实现这一目标，它被表述为

$$i_t = r^* + \pi_t + \alpha(\pi_t - \pi^*) + \beta y_t \tag{4.1}$$

其中，i 表示名义联邦基金利率，r^* 表示均衡的实际联邦基金利率，π_t 表示前四个季度的平均通货膨胀率，π^* 表示目标通货膨胀率，y_t 表示实际 GDP 偏离其目标水平的百分比，在这个框架内，如果实际通胀率上升到高于其目标值 π^* 或者当实际 GDP 超过其目标水平时，联邦基金利率就会上升。

当实际通胀率和 GDP 都等于其目标值时，名义联邦基金利率将等于均衡的实际联邦基金利率 r^* 和目标通胀率 π^* 之和。为简化表述，名义利率规则可以重新表示为：

$$i_t = \delta + (1+\alpha)\pi_t + \beta y_t \tag{4.2}$$

其中，$\delta = r^* - \alpha\pi^*$。根据实际利率 $r_t = i_t - \pi_t$，上式的等价形式为：

$$r_t = \delta + \alpha\pi_t + \beta y_t \tag{4.3}$$

泰勒将这一规则中的目标通胀率 π^* 和均衡利率 r^* 都设为 2，并设 $\alpha = \beta = 0.5$，运用这些数值研究发现，这一规则与联邦基金利率的实际运行轨迹拟合得很好。

(4.3) 式中的参数值反映了货币当局的偏好，$\alpha > 0$ 是稳定经济的条件。很明显可以看出，假如 $\alpha < 0$，通货膨胀率的上升将导致实际利率的下降，并会刺激产出增加。这也表明 (4.2) 式所描述的名义利率规则中的通胀系数必须大于 1 才能保持经济的稳定。尽管泰勒将参数 α 和 β 的值（都设为 0.5）作为一个合理的基准点，但是这些参数的最佳值最终都是由模型结构本身所决定的。

泰勒规则描述了短期利率如何针对通胀率和产出变化调整的准则，

4 泰勒规则（工具规则）：实证问题及在中国的检验

从其形式上看来是非常简单的，但它对后来的货币政策规则研究具有深远的影响。首先，从实证上来看，泰勒规则对美联储调整利率的行为进行了系统性的解释（详见下文）。其次，如果中央银行采用了泰勒规则，那么，货币政策的决策实际上也就具有了一种预承诺机制，这样就可以解决货币政策决策的时间非一致性问题。第三，从社会福利比较的角度来看，采用泰勒规则可能比采用相机抉择能够提高社会福利水平。即使采用泰勒规则未必能使社会福利达到最优水平，但其可能接近最优水平，且当泰勒规则与最优货币政策规则比较时，若其包含了最优货币政策规则的大部分重要信息，那么这种接近就是可行的。第四，泰勒规则形式上的简洁性为货币政策的实际操作提供了一个参考基准，并且通过估计不同时期的泰勒规则，可以客观地评价货币政策的实施效果及观察货币政策体制的变化情况（谢平、刘斌，2004）。

4.2 泰勒型规则的实证问题

继泰勒之后，许多学者对泰勒规则及该规则的变形（下文称为泰勒型规则）进行了研究，这些研究成果揭示了许多在设计泰勒型规则时必须考虑的问题。首先，如果认识到测量通货膨胀率以及估计实际均衡利率和潜在产出有不同方法的事实，则估计结果的稳定性将对数据的选择十分敏感。其次，货币政策当局面临的信息获取时间问题会影响政策规则的结构以及政策结果，这使一些研究者对依据即期的通货膨胀率和产出水平研究工具规则是否合适产生了质疑，因为现实中的中央银行只能依赖滞后信息做出决策。其他一些人则对利用修正后的数据来估算一个历史政策规则的做法心存疑虑，因为政策制定者往往是根据实时数据（real-time data）来设计利率路径的。第三，泰勒规则的结构假定政策制定者仅根据当前信息作出决策，这一观点和中央银行的前瞻性特征是矛盾的。因此，许多研究者更加支持前瞻性（forward-looking）规则。

最后，许多泰勒规则的改进版加进了代表中央银行利率平滑行为的部分。接下来将对上述每一点进行详细考察。

4.2.1 通胀水平的测算

在泰勒型规则中应使用何种价格变量以及选择多长的通胀期方面没有形成一致意见。泰勒原式采用年度 GDP 缩减指数的变动作为通胀水平的衡量办法（Taylor，1993），随后，其他研究者采用了一些其他的替代价格指数。Kozicki（1999）采用四种测算美国通胀水平的方法比较了泰勒规则，这些方法包括用 CPI、核心 CPI 和 GDP 缩减指数计算年度通胀率，还包括用私人部门的平均预期计算预期通胀水平。Kozicki 利用泰勒规则计算了不同方法下的建议利率水平（即假设联储在遵循泰勒规则情况下的联邦基金利率），不同方法得到的利率水平明显不同，从最小相差 0.6 个百分点到最大相差 3.8 个百分点。还要注意这些结果都是在通货膨胀率和产出水平给定的基础上进行的，并没有考虑利率的反馈效应。

4.2.2 潜在产出以及产出缺口的估计

在工具规则中应包括产出缺口，这一点已经被很多证据所证实。一种较为普遍的观点是产出缺口代表了货币政策制定者稳定产出的目标，另外一部分人则将产出缺口视为对未来预期通胀水平的代替指标。Favero 和 Rovelli（1999）对此观点做了经验分析并提供了证据。Levin 等人（1999）运用此论据证明产出缺口的系数不应太低（他们的计算结果认为应大于 0.6 或者 0.8）。

即使不考证在泰勒规则中包括产出缺口因素的原因，测算潜在产出的主观性也导致了不确定性偏差。对产出缺口的估计始于 Okun（1962），在实际工作中有很多的产出缺口衡量指标，就美国而言，根据来源的不同，包括美国国会预算办公室（Congressional Budget Office）运用的

4 泰勒规则（工具规则）：实证问题及在中国的检验

结构性方法（以下简称 CBO 法）[①]、国际货币基金组织（IMF）方法[②]、经济合作与发展组织（OECD）方法[③]和标准普尔（Standard & Poor）的 DRI 法[④]。总的来说，估计产出缺口的方法有两类：一类是生产函数方法，另一类是对实际产出的时间序列进行分解的方法。McCallum 和 Nelson（1999）根据 Cobb-Douglas 生产函数，用充分就业水平下的资本存量和劳动力估计潜在产出。泰勒（1993）采用了将时间趋势与实际产出拟合的办法测算潜在产出；Perron（1989）运用分段线性趋势（segmented linear trend）估计；Clarida, Gali 和 Gertler（1998）运用二次趋势（quadratic trend）估计；McCallum（2000）运用的是 HP 滤波法（Hodrick-Prescott filter）[⑤]。刘斌、张怀清（2001）分别运用线性趋势、HP 滤波、单变量状态空间—卡尔曼滤波（state space-Kalman filter）和多变量状态空间—卡尔曼滤波对中国的产出缺口进行了估计。然而不同的潜在产出测算方法会导致不同的政策建议。Kozicki（1999）的分析结果表明，不同的潜在产出测算方法得到的利率建议水平有 0.9 个百分点到 2.4 个百分点的差异。

4.2.3 均衡的实际利率水平

可能最难估计的变量就是均衡的实际利率水平。扩展的泰勒规则意味着对均衡利率水平的估计会直接影响利率水平的建议值。一个典型的泰勒型规则是由一个未观测到的均衡实际利率水平和一个在多数情况下未观测到的通货膨胀目标所组成的，解决这个问题的一种最常用的方法

[①] 即运用新古典生产函数并假定劳动力和储蓄的增长决定潜在产出的长期增长，实际上是生产函数法。
[②] 首先运用分段线性趋势估计每年的潜在产出，然后运用插值法。
[③] 首先运用生产函数法估计每半年的潜在产出，然后运用插值法。
[④] 实际上也是生产函数法。
[⑤] Woodford（2001）、McCallum 和 Nelson（1999）是反对采用时间趋势分析来估算潜在产出的，他们认为潜在产出主要是受外生冲击影响的，而时间趋势分析并不能捕捉到这些外生冲击因素。

是在两个变量中先假设一个变量值，然后再估计另一个变量。运用这种方法的有 Kozicki（1999）、Clarida，Gali 和 Gertler（2000）（以下简称 CGG）以及 Judd 和 Rudebusch（1998），他们将均衡实际利率视为平均联邦基金利率和平均通货膨胀率之差。有了测算均衡实际利率的方法，就可以由估计出的泰勒规则模型的常数项求出目标通货膨胀率。反之，如果开始给定的是通货膨胀目标，也能用这种方法计算出均衡实际利率水平。还有一些其他的复杂方法，如 Rudebusch（2001）就利用 IS 方程估计均衡实际利率水平：

$$y_t = \vartheta_1 y_{t-1} + \vartheta_2 y_{t-2} - \theta(i_{t-1} - \pi_{t-1} - r^*) + \nu \qquad (4.4)$$

Rudebusch 估计均衡实际利率水平 r^* 等于 2.2%，这与泰勒规则原式中的值相似。

然而，假设均衡实际利率为常数本身是值得怀疑的。Kozicki（1999）对美国均衡实际利率水平的估计结果随着所选样本区间的变化而变化，这表明均衡实际利率水平可能并不是常数，Rapach 和 Weber（2001）在测算一些国家实际利率水平时也得出了这一结论。

4.2.4　当前（current）数据和滞后（lagged）数据

由于政策制定者在做出决策时并不能获得当前的信息，由此引起了一场在估计利率规则时究竟是运用当前数据还是运用滞后数据的争论。一般来说，经验证据并没有显示运用滞后数据代替当前数据时会导致重大缺陷（Levin et al., 1999；Mccallun & Nelson, 1999；Rudebusch & Svensson, 1999）。由于通货膨胀和产出水平是有一定惯性的，故用滞后的通胀率和产出缺口代替当前值并不会对结果产生多少影响。当然，我们有理由相信，中央银行在进行利率调整决策时对经济运行状况所掌握的信息是多于由通胀和产出所反映的信息的（Batini & Haldane, 1999）。这点可以证明，利用当前数据代替滞后数据被认为暗中包含了一些没有在通胀和产出中所反映的信息（Kozicki, 1999；Rudebusch & Svensson, 1999）。

4 泰勒规则（工具规则）：实证问题及在中国的检验

4.2.5 前瞻性规则（Forward-looking rules）

货币当局一般会基于对未来经济环境的预期而制定政策，相应地，大多数研究者倾向于运用具有前瞻性或基于预期（forecast-based）的利率规则而不是当期的利率规则。这样在当前规则和滞后规则争辩中支持当前规则的论据也可以用于支持前瞻性规则。但是由于通胀和产出的惯性特征，前瞻性估计是否比当前规则或滞后型规则估计优越还不得而知。

4.2.6 当时（current-time）数据与实时（real-time）数据

众所周知，经济数据会在原始数据的基础上经过数次修正，有些修正甚至发生在几年之后。因此，计算由泰勒规则原式导出的建议利率水平时，利用当时数据得出的结论与利用实时数据得出的结论是完全不同的。泰勒（1999b）运用当时数据计算表明，如果联储采用泰勒规则设定联邦基金利率的话，发生在20世纪70年代的通货膨胀就可能避免。但是，Orphanides（2000）反驳了这种观点，他的研究表明，如果当局利用当时的可得数据按照泰勒规则调节利率水平并不能避免那场通货膨胀。

4.2.7 利率平滑（Interest rate smoothing）

中央银行总是试图平滑利率的运动路径，使利率沿着相同方向缓慢移动，尽量避免频繁地改变其运动方向。因此，考虑到利率平滑因素而修正的泰勒型规则加入了滞后利率这一项。Sack 和 Wieland（1999）对利率平滑行为究竟是货币政策当局对宏观经济条件持续性的被动反应还是刻意为之提出了质疑。如果利率平滑行为仅是货币当局对宏观经济变量持续性的被动反应，那么就有理由相信滞后利率项的系数应该比较小或者不显著。然而，对包含利率滞后项的泰勒型规则进行检验的典型结果证明，这一系数比较大并且显著，说明利率平滑现象应是中央银行的刻意行为。

许多论据表明了平滑利率现象的存在，其中一些解释了为什么中央银行要避免发生利率在运动方向上的频繁变化。Williams（1999）认为，利率方向出现频繁变动在公众看来可能是中央银行犯了错误，因此，保持利率运动的方向能维护中央银行的信誉。平滑的利率水平也可以看做是对不能获得精确的经济信息以及有关货币政策传导机制非确定性的反映，考虑到实际经济运行中的这些非确定性，中央银行将倾向于通过缓慢调整以实现调控目标（Sack & Wieland，1999）。

4.3 泰勒型规则的估计

有关泰勒型规则实证检验的文献非常多，其中大部分都试图量化许多国家在20世纪80年代和90年代初为了控制通货膨胀而调整的宏观经济政策。然而，利用不同类型的数据或者模型做出的研究结果有明显的差异。接下来，为了说明上文分析的诸多因素对实证结果影响的相对重要性，我们将回顾泰勒（1999b）（采用泰勒规则原式）、Judd 和 Rudebusch（1998）（采用考虑了利率平滑行为的修正泰勒规则）以及 CGG（2000）（采用考虑了前瞻性因素的修正泰勒规则）的研究结论，这三项研究都以美国为分析对象。

4.3.1 模型

为了建立模型，泰勒（1999b）将名义利率规则估计为：

$$i_t = \delta + (1+\alpha)\pi_t + \beta y_t \tag{4.5}$$

Judd 和 Rudebusch（1998）考虑到联邦基金利率的渐近调整，运用误差修正法对泰勒规则进行了修正。令 i_t^* 为通过渐进调整可以达到的联邦基金利率建议值，则修正后的泰勒规则为：

$$i_t^* = r^* + \pi_t + \alpha(\pi_t - \pi^*) + \beta_1 y_t + \beta_2 y_{t-1} \tag{4.6}$$

4 泰勒规则(工具规则):实证问题及在中国的检验

这里的调整过程由下式决定:

$$\Delta i_t = \gamma(i_t^* - i_{t-1}) + \rho \Delta i_{t-1} \quad (4.7)$$

其中,系数 γ 衡量了对利率误差的修正,系数 ρ 衡量了上一期利率变化的惯性。综合(4.6)式和(4.7)式,包含利率平滑项的泰勒型规则可以估计为:

$$\Delta i_t = \gamma\xi - \gamma i_{t-1} + \gamma(1+\alpha)\pi_t + \gamma\beta_1 y_t + \gamma\beta_2 y_{t-1} + \rho \Delta i_{t-1} \quad (4.8)$$

其中,$\xi = r^* - \alpha\pi^*$。

CGG(1998,2000)对被其他研究者经常采用的部分调整形式的泰勒规则进行了进一步的修正,以反映货币当局的前瞻性行为。他们的利率规则可以表示为:

$$i_t^* = i^* + \varphi(E[\pi_{t,k} | \Omega_t] - \pi^*) + \beta E[y_{t,q} | \Omega_t] \quad (4.9)$$

这里的 i_t^* 表示目标名义利率,i^* 表示当通胀和产出处于目标水平时所期望的名义利率水平,$\pi_{t,k}$ 表示从 t 期到 t+k 期的价格变化,$y_{t,q}$ 为 t 期到 t+q 期的平均产出缺口,Ω_t 表示在设定利率时所掌握的信息集。利率平滑通过下式表示的部分调整过程实现:

$$i_t = \rho(L)i_{t-1} + (1-\rho)i_t^*; \rho(L) = \rho_1 + \rho_2 L + \cdots\cdots + \rho_n L^{n-1}; \rho \equiv \rho(1) \quad (4.10)$$

这里的 i_t 是由货币当局设定的当前利率水平,结合(4.9)式和(4.10)式,工具规则可以估计为:

$$i_t = (1-\rho)[r^* - (\varphi-1)\pi^* + \varphi\pi_{t,k} + \beta y_{t,q}] + \rho(L)i_{t-1} + \varepsilon_t \quad (4.11)$$

其中,$r^* = i^* - \pi^*$ 表示长期均衡利率水平,且有

$$\varepsilon_t = -(1-\rho)[\varphi(\pi_{t,k} - E[\pi_{t,k} | \Omega_t]) + \beta(y_{t,q} - E[y_{t,q} | \Omega_t])] \quad (4.12)$$

4.3.2 变量的定义

尽管工具规则的估计形式是相似的,但这些研究运用了多种变量和方法构建通胀水平和产出,正如前文所述,不同的测算方法会导致完全

不同的估计结果。

泰勒（1999b）通过计算 GDP 平减指数季度变化的四个季度的平均值来定义通胀水平，并对实际 GDP 进行 HP 滤波（Hodrick-Prescott filter）以得出潜在产出。泰勒对这个工具规则通过三个样本期进行估计：国际金本位时期（1879Q1—1914Q4）、布雷顿森林体系时期（1960Q1—1979Q4）以及后布雷顿森林体系时期（1987Q1—1997Q3）。

与泰勒（1999b）有所不同，Judd 和 Rudebusch（1998）则运用了一系列价格指数（包括 GDP 平减指数、核心消费价格指数、个人消费支出指数）来衡量通货膨胀水平，但他们仍将价格水平季度变化的四个季度平均值定义为通胀率。在潜在产出方面，除了利用 CBO 法外，他们也对实际产出进行分段线性分析和二次分析。他们将美国的经济数据按照联储主席的任期划分为三个样本：伯恩斯时期（1970Q3—1978Q2）、沃尔克时期（1979Q3—1987Q2）和格林斯潘时期（1987Q3—1997Q4）。

在 CGG（2000）对泰勒规则进行的基准估计中，通货膨胀水平是用按年计算的 GDP 平减指数季度增长率衡量的，对潜在产出的测算运用 CBO 法。因为将前瞻性因素加入了模型，故他们用未来的实际通胀值代替通胀预期。当然，他们也运用其他方法对潜在产出和通货膨胀进行衡量，如用消费价格指数指标计算通货膨胀、用产出的二次趋势代替 CBO 法、用失业的实际值与趋势值之间的缺口代替产出缺口等。均衡的实际利率水平就是可观测的样本期内实际利率水平的平均值。如果给定了均衡实际利率水平，目标通货膨胀率就可以和工具规则中的其他参数一起估计。根据联储主席的任期，他们将样本期分为两个部分：前沃尔克时期（1960Q1—1979Q2）和沃尔克—格林斯潘时期（1979Q3—1996Q4）。

4.3.3 估计结果

泰勒（1999b）以及 Judd 和 Rudebusch（1998）都是运用普通最小二乘法（OLS）或者非线性最小二乘法（non-linear least squares）估计他们的利率规则，而 CGG 则利用广义矩方法（generalized method of

4 泰勒规则（工具规则）：实证问题及在中国的检验

moments，GMM）进行估计。由于（4.12）式中的误差项是误差预期的线性组合，故它与信息集 Ω_t 应是正交的。因此，可以从信息集中提取一组工具用于 GMM 估计，CGG 采用的这些工具有联邦基金利率的滞后值、通胀率、产出缺口、商品物价指数以及三个月国库券利率和长期债券利率之差。在这些研究中，名义联邦基金利率被视作货币当局的操作工具。

表 4-1 泰勒（1999b）的估计结果

估计区间	$i_t = \delta + \kappa\pi_t + \beta y$（或 $i_t = \delta + (1+\alpha)\pi_t + \beta y_t$）			
	δ	κ	α	β
1960Q1—1979Q4	2.045 (6.34)	0.813 (12.9)	−0.187	0.252 (4.93)
1987Q1—1997Q4	1.174 (2.35)	1.533 (9.71)	0.533	0.765 (8.22)

注：括号中的数字是 t 值。

4.3.3.1 泰勒的估计结果

泰勒（1999b）对泰勒规则的估计结果如表 4-1 所示（布雷顿森林体系时期的估计结果这里没有讨论）。由于 1960Q1—1979Q4 期间 κ 的估计值（在 4.5 式中 $\kappa = 1+\alpha$）小于 1，这表明（4.5）式中通胀项的系数 α 是负的，代表了适应性货币政策（即这一时期没有对通胀采取有效的控制）。然而，κ 的估计值在 1987 年一季度后大于 1，这表明联储在这段时间内执行了稳定通胀政策。这些结果都和 20 世纪 70 年代的高通胀以及 20 世纪 80 年代后的控制通胀政策相一致。在后一个样本时期，对于产出稳定性的关注程度明显加强，这一点可以从产出缺口系数的增加看出来。

4.3.3.2 Judd 和 Rudebusch（1998）的估计结果

Judd 和 Rudebusch 的估计结果为泰勒型规则的估计结果与通货膨胀和潜在产出的测算方法密切相关的观点提供了例证。为了便于比较，Judd 和 Rudebusch 将利率法则中的名义利率放在（4.8）式的左边：

$$i_t = \gamma[\zeta + (1+\alpha)\pi_t + \beta_1 y_t + \beta_2 y_{t-1}] + (1-\gamma)i_{t-1} + \rho\Delta i_{t-1}$$

(4.13)

表 4-2a Judd 和 Rudebusch（1998）的估计结果

（伯恩斯时期：1970Q3—1978Q2）

$$i_t = \gamma[\zeta+(1+\alpha)\pi_t+\beta_1 y_t+\beta_2 y_{t-1}]+(1-\gamma)i_{t-1}+\rho\Delta i_{t-1}$$

通胀和潜在产出定义	γ	ζ	α	β_1	β_2	ρ
GDP 缩减指数， CBO 潜在产出	0.58 (4.78)	0.71 (2.68)	—	—	0.89 (5.85)	0.26 (1.76)
PCE 缩减指数， CBO 潜在产出	0.51 (4.33)	0.95 (2.98)	—	—	0.86 (4.67)	0.17 (1.14)
核心 CPI， CBO 潜在产出	0.56 (3.46)	1.30 (4.17)	—	—	1.14 (6.12)	0.34 (1.99)
GDP 缩减指数， 分段线性趋势	0.52 (4.15)	1.54 (3.76)	—	—	1.07 (4.83)	0.25 (1.59)
GDP 缩减指数， 二阶趋势	0.59 (4.78)	−0.15 (−0.58)	—	—	0.88 (5.90)	0.26 (1.78)

注：括号中的数字是 t 值。

表 4-2b Judd 和 Rudebusch（1998）的估计结果

（沃尔克时期：1979Q3—1987Q2）

$$i_t = \gamma[\zeta+(1+\alpha)\pi_t+\beta_1 y_t+\beta_2 y_{t-1}]+(1-\gamma)i_{t-1}+\rho\Delta i_{t-1}$$

通胀和潜在产出定义	γ	ξ	α	β_1	β_2	ρ
GDP 缩减指数， CBO 潜在产出	0.44 (3.64)	2.42 (1.56)	0.46 (1.79)	1.53 (1.92)	−1.53 (−1.92)	—
PCE 缩减指数， CBO 潜在产出	0.29 (2.59)	1.46 (0.52)	0.54 (1.21)	2.58 (1.65)	−2.58 (−1.65)	—
核心 CPI， CBO 潜在产出	0.35 (3.03)	1.32 (0.57)	0.35 (1.11)	2.57 (2.07)	−2.57 (−2.07)	—
GDP 缩减指数， 分段线性趋势	0.43 (3.46)	2.29 (1.39)	0.48 (1.75)	1.57 (1.84)	−1.57 (−1.84)	—
GDP 缩减指数， 二阶趋势	0.43 (3.46)	2.23 (1.33)	0.50 (1.78)	1.60 (1.84)	−1.60 (−1.84)	—

注：括号中的数字是 t 值。

4 泰勒规则（工具规则）：实证问题及在中国的检验

表 4-2c Judd 和 Rudebusch（1998）的估计结果

（格林斯潘时期：1987Q3—1997Q4）

$$i_t = \gamma[\zeta + (1+\alpha)\pi_t + \beta_1 y_t + \beta_2 y_{t-1}] + (1-\gamma)i_{t-1} + \rho\Delta i_{t-1}$$

通胀和潜在产出定义	γ	ζ	α	β_1	β_2	ρ
GDP 缩减指数，	0.28	1.31	0.54	0.99	—	0.42
CBO 潜在产出	(5.27)	(2.26)	(2.96)	(7.46)		(4.00)
PCE 缩减指数，	0.23	2.39	0.07	1.02	—	0.44
CBO 潜在产出	(4.30)	(3.56)	(0.37)	(5.66)		(3.89)
核心 CPI，	0.25	1.00	0.37	1.15	—	0.49
CBO 潜在产出	(4.56)	(1.28)	(1.79)	(7.20)		(4.47)
GDP 缩减指数，	0.18	5.35	−0.99	0.90	—	0.54
分段线性趋势	(3.56)	(3.52)	(−1.93)	(3.99)		(4.88)
GDP 缩减指数，	0.28	1.09	0.37	0.82	—	0.52
二阶趋势	(4.77)	(1.80)	(1.90)	(7.05)		(4.94)

注：括号中的数字是 t 值。

表 4-2a 至表 4-2c 总结了 Judd 和 Rudebusch 根据不同联储主席任职期间，采用不同的通胀和潜在产出定义进行的估计结果。利率水平的设定值会随着特定通胀率和潜在产出定义的采用而充分地变化，一般来说，由于通胀定义的不同引起的利率设定值的变动幅度要小于由于潜在产出定义的不同而导致的变动。由于一些变量并不显著，Judd 和 Rudebusch 在最后的估计结果中删除了这些变量。

一个有趣的发现是，在伯恩斯时期，通胀参数 α 在统计上并不显著（见表 4-2a），这表明，这一时期的名义利率水平并不随通胀的变化而调整。另外，在这一时期，"误差修正"项的估计参数 γ 始终大于衡量利率运动惯性的估计参数 ρ，这一结果表明，利率水平变动较多的是由向期望值进行调整所引起的，而较少地受到利率运动惯性的影响。而这种关系在格林斯潘时期却完全相反。

在估计沃尔克时期的货币政策规则时，Judd 和 Rudebusch 注意到货币当局更加注重对产出缺口的变化而不是对产出缺口水平做出反应（然

107

而，他们并没有提供相关证据）。因此，在他们的估计结果中，当期和滞后期产出缺口的系数之和严格等于 0（见表 4-2b）。Judd 和 Rudebusch 得到了正的 α 估计值，表明在这段时期内执行的是非适应性货币政策。

在对格林斯潘时期进行估计时，Judd 和 Rudebusch 发现，根据不同的通胀和潜在产出的定义所得到的估计结果在稳定性方面不如伯恩斯时期和沃尔克时期（见表 4-2c）。随着价格和潜在产出测算方法的改变，估计结果显示货币当局对产出缺口的反应（β）没有多大变化，而对通货膨胀的反应（α）却出现了戏剧性变化。

Judd 和 Rudebusch 采取的逐步调整法使得实际利率的反应结果小于泰勒规则（4.5 式）。显而易见的是，利率对通货膨胀反应系数（$1+\alpha$）的估计值被误差修正项 γ 降低了，这意味着名义利率的最终反应将小于 1。

4.3.3.3 CGG（2000）的估计结果

为了估计政策规则，CGG 首先需要估算实际均衡利率 r^* 及目标通货膨胀率 π^*。CGG 用观测到的样本期实际利率的平均值作为 r^* 的代理值，但允许其在子样本间变动。给定 r^*，目标通货膨胀率 π^* 就可以与方程（4.11）式中的其他参数一起估计。表 4-3a 和表 4-3b 显示了这些估计结果。如果没有特殊说明，与这些结果相对应的通货膨胀预期和产出缺口预期都是指对下一季度值的预期（即在 4.11 式中有：$k=q=1$）。

为检验稳健性（Robust），CGG 既用 GDP 缩减指数也用 CPI 的缩减指数计算通货膨胀，并用二次趋势法和 CBO 法分别估计了潜在产出缺口，他们还尝试了用失业率偏离时间趋势的离差来替代产出缺口。他们检验的其他规则还有：后顾型（$k=q=-1$）的、提前一年的通货膨胀缺口预期的（$k=4$）以及提前一季度的产出缺口预期的（$q=1$）。注意到由于规则中没有明确地包含实际利率，（4.5）式与形如（4.9）式的 CGG 规则并不能直接相比较。如果假定被估计的规则对不同的时间视界有较好稳健性的话，那么提前一季度预期的各种规则的检验结果在质上大体是相似的。

4 泰勒规则（工具规则）：实证问题及在中国的检验

表 4-3a　CGG（2000）的估计结果

（前沃尔克时期：1960Q1—1979Q2）

$$i_t = (1-\rho)[r^* - (\varphi-1)\pi^* + \varphi\pi_{t,k} + \beta y_{t,q}] + \rho(L)i_{t-1} + \varepsilon_t$$

通货膨胀和潜在产出的定义	φ	β	π^*	ρ
GDP缩减指数，CBO潜在产出	0.83 (11.86)	0.27 (3.38)	4.24 (3.89)	0.68 (13.6)
GDP缩减指数，CBO潜在产出，$k=q=-1$	0.86 (12.28)	0.39 (4.88)	5.95 (3.1)	0.68 13.6
GDP缩减指数，CBO潜在产出，$k=4, q=1$	0.86 (17.2)	0.34 (4.25)	3.58 (2.52)	0.73 (18.25)
CPI缩减指数，CBO潜在产出	0.68 (11.33)	0.28 (3.50)	4.56 (8.60)	0.65 (13.0)
GDP缩减指数，产出趋势平方	0.75 (10.71)	0.29 (3.62)	4.17 (6.13)	0.67 (13.40)
GDP缩减指数，失业率趋势	0.84 (16.80)	0.60 (5.45)	3.80 (4.37)	0.63 (15.75)

注：括号中的数字是 t 值。

表 4-3b　CGG（2000）的估计结果

（沃尔克—格林斯潘时期：1979Q3—1996Q4）

$$i_t = (1-\rho)[r^* - (\varphi-1)\pi^* + \varphi\pi_{t,k} + \beta y_{t,q}] + \rho(L)i_{t-1} + \varepsilon_t$$

通货膨胀和潜在产出定义	φ	β	π^*	ρ
GDP缩减指数，CBO潜在产出	2.15 (5.37)	0.93 (2.21)	3.58 (7.16)	0.79 (19.75)
GDP缩减指数，CBO潜在产出，$k=q=-1$	1.72 (6.14)	0.34 (1.78)	4.08 (7.28)	0.71 (14.2)
GDP缩减指数，CBO潜在产出，$k=4, q=1$	2.62 (8.45)	0.83 (2.96)	3.25 (14.13)	0.78 (26.0)
CPI缩减指数，CBO潜在产出	2.14 (4.12)	1.49 (1.71)	3.47 (4.39)	0.88 (29.33)
GDP缩减指数，产出的二次趋势	1.97 (6.16)	0.55 (1.83)	4.52 (7.79)	0.76 (15.20)
GDP缩减指数，失业率趋势	2.01 (7.08)	0.56 (1.37)	4.42 (10.05)	0.73 (14.60)

注：括号中的数字是 t 值。

109

CGG (2000) 的检验结果在本质上与泰勒 (1999b) 的检验结果非常相似。两者对通货膨胀和产出缺口系数的估计结果，都是沃尔克—格林斯潘时期 (1979Q3—1996Q4) 大于前沃尔克时期 (1960Q1—1979Q2)。通货膨胀率的估计系数 φ 在前沃尔克时期小于 1，在沃尔克—格林斯潘时期则明显大于 1。然而，与泰勒以及 Judd 和 Rudebusch 的结果不同的是，CGG 得到的沃尔克—格林斯潘时期的产出缺口系数并不显著。与 Judd 和 Rudebusch 的结果相同的是，后一期的平滑力度增加了。Cao 等人 (2000) 对 1988—1998 年间的加拿大经济做了一个类似于 CGG 的规则估计，他们发现了加拿大存在利率平滑行为（系数为 0.8）的证据；与 CGG 的结果相反的是，他们的产出缺口系数很显著并且接近于 1。

CGG 的估计结果对于价格和潜在产出的衡量办法也具有敏感性，从潜在产出的 CBO 法到产出的二次趋势法再到失业率趋势，φ 和 β 的估计结果逐渐减小。实际上，对一些潜在产出的定义 β 在统计上并不显著。当用 CPI 缩减指数代替 GDP 的缩减指数后，φ 的估计结果没有多少变化，而 β 的估计值却显著增加。

与 Judd 和 Rudebusch (1998) 的估计结果不同，CGG 的平滑项 ρ 要大得多，这意味着利率对通胀率和产出缺口的反应比较小。应该强调的是，这种迟缓的反应是利率平滑型规则（interest-rate-smoothing type rules）的内在特性，故这些规则不能与形如 (4.1) 式的基本泰勒规则直接比较。

尽管泰勒 (1999b)、Judd 和 Rudebusch (1998) 以及 CGG (2000) 的估计结果有明显的差异，但有一点十分清楚，即对货币政策规则的历史估计结果证明：在反通胀时期，美国的货币政策重点发生了转移，在很大程度上其他国家也是如此。这一点可以被一个事实所证明，即 20 世纪 80 年代至 90 年代初期的通胀估计系数增大了，不同的研究都得出了这一结论。

4 泰勒规则（工具规则）：实证问题及在中国的检验

4.4 泰勒规则在中国的检验

4.4.1 指标的选取

本书选取季度数据进行检验，样本区间为 1994 年第 1 季度至 2005 年第 2 季度，共 46 个样本点。

4.4.1.1 利率

中国人民银行从 1994 年开始公布货币供应量统计指标，并逐步将其作为货币政策中介目标。由于利率在我国并没有完全市场化，同时因为我国货币政策的操作目标并不是利率，故我国需要选取一个已经市场化的利率作为市场利率的代理变量（proxy variable）。这一指标应当符合市场利率的要求，即能够充分反应社会资金的供求信息，并且假定这一利率是中国货币政策的工具变量。在美国、日本等西方发达国家，国债利率往往是金融市场的基础利率，这主要得益于其灵活的发行制度、活跃的二级市场以及中央银行的公开市场操作。我国国债市场通过不断改革，发行机制逐步市场化，二级市场也有了较快发展，但由于国债市场规模较小，目前尚不能引导市场利率的走向。由于我国货币市场是从 1984 年建立银行间同业拆借市场开始起步的，1996 年全国统一的同业拆借市场成功运行，同年 6 月取消了对同业拆借利率的上限管理，故我们拟选取同业拆借市场利率作为市场利率的代理变量。

由于 1993 年前后全国金融机构之间存在混乱的拆借行为，主要表现为一部分金融机构将拆借市场作为长期融资渠道，将拆入的部分资金用作证券投资和房地产投资，拆借实际上成为了当时银行逃避信贷规模管理的主要形式（谢多，2001）；另一方面，上海作为当时国内最大的短期资金集散地和全国的金融中心，同业拆借市场秩序较好，1993 年违规拆借仅占上海同业拆借市场的 1.3%，且上海融资中心的交易量占上海同业拆借市场的比重逐年上升（陈人俊，1994）。所以，上海同业拆借市场利率能够较好地反映 1996 年联网前的全国同业拆借市场状况（谢平、罗雄，2002）。这样，1994 年至 1995 年我们就选取上海融资中心同业拆借利率，数据来自上海融资中心（转引自谢平、罗雄，2002）；1996 年至 2005 年则选取 7 天同业拆借利率，数据来自《中国人民银行统计季报》各期，由于《中国人民银行统计季报》提供的是月度数据，故我们用月度数据加权平均得到季度平均利率[1]。

4.4.1.2 目标通货膨胀率

我们使用"潜在物价指数"法，即引入"潜在物价指数 P^*"作为通货膨胀的目标值。潜在物价指数的计算基于费雪的交易方程式，具体指在给定货币供给量和均衡货币流通速度下，能维持潜在产出正常交易活动的均衡物价水平（陆军、钟丹，2003），即：

$$P^* = MV^*/Y^* \tag{4.14}$$

其中，M 以广义货币 M_2 表示，V^* 为均衡货币流通速度，Y^* 为潜在产出。理论上 V^* 应是产出水平、物价水平、利率以及制度变迁等因素的函数，很难进行准确估计。简单起见，我们用每季度末的名义 GDP 除以当季末的广义货币 M_2 代替 V^*。用潜在物价指数 P^* 减去 1 即得到目标通货膨胀率。

4.4.1.3 GDP、潜在 GDP 与 GDP 缺口

本书的 GDP 数据来源于各年的《中国统计年鉴》以及《中国人民银行统计季报》各期。季度 GDP 为当季发生额，即用本季的当年累计额减去上季的当年累计。为了消除通货膨胀的影响，我们将名义季度 GDP 转化为真实季度 GDP（用 $RGDP$ 表示），方法为：

---

[1] 由于数据来源的限制，1994 年至 1995 年上海融资中心的加权利率为所有期限的利率加权，而 1996 年至 2005 年选取的是 7 天同业拆借利率。这样，利率期限在两个时段就不匹配了。但由于上海融资中心当时的各期限利率差别不大，故期限不一致就不会对检验造成较大影响。加权平均利率 $\bar{i}$ 的计算公式为（其中交易量作权数 f）：$\bar{i} = i_1 \frac{f_1}{\sum f} + i_2 \frac{f_2}{\sum f} + \cdots + i_n \frac{f_n}{\sum f}$。

4 泰勒规则（工具规则）：实证问题及在中国的检验

真实季度 GDP＝名义季度 GDP/当季 CPI

由于我国经济投资主体的预算软约束以及由此产生的道德风险激励，潜在 GDP 概念在中国一直是个有争议的问题，因此估计方法也较多。如宋国青（1998）、陆军、钟丹（2003）运用生产函数法根据资本存量与社会劳动力等变量估计潜在 GDP；谢平、罗雄（2002）则采用时间趋势项及虚拟变量方法通过线性趋势来估计。一般来说，线性趋势估计对拟合时期的选取非常敏感，二次趋势估计也有同样的问题。虽然生产函数方法理论上是估计潜在产出的最佳方法，但我国充分就业下的资本和劳动力的观测和统计非常困难，已有的文献估计误差较大。至于HP 滤波法，如果是年度数据，产生的趋势往往非常接近真实 GDP 的历史走势，故得出的产出缺口易低估经济意义上的缺口值；如果是季度数据，由于 HP 滤波会滤除季节波动成分，对于季节波动相当明显的我国季度 GDP 数据来说，该方法就会夸大产出缺口。

本书先用 HP 滤波法得到我国季度 GDP 的长期趋势值，再引入三个季节虚拟变量，然后用真实 GDP 的对数值与常数项、HP 滤波值以及季节虚拟变量作回归，最后根据回归方程得到潜在 GDP 的季度估计值。

三个季节虚拟变量为：

$$D_1=\begin{cases}1 & 一季度\\0 & 其他\end{cases} \quad D_2=\begin{cases}1 & 二季度\\0 & 其他\end{cases} \quad D_3=\begin{cases}1 & 三季度\\0 & 其他\end{cases}$$

回归方程为（括号中的数字为 t 值）：

LN（RGDP）＝－0.2671＋1.0498LN（HPRGDP）－0.4092D1
　　　　　　（－0.8271）　　　（32.3861）　　　（－12.0826）
　　　　　－0.2845D2－0.2664D3
　　　　　（－8.4040）（－7.7042） (4.15)

R^2＝0.9680　Adjusted R^2＝0.9649　DW＝1.7725
AIC＝－2.0850　F 值＝309.9122

由于（4.15）式的常数项不显著，去掉常数项后的回归方程为（括号中的数字为 t 值)：

$$LN\ (RGDP) = 1.0231LN\ (HPRGDP) - 0.4121D1 - 0.2863D2$$
$$(418.6807) \qquad\qquad (-12.2737)\ (-8.5134)$$
$$-0.2687D3$$
$$(-7.8284) \qquad\qquad\qquad (4.16)$$

$R^2 = 0.9675$ Adjusted $R^2 = 0.9651$ DW=1.7426

AIC=-2.1119 F 值=238.5437

根据 (4.16) 式就可估计出潜在 GDP (用 $UGDP$ 表示)，图 4-1 描绘了 1994 年 1 季度至 2005 年 2 季度真实 GDP 和潜在 GDP 的走势。图 4-2 给出了 1994 年 1 季度至 2005 年 2 季度我国的产出缺口波动情况。产出缺口的计算公式为：

$$产出缺口 = \frac{真实\ GDP - 潜在\ GDP}{潜在\ GDP} \times 100 \qquad (4.17)$$

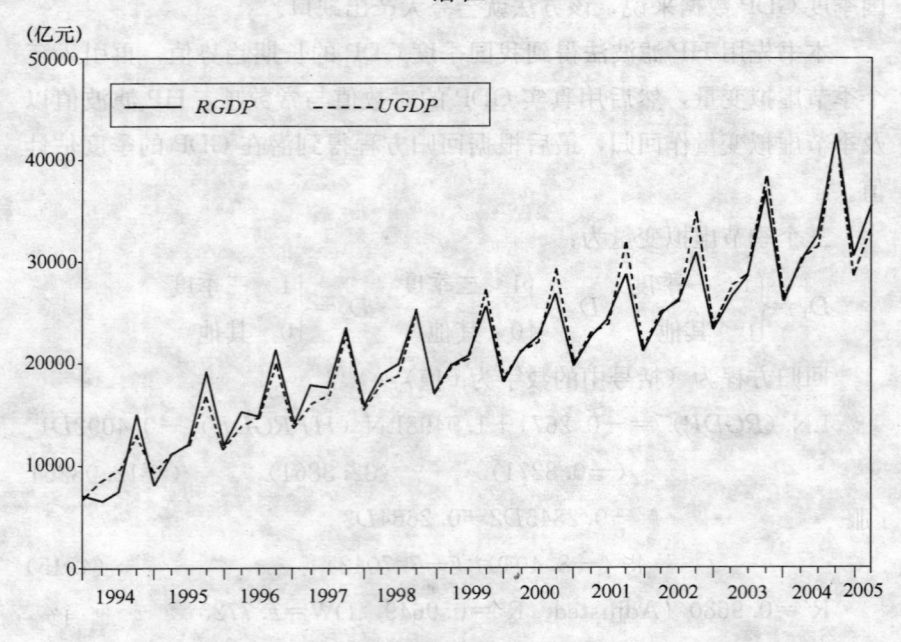

图 4-1 1994 年以来中国的真实 GDP 与潜在 GDP

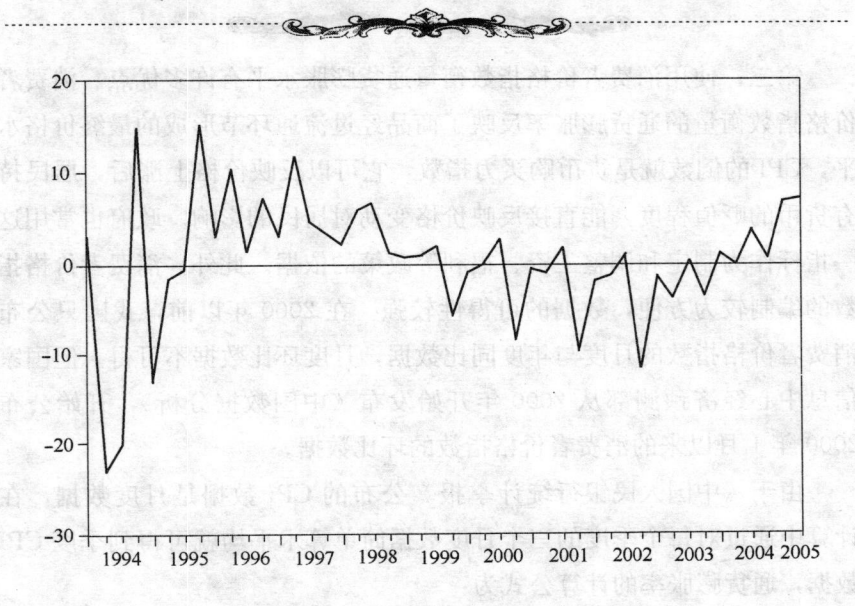

4 泰勒规则（工具规则）：实证问题及在中国的检验

图 4-2　1994 年以来中国的 GDP 缺口

4.4.1.4　通货膨胀率

目前国内对通货膨胀率的衡量主要有两种方法，一种是用消费者价格指数 CPI，另一种是用商品零售价格指数 RPI 衡量，两者最主要的区别是消费者价格指数将服务价格计算在内。本书选用消费者价格指数 CPI 作为衡量通货膨胀率的指标，主要原因有：

第一，商品零售价格指数的计算未考虑第三产业的变化。在改革开放初期，由于我国的第三产业在国内经济活动中所占比重不大，消费者价格指数与商品零售价格指数之间的差别也就不是很大。但随着第三产业在 GDP 中的占比逐渐提高，剔除了服务价格水平的商品零售价格指数就不足以反映一般价格水平的变化了，而相比较而言，由于消费者价格指数包含了服务价格的变化，就能比较全面地反映我国物价变化的程度。

第二，两种价格指数与 GDP 之间的相关程度不同。由于消费者价格指数比商品零售价格指数更能全面地反映了物价水平的变动，故消费者价格指数与 GDP 之间的关系更加密切。目前，世界上大多数国家都采用消费者价格指数来反映通货膨胀水平。

第三，使用消费者价格指数衡量通货膨胀水平有许多优点。消费者价格指数衡量的通货膨胀率反映了商品经过流通环节形成的最终价格水平，CPI 的倒数就是货币购买力指数，它可以反映价格上涨后，居民持有货币的贬值程度，能直接反映价格变动对居民的影响。政府也常用这一指标作为制定和调整工资、福利等政策的依据。此外，消费者价格指数的编制较为方便，数据的可得性较强。在 2000 年以前，我国只公布消费者价格指数的月度与年度同比数据，月度环比数据不可得。但国家信息中心经济预测部从 2000 年开始发布《中国数据分析》，开始公布 2000 年 1 月以来的消费者价格指数的环比数据。

由于《中国人民银行统计季报》公布的 CPI 数据是月度数据，在计算中通过对每个季度的三个月度数据简单算术平均就可得到季度 CPI 数据，通货膨胀率的计算公式为：

$$通货膨胀率 = （季度 CPI - 1）\times 100\% \qquad (4.18)$$

图 4-3 给出了 1994 年以来我国用 CPI 衡量的通货膨胀率走势。

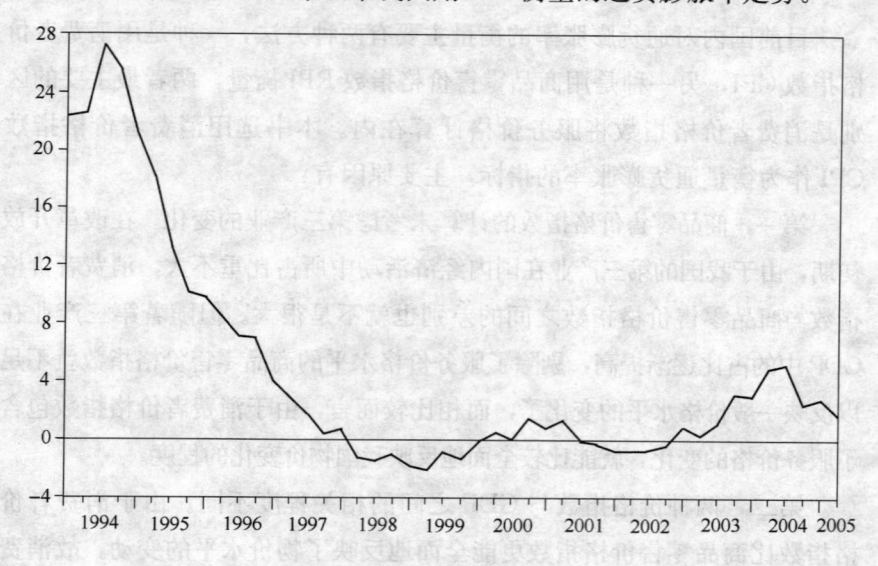

图 4-3　1994 年以来中国的通货膨胀率

4.4.2 泰勒规则的反应函数法估计

这里我们采用 Clarida, Gali 和 Gertler (1997, 2000) 的反应函数法对泰勒规则的形式进行估计。根据泰勒规则的定义,我们仍假定短期名义利率根据产出缺口和通胀缺口进行调整,调整方程为:

$$i_t^* = i^* + \alpha(E[\pi_{t,k} | \Omega_t] - \pi^*) + \beta(E[y_{t,q} | \Omega_t]) \quad (4.19)$$

其中,i_t^* 表示在 t 期货币政策的目标利率水平,i^* 表示长期均衡名义利率,$\pi_{t,k}$ 表示从 t 期到 $t+k$ 期的通货膨胀水平,π^* 表示通胀目标,$y_{t,q}$ 是 t 期到 $t+q$ 期的产出缺口,E 是预期因子,Ω_t 表示在 t 期制定利率时的信息集。

令实际利率 $r_t^* = i_t^* - E[\pi_{t,k} | \Omega_t]$,长期均衡实际利率 $r^* = i^* - \pi^*$,代入 (4.19) 式有:

$$r_t^* = r^* + (\alpha - 1)(E[\pi_{t,k} | \Omega_t] - \pi^*) + \beta E[y_{t,q} | \Omega_t] \quad (4.20)$$

中央银行在调整利率水平时一般会遵循平滑行为,这一行为往往是由于中央银行顾及到利率调整对资本市场的扰动、对央行信誉的影响以及央行的利率政策需要社会各方面的支持等。我们可以用 (4.21) 式表示中央银行利率调整的平滑行为:

$$i_t = \rho(L)i_{t-1} + (1-\rho)i_t^* \quad (4.21)$$

其中,滞后多项式 $\rho(L) = \rho_1 + \rho_2 L + \cdots + \rho_n L^{n-1}$,且 $\rho \equiv \rho(1)$,参数 $\rho \in [0,1]$ 反映了利率平滑的程度[①],将 (4.20) 式代入 (4.21) 式得到:

$$i_t = (1-\rho)[r^* - (\alpha-1)\pi^* + \alpha\pi_{t,k} + \beta y_{t,q}] + \rho i_{t-1} + \zeta_t \quad (4.22)$$

其中,$\zeta_t = -(1-\rho)[\alpha(\pi_{t,k} - E[\pi_{t,k} | \Omega_t]) + \beta(y_{t,q} - E[y_{t,q} | \Omega_t])]$,$\zeta_t$ 是无偏预测误差的线性组合,故 ζ_t 和 t 时期的信息集 Ω_t 是正交的,即有 $E[\zeta_t \Omega_t] = 0$。

[①] ρ 越大,说明实际利率的决定对政策反应的灵敏度越低,即说明政策冲击效果越平滑。

我们假设 z_t[①]是 Ω_t 的一组工具变量，即意味着 z_t 与 Ω_t 高度相关，但与 ζ_t 仍然无关，于是有：

$$E\{[i_t-(1-\rho)[r^*-(\alpha-1)\pi^*+\alpha\pi_{t,k}+\beta y_{t,q}]+\rho i_{t-1}]\cdot z_t\}=0 \quad (4.23)$$

(4.23) 式即为 GMM 估计中要满足的矩条件，其中，$\Psi=r^*-(\alpha-1)\pi^*$ 作为单独估计的参数代表扣除通胀目标后的真实利率目标[②]。笔者用 Gauss6.0 估计的结果见表 4-4。

表 4-4 泰勒规则在中国的 GMM 检验结果

参数	Ψ	α	β	ρ
估计值	2.2279 (2.4099)	0.4151 (2.8296)	0.4958 (1.2914)	0.7744 (4.7351)
矩约束条件有效性的 Hansen 检验统计量 $\chi^2(1)=0.0165$				

GMM 估计的结果表明，我国银行间同业拆借利率有明显的平滑特征（平滑系数为 0.7744）。中央银行在调整利率水平时，对通胀缺口和产出缺口的反应系数分别为 0.4151 和 0.4958，其中对产出缺口的反应系数与传统的泰勒规则非常一致。

4.4.3 泰勒规则的协整检验

这里我们用计量经济学的协整理论（Cointegration Theory）来检验泰勒规则，即通过实证检验我国的银行间同业拆借利率与实际均衡利率、通货膨胀率、通胀缺口和产出缺口这 5 个变量间是否存在"协整"关系或长期均衡关系，说明泰勒规则在中国是否成立。

4.4.3.1 协整理论的简单介绍

协整理论是研究分析非平稳时间序列的一个重要方法。Engle 和

---

① 工具变量 z_t 包括常数项和 y_{t-1}、π_{t-1}、i_{t-1}、g_{t-1}，分别代表滞后一期的产出缺口、通胀率、名义利率和真实 GDP 同比增长率。

② 这种处理办法的好处在于不用分别估计长期均衡真实利率和通胀目标的水平，只要估计两者的综合效应就行了。

4 泰勒规则（工具规则）：实证问题及在中国的检验

Granger（1987）指出，如果两个或两个以上的非平稳时间序列（即含有单位根的时间序列）的线性组合可以构成平稳的时间序列，则这些非平稳时间序列就是协整的，平稳的线性组合为协整方程。可以认为，协整方程的存在说明这些非平稳的时间序列之间存在着长期均衡关系。

4.4.3.2 计量模型的设立和数据说明

我们将拟检验的模型设定为简单的泰勒规则形式：

$$IBOR = a_1 rr + a_2 PAI + \alpha PAIGAP + \beta GDPGAP \quad (4.24)$$

其中，$IBOR$ 为银行同业拆借利率；rr 为实际均衡利率，我们用一年期居民储蓄存款利率扣除用 CPI 衡量的季度通货膨胀率代替；PAI 是用消费物价指数衡量的通货膨胀水平；$PAIGAP$ 代表通货膨胀缺口，即 $CPI - P^*$，其中 P^* 表示潜在物价指数；$GDPGAP$ 代表潜在产出缺口。

4.4.3.3 实证检验结果

这里我们运用 Eviews5.0 软件，先对各个变量进行单位根检验，确定变量的单整阶数，然后按照 Johansen 的协整检验方法进行协整检验，找出各个变量之间的长期均衡关系。

表 4-5 各变量序列的 ADF 检验结果

检验变量	ADF 检验值	检验形式 (C, T, L)	DW 值	临界值 1%	临界值 5%	临界值 10%
$IBOR$	−1.1692	(C, 0, 1)	2.1820	−3.5885	−2.9297	−2.6031
rr	−2.1890	(C, T, 1)	1.7378	4.1809	−3.5155	−3.1883
PAI	−2.3484	(C, 0, 1)	1.7928	−3.5885	−2.9297	−2.6031
$PAIGAP$	−2.1346	(C, 0, 0)	1.6468	−3.5847	−2.9281	−2.6022
$GDPGAP$	−1.3073	(C, 0, 3)	1.1066	−3.5966	−2.9332	−2.6049
$dIBOR$	−3.0822**	(C, 0, 1)	2.1565	−3.5885	−2.9297	−2.6031
drr	−4.5103***	(C, T, 2)	1.8326	−4.1923	−3.5208	−3.1913
$dPAI$	−3.5641**	(C, 0, 1)	1.9502	−3.5925	−2.9314	−2.6039
$dPAIGAP$	−5.3139***	(C, 0, 1)	1.9873	−3.5885	−2.9297	−2.6031
$dGDPGAP$	−9.4560***	(C, 0, 2)	1.1472	−3.5966	−2.9332	−2.6049

注：上标"*"、"**"和"***"分别表示所在行的变量名序列在 10%、5% 和 1% 的显著性水平下是平稳序列；(C, T, L) 中的"C"表示 ADF 检验时含常数项，"T"表示含趋势项（T=0 表示不含趋势项），"L"表示滞后阶数（选取的标准是使得回归残差不存在自相关）。

单位根检验的结果如表 4-5 所示，IBOR、rr、PAI、PAIGAP、GDPGAP 5 个时间序列均为非平稳序列，但它们的 1 阶差分序列在 5% 以上的显著性水平下都是平稳的，即它们都是 I(1)[①] 平稳序列。因此，我们不能用传统的计量分析方法检验它们之间的关系[②]，而应该采用处理非平稳变量的协整分析方法。

本书采用 Johansen 极大似然估计法，对上述 5 个变量之间的协整关系进行检验，具体检验结果见表 4-6。

表 4-6　各变量之间的 Johansen 协整检验结果

原假设	特征值	迹统计量	5%临界值	1%临界值
None **	0.563269	77.26189	59.46	66.52
At most 1 *	0.370503	40.81063	39.89	45.58
At most 2	0.245779	20.44590	24.31	29.75
At most 3	0.165360	8.034821	12.53	16.31
At most 4	0.001853	0.081611	3.84	6.51

注：上标"*"、"**"分别表示在 5% 和 1% 的显著水平下拒绝原假设。

Johansen 协整检验结果表明，IBOR、rr、PAI、PAIGAP、GDPGAP 5 个时间序列变量之间在 1% 的显著性下存在 1 个协整方程，即（括号中的数字为标准误）：

$$IBOR = 2.0471 rr + 1.2268 PAI + 0.5113 PAIGAP + 0.2014 GDPGAP$$
　　　　(0.17037)　(0.09364)　　　(0.17113)　　　　(0.05528)

(4.25)

[①] 即变量序列本身是不平稳的，但其一阶差分序列是平稳的。虽然各序列都是 I(1) 平稳序列，但在现实社会经济活动中，有可能两个或两个以上的 I(1) 序列的线性组合是 I(0) 序列，反映这些 I(1) 变量序列之间具有协整关系，即意味着这些 I(1) 变量序列之间存在长期均衡关系。

[②] 如果采用传统的计量分析方法，往往会导致伪回归现象。所谓伪回归，是指当随机变量服从单位根过程时，即使变量之间不存在任何线性关系，回归后得到的系数估计值也有显著的 t 统计值，如果就用这样的 t 统计值进行分析判断，就易形成错误的结论。

4 泰勒规则（工具规则）：实证问题及在中国的检验

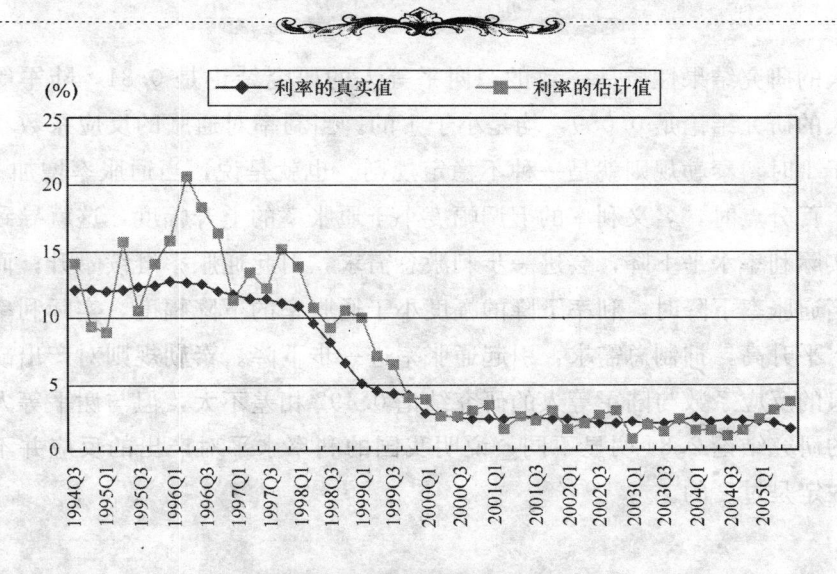

图 4-4　泰勒规则对利率的拟合情况

既然通过协整检验，协整方程个数为1，而且各个系数的符号均符合理论要求，这就说明泰勒规则确实适用于描述我国的银行间同业拆借利率。协整检验结果表明，我国银行间同业拆借利率对通胀缺口的反应系数为0.5113，对产出缺口的反应系数为0.2014。

图4-4显示了泰勒规则对中国银行间同业拆借利率的拟合情况，可以看出，尽管泰勒规则可以描述我国的利率走势，但拟合效果并不理想[①]。

4.4.4　结论

本书采用的两种检验方法均表明我国的银行间同业拆借利率走势符合泰勒规则的特征，即对通胀缺口和产出缺口作出反应。其中，对通胀缺口的反应系数基本相同，大致在0.4—0.5左右，明显小于1；对产出缺口的反应系数有一些差异，分别为0.4958和0.2014。对通胀缺口的反应系数与谢平、罗雄（2002）以及陆军、钟丹（2003）等

---

① 对泰勒规则拟合效果的详细讨论见本书第七章。

人的研究结果性质是一致的，谢平等人的研究结论是 0.81，陆军等人的研究结论是 0.089，均是小于 1 的。当利率对通胀的反应系数小于 1 时，泰勒规则就是一种不稳定规则。也就是说，当通胀率增加 1 个百分点时，名义利率的上调幅度小于通胀率的上升幅度，这就导致实际利率水平下降，会进一步刺激总需求，引起通胀率继续攀升；而当通胀率下降时，利率下降的幅度小于通胀率的下降幅度，实际利率水平升高，抑制总需求，引起通胀率进一步下降。泰勒规则对产出缺口的反应系数与陆军等人的研究结论 0.497 相差不大，但与谢平等人的研究结论 2.84 明显不同，说明我国的利率水平对产出的反应并不一定是过度的。

4.5　泰勒规则在中国的适用性分析

尽管国内学者谢平（2002）、陆军（2003）等的研究表明在中国的货币政策实践中存在着类似于"泰勒规则"的事实，但泰勒规则在中国的适用性仍是一个非常值得讨论的问题。泰勒规则是有适用前提的，主要有：

（1）利率市场化

泰勒规则的核心思想是通过利率的调整影响公众预期从而实现对宏观经济的调控，因此，只有在市场机制发达、利率形成机制完善、利率市场化程度高、市场反应灵敏的国家才能拥有相适应的政策传导机制，按泰勒规则操作的货币政策也才有可能实现货币政策目标。反之，对于市场机制不发达或利率市场化程度低的国家来说，泰勒规则的指导意义就不是很大。客观上来说，我国目前尽管在利率市场化改革方面作了许多努力，但要最终实现改革目标还需时日。

（2）浮动汇率制度

美国经济学家泰勒在刚刚提出泰勒规则时就强调，在浮动汇率制度

4 泰勒规则（工具规则）：实证问题及在中国的检验

下一国中央银行可以根据产出偏差和通货膨胀偏差来调整短期利率，但在固定汇率制下中央银行往往不能单独决定其短期利率，因为利率的升高将会导致外币的流入而对本币形成升值压力，反之亦然。

其实，泰勒规则是在假定货币当局对利率控制具有独立性的前提下运作的，而在现实中却很难做到。正如 Orphanides（1997）所指出的，在固定汇率制下，中央银行操纵银行同业拆借利率的自由度会由于固定汇率的需要而降低[①]。所以，在固定汇率制下，运用泰勒规则必须进行修正。我国虽然从 2005 年 7 月 21 日开始实行以市场供求为基础的、参考一篮子货币进行调节、有管理的浮动汇率制度，人民币汇率形成机制形成了所谓的 BBC 模式（Basket，Band and Crawling，即一篮子、区间浮动与爬行）。但汇率水平的波动幅度不大，中央银行对汇率形成的干预仍然存在[②]，所以我们在研究泰勒规则在中国的适用性时必须考虑到这一实际情况。

（3）泰勒条件

在形如（4.1）式的泰勒规则中，α 和 β 均为政策性变量系数。政策性变量系数 α 可以近似理解为名义利率变动对于通胀率变动的反应程度，如 $\alpha > 1$，则当通胀率上升时，名义利率的上升幅度更大，这样就会造成实际利率上升，总需求受到抑制，最终能使通胀率回落；而当通胀率下降时，名义利率的下降幅度也会更大，结果是实际利率下降，刺激总需求增加，通胀率有所回升。在这种情况下，货币政策就能起到减轻经济波动，推动经济平稳运行的作用，故此时的货币政策是一种稳定政策。但如果 $\alpha < 1$，根据泰勒规则调整名义利率水平就会加剧经济的波动，此时的货币政策就是一种非稳定政策。因此，$\alpha > 1$ 是泰勒规则

[①] 这里存在一个克鲁格曼提出的所谓"三元悖论"问题，即固定汇率制度、资本流动和独立的货币政策三者不可能同时兼顾。

[②] 中国人民银行规定，每日银行间外汇市场美元对人民币的交易价格仍在中国人民银行公布的美元交易中间价上下千分之三的幅度内浮动，非美元货币对人民币的交易价在中国人民银行公布的该货币交易中间价上下一定幅度内浮动。

指导下的货币政策能对宏观经济运行发挥正确调节作用的前提，学术界称之为"泰勒条件"。

综合分析以上泰勒规则的适用前提，笔者觉得泰勒规则目前并不适合在中国运用，最主要的原因可能就是利率市场化改革并未最终完成以及我国特殊的汇率制度。当然，一些技术上的因素也制约了泰勒规则在我国的运用。如我国 GDP 缺口的估计问题，我们知道，不同的估计方法会得出不同的产出缺口估计值，长期以来，国内学术界对哪一种方法比较恰当并没有形成统一的认识，甚至关于产出缺口的概念也未达成共识。这就为正确讨论泰勒规则在中国的适用问题带来了障碍。

本 章 小 结

本章对当前最流行的工具规则——泰勒规则进行了实证研究。泰勒规则假定，货币当局运用货币政策工具围绕两大关键目标函数，即实际通货膨胀率和目标通货膨胀率之间的偏离程度以及实际产出水平和潜在产出水平之间的偏离程度。虽然这个规则非常简单且易于操作，但仍然能够从中把握货币当局政策调整的本质意图。

本章首先讨论了在设计泰勒型规则时必须考虑的一些重要问题：通货膨胀率的测量、均衡实际利率和潜在产出的估计、当时数据和实时数据、前瞻性规则、利率的平滑等。在此基础上，本书回顾了以美国为研究对象的三项典型研究结果。尽管这三项研究的估计结果有明显的差异，但都表明美国货币政策的重点和许多国家一样发生了转移，即都对通货膨胀施加了较大的权重。

在对泰勒规则在中国的表现进行实证分析时，本书分别采用了 GMM 方法和协整检验法进行了估计。结果均表明，我国银行间同业拆借利率的走势基本符合泰勒规则的特征，即对通胀缺口和产出缺口作出

4 泰勒规则（工具规则）：实证问题及在中国的检验

反应，但拟合效果并不是十分理想。实证研究的结果显示中国的利率反应函数中对通胀缺口的反应系数大致在 0.4—0.5 左右，明显小于 1，故中国的泰勒规则是一种不稳定规则。因此，泰勒规则不并适合在中国运用，其最主要的原因可能在于利率市场化改革并未最终完成以及我国特殊的有管理的浮动汇率制度。

5 通货膨胀目标制（目标规则）：理论、实践及在中国的检验

20世纪90年代以来，伴随着以经济全球化与技术创新为核心的新经济时代的到来，许多国家的宏观经济政策有了重大调整，表现在货币政策方面，就是一个新的货币政策框架——通货膨胀目标制得以推行。自20世纪90年代初新西兰率先采用通货膨胀目标制作为货币政策框架以来，已有越来越多的工业化国家和中等收入国家开始采用这种新的货币政策制度。这些国家包括：新西兰、智利、加拿大、英国、澳大利亚、巴西、捷克共和国、芬兰、以色列、波兰、南非、西班牙、瑞典等，其中，捷克是第一个实行通货膨胀目标制的转型经济国家，而巴西则是第一个完全采用通货膨胀目标制的发展中国家。2001年，韩国和泰国也开始实行这一制度。最近，匈牙利和瑞士也加入其中。通胀目标制规则已成为当今世界最流行的目标规则。

5.1 通货膨胀目标制的实践与效果

5.1.1 几个代表性国家通货膨胀目标制的实践

5.1.1.1 新西兰的通货膨胀目标制
自20世纪70年代的石油危机之后到80年代后期，新西兰经历了

5 通货膨胀目标制（目标规则）：理论、实践及在中国的检验

两位数的严重通货膨胀，以 CPI 衡量的通货膨胀从 1974 年到 1988 年上升了 4.8 倍（钱小安，2002）。在这一期间，新西兰的货币政策面临多重目标以及不太明确的变动目标影响，并且降低通货膨胀的困难相当大。在此背景下，新西兰从 20 世纪 80 年代中期开始经历了一场金融变革，新西兰财政部和新西兰储备银行认为有必要采取中介目标的货币政策，但正如一些国家经历的不稳定货币需求一样，新西兰的金融改革和金融创新也使得以货币数量作为中介目标的可行性大为降低。此外，新西兰还出现了明显的货币政策选举周期现象。因此，新西兰干脆直接以通货膨胀为目标进行了货币政策操作。

新西兰是世界上第一个明确实行通货膨胀目标制的国家。早在 1984 年中期，新西兰政府便开始主张以实现低水平的通货膨胀作为政府经济政策的主要目标。1985 年 3 月，新西兰放弃了实行 14 年之久的固定汇率制度，开始实行浮动汇率制度。为了防止财政赤字的货币化，新西兰规定所有的政府融资都必须通过私人市场进行。值得注意的是，1989 年颁布实施的《新西兰储备银行法》（The Reserve Bank Act of 1989）标志着新西兰储备银行获得了独立性，并于 1990 年开始正式将价格稳定作为单一的货币政策目标。

为了确保通货膨胀目标的实现，除了有《新西兰储备银行法》明确规定价格稳定目标外，还有代表政府的财政部与新西兰储备银行签署的《政策目标协定》（Policy Targets Agreements）作为保证。新西兰的第一个《政策目标协定》于 1990 年 3 月签订，当时的 CPI 在 5% 左右，且经济处于衰退之中，故当时的货币政策目标是将 CPI 控制在 0%—2% 的目标区间（而不是水平目标），并要求在 1992 年 12 月实现。《政策目标协定》使新西兰储备银行获得了为实现其目标而独立动用各种货币政策工具的权利。1997 年 12 月，新西兰实行了新的《政策目标协定》，开始使用新的除信贷服务之外的消费物价指数 CPIX，其目标是在随后的 2—3 年内保持 CPIX 年增长 0%—3%。新西兰储备银行主要宣布官方资金利率（official cash rate），并对国内价格进行 6—8 个季

度的滞后分析①。

在实施了通货膨胀目标制以后的 1992—2000 年,新西兰的宏观经济形势得到了明显改善。经济增长速度迅速上升,失业率有所下降。

5.1.1.2 英国的通货膨胀目标制

1992 年 9 月,英国宣布实施新的货币政策框架,通货膨胀目标为 1%—4%。从 1997 年春季开始,英国将通货膨胀目标调整为不高于 2.5%。这一新框架具有以下特点:第一,标准化货币政策决策程序,英格兰银行与财政部及其他顾问按月召开会议进行货币政策的相关决策,并于 1994 年 4 月开始出版《货币政策委员会会议纪要》;第二,通过出版英格兰银行《通货膨胀报告》②(*Inflation Report*),提供中央银行对即将出现的通货膨胀趋势的预期;第三,英格兰银行拥有决策利率水平的自主权③。

尽管政策目标仍由英国政府决定,但 1998 年的《英格兰银行法》(*The Bank of England Act* 1998)赋予了英格兰银行运用货币政策工具的独立性。但财政部长在"特定的经济条件下"可以实施"超越"(Override)条款,以对利率水平进行控制。

英格兰银行每月召开货币政策委员会会议进行货币政策决策。该委员会共有 9 位成员,其中 5 人为英格兰银行的"内部人",即行长 1 人、副行长 2 人以及 2 名执行局长(Executive Directors),另外 4 人是在货币金融领域具有广泛影响的"外部人"。委员会中的 7 名委员由政府任命,另外 2 名由英格兰银行任命。货币政策委员会的会议纪要按月出版,时滞为两周。会议纪要公布货币政策委员会每一个委员的投票情

---

① Sherwin, M., 2000, "Strategic Choices in Inflation Targeting: the New Zealand Experience", in Mario I. Blejer, Alain Ize, and Alfredo M. Leone (eds.), *Inflation Targeting in Practice: Strategic and Operational Issues and Application to Emerging Market Economies*, International Monetary Fund.

② 英格兰银行的第一期《通货膨胀报告》于 1993 年 11 月出版。

③ Haldane, Andrew G., 2000, "Ghostbusting: The UK Experience of Inflation Targeting", Bank of England, Mimeo.

5　通货膨胀目标制（目标规则）：理论、实践及在中国的检验

况，并提供有关形成货币政策决策的相关背景分析。可见，英国的货币政策决策具有较高的透明度。

在实施了通货膨胀目标制后，英国通货膨胀目标的可信度大为增强。1992年9月采用欧洲汇率机制后，期限为5—10年的通货膨胀预期为5%—7%，远高于当时的通货膨胀目标1%—4%。1997年4月，英国的通货膨胀预期下降为4%，此时的政策可信度虽仍显不足，但已得到明显改善。在1997年5月宣布英格兰银行独立后，各种期限的通货膨胀预期立即下降了50个基点，独立性提高了可信度。1998年底，各种期限的通货膨胀预期均为2.5%，随后这一预期一直处于较低水平。

5.1.1.3　加拿大的通货膨胀目标制

20世纪70年代西方国家普遍遭遇了"滞胀"（stagflation）难题，加拿大也未能幸免，通货膨胀上升到了两位数。从1975年起，加拿大银行把遏制通货膨胀作为货币政策的最终目标（二战后很长时期内，加拿大货币政策的主要目标是充分就业），同时选用M_1作为货币政策的中介目标。20世纪80年代初，由于金融创新产生的新型金融工具严重削弱了M_1与名义支出（Nominal Spending）的联系，加拿大银行于1982年11月放弃了M_1，随之着手研究可替代M_1的货币供应量指标，但没能发现可以担此重任的指标。1982年至1990年间，在没有更好选择的前提下，加拿大银行采用了相机抉择的货币政策，没有使用明确的中介目标，只是监测一系列的"信息变量"，其中包括货币供应量M_2、M_2＋、信用增量、总支出增长率等。

加拿大经济自1983年复苏后，连续7年持续增长，且通胀率维持在4%的低水平。到了1989年，经济增长速度下降，1990年发生了经济衰退，同时通胀开始回升。1991年1月1日生效的商品和服务税推动了价格上涨，同时海湾危机使石油价格猛涨，也加剧了加拿大国内的通货膨胀。在加拿大货币政策面临严重困难的情况下，通货膨胀目标制应运而生。1991年2月26日，加拿大财政部长和加拿大银行行长联合

宣布采用通货膨胀目标制，宣布至 1995 年的目标是"降低通货膨胀，实现物价稳定"。

5.1.1.4 芬兰的通货膨胀目标制

1992 年 9 月 8 日，芬兰银行被迫放弃了芬兰马克与欧洲货币单位（ECU）的联系，在实行浮动汇率后，芬兰马克立即小幅贬值，但由于实际利率水平仍然较高，导致了经济收缩和金融不稳定。在这种情况下，芬兰银行于 1993 年 2 月 2 日宣布将 1995 年的通货膨胀控制在 2% 的水平，开始实施通货膨胀目标制的货币政策框架。

由于货币需求缺乏稳定性，芬兰银行的通货膨胀目标没有与任何中介目标相联系。为了增加中央银行货币政策的透明度，芬兰银行同时采用相关通货膨胀指数（IUI）进行计量，并定期公布其目标。由于没有明确的货币政策中介目标，芬兰银行宣布采用一系列货币政策指标来决定货币政策，这些指标包括货币和信贷总量（尤其是 M_1）、短期利率、利率结构及汇率。另外，芬兰银行还运用 BOF4 宏观经济模型[①]对主要经济变量进行预测，在此基础上对经济运行实施宏观管理，但直到 1995 年芬兰银行才开始公布其通货膨胀预期。

5.1.1.5 澳大利亚的通货膨胀目标制

在 20 世纪 60 年代，澳大利亚是一个低通胀的国家，但 70 年代却发生了高通胀。1975 年通货膨胀水平高达 18%，1976 年澳大利亚设立了货币目标 M_3 以期降低通货膨胀。但由于澳大利亚储备银行在追求物价稳定目标的同时还要兼顾充分就业和经济增长，再加上澳大利亚储备银行缺乏应有的独立性，直到 20 世纪 80 年代中期，通货膨胀仍然居高不下。20 世纪 80 年代初期的放松金融市场管制最终导致货币与名义收入关系的破裂，货币目标 M_3 于 1985 年被放弃。

20 世纪 80 年代后期至 90 年代初，澳大利亚储备银行实行了严厉的货币政策，终于实现了低通胀，通胀率从 1986 年的 10% 成功降到

---

① 即芬兰银行宏观经济模型。

5 通货膨胀目标制（目标规则）：理论、实践及在中国的检验

1990年的5%，1992年又降到2%以下，但却发生了1990至1991年间的严重经济衰退。同时，由于货币政策一直缺乏明确的中介目标，金融市场的不稳定因素也一直存在。在此背景下，澳大利亚于1993年4月宣布了明确的通货膨胀目标，开始正式实施通货膨胀目标制。

5.1.1.6 西班牙的通货膨胀目标制

20世纪70年代中期，受货币学派的影响，西班牙采用了以货币供应量为中介目标的货币政策框架。1995年1月，西班牙宣布放弃货币目标法，转而实行通货膨胀目标制，其原因有二：第一，制度上的原因。1994年6月，《西班牙银行独立法案》（*Bank of Spain Autonomy Law*）颁布实施，这一新的立法规定货币政策的主要目标是追求物价稳定，并赋予中央银行独立地进行货币政策操作以实现最终目标的权力。第二，技术层面的原因。一方面，从1992年至1993年以后，货币政策中介目标ALP（liquid assets held by the public）与名义支出的关系持续恶化，动摇了货币目标法的基础；另一方面，货币目标与汇率目标的同时设立削弱了货币政策的可信度。1989年6月，西班牙加入*ERM*，西班牙银行在货币政策操作过程中除了盯住ALP外，还要考虑比塞塔（Peseta）与汇率。1989年至1993年，西班牙银行对内和对外的货币政策目标发生了冲突，汇率目标限制了货币当局对货币供应量作出反应的能力，从而影响了货币政策的整体可信度。ALP与名义支出关系的恶化和可信度的丧失最终促使西班牙银行放弃了ALP。

5.1.1.7 以色列的通货膨胀目标制

20世纪70年代后期，以色列经历了三位数的恶性通货膨胀时期。20世纪80年代初期，以色列在高通胀时期采用的工资和金融指数化政策导致了通货膨胀的持续性，社会公众对中央银行降低通货膨胀水平的能力普遍缺乏信心。为此，从1985年6月开始，以色列开始实施稳定计划。1992年，为了运用货币政策保持物价稳定，促进经济增长，以色列又采用了以爬行汇率和区间通货膨胀目标为基础的货币政策框架。汇率水平目标与通货膨胀目标由政府决定，主要遵从财政部的要求，并征得独立使用货币政策工具的以色列银行的同意。

表 5-1 几个西方发达国家通货膨胀目标制的主要内容

国家	新西兰	加拿大	英国	瑞典	芬兰	澳大利亚	西班牙
实施日期	1990.3	1991.2	1992.10	1993.1	1993.2	1994.9	1995.1
目标通胀率	0—2%	1%—3%	2.5%±1%	2%±1%	2%左右	2%—3%	<2%
时限	每年	18个月	一届议会任期	持续	持续	持续	到1997年
目标序列	CIR	CIR	RPIX	CPI	CIR	CIR	CPI
目标制定者	财政部长与央行行长签订合同	财政部长与央行行长商定	首相	瑞典银行	芬兰银行	储备银行与财政部	西班牙银行
决策依据	通胀预期	通胀预期、MCI	通胀预期、货币供应量、汇率	通胀预期	通胀预期	通胀预期	通胀预期
通胀报告	季度	半年	季度	季度	无	无	半年

注：CIR：核心通胀率；CPI：消费物价指数；RPIX：扣除抵押利率后的零售物价指数；MCI：货币状况指数（详见本书第7章）。

资料来源：Mishkin, F. S., and Schmidt-Hebbel, 2000, "One decade of inflation targeting in the world: what do we know and what do we need to know?", Presented at the Central Bank of Chili Conference: *Ten Years of Inflation Targeting: Targeting, Design, Performance, and Challenges*, Santiago.

以色列的通货膨胀定标一般是以 CPI 作为目标界定的，在执行通货膨胀目标制的过程中，取得了较好的效果。在20世纪80年代后期，以色列的通货膨胀水平为18%，而到了20世纪90年代末时通货膨胀水平已下降到4%，这充分说明以色列的通货膨胀定标的货币政策框架发挥了作用。

以色列的货币政策面临以下几个问题：第一，对于是否需要使以色列的通货膨胀向主要发达国家的通货膨胀水平看齐，并未达成统一认识，为了有效地降低通货膨胀，中央银行需要保持一定的谨慎态度；第

5 通货膨胀目标制（目标规则）：理论、实践及在中国的检验

二，在大多数时期，以色列的通货膨胀目标是与名义汇率目标并存的。但不可否认的是，通货膨胀目标日益成为货币政策的主要目标，而名义汇率则日益成为由市场决定的宏观经济变量；第三，需要建立通货膨胀目标框架下通货膨胀预测规划，政策制定者需要不断调整通货膨胀预期与通货膨胀目标之间的关系，并以此作为货币政策操作的基础①。

5.1.1.8 韩国的通货膨胀目标制

1997年亚洲金融危机后，一些受到重创的亚洲国家也开始采用通货膨胀目标制来稳定国内的物价水平，其中，韩国率先在1998年9月宣布采用这一制度。

韩国实行通货膨胀目标制有内外两方面的原因。内在原因主要有：第一，韩国政府长期以来追求高经济增长的目标，忽视了经济的稳定和可持续发展问题，在产业政策和财政政策方面过分扩张，最终导致了金融危机；第二，在货币政策方面，韩国中央银行受政府控制严重，即使在需要紧缩经济的时候也无法独立采取措施，从而加剧了金融系统风险的不断积累。从外部原因来看，1997年金融危机爆发之后，韩元被迫大幅贬值40%，国内的通胀率出现了向上大幅攀升的势头，恶性通货膨胀的迹象开始显现，这时韩国急需一个新的"名义锚"来稳定国内物价和公众预期，通货膨胀目标制的实行及时解决了这一问题。

韩国为了解决中央银行的独立性问题，于1997年对《韩国银行法》进行了修改：一是韩国银行行长取代财政金融部部长成为货币政策委员会的主席，在法律上保证了中央银行机构本身的独立性；二是韩国银行在咨询过政府对制定通胀目标的意见后，可以独立执行和公布包括通胀目标在内的货币信贷政策计划，这也就意味着韩国银行取得了目标上的独立性。

为了提高对通胀走势的预测能力，韩国银行从20世纪70年代初就

---

① Leiderman, L. and Hadas Bar-Or, 2000, "Monetary Policy Rules and Transmission Mechanism Under Inflation Targeting in Israel", Research Department Papers, Bank of Israel, January.

开始建立一系列宏观经济模型,最近又建立了一套由月度和季度短期预测模型和年度长期预测模型组成的宏观经济计量模型系统,并在此基础上运用 VAR 技术建立了时间序列预测模型。同时,其他针对价格、金融部门、财政部门和外国经济部门的大规模经济预测模型的建设工作也取得了重要进展。通过建立宏观经济预测模型体系,韩国银行的通胀预测能力有了显著提高。

韩国银行还采取了多种措施以提高政策的透明度和可信度。首先,韩国银行每年年末在咨询政府意见后,会根据自己的判断设立下一年度的通胀目标,并在 15 天内公布这一目标及有关货币信贷政策。其次,韩国银行每月都将公布由货币政策委员会制定的月度货币政策方向,之后由行长在新闻发布会上向公众详细解释货币政策的细节。第三,每次货币政策委员会会议 3 个月后,韩国银行都必须公开该会议的备忘录。第四,韩国银行一般要在每年的 3 月和 10 月分两次向国会提交《货币与信贷政策报告》,同时韩国银行行长也有义务回答国会提出的相关问题。

5.1.2　通货膨胀目标制的实施效果

表 5-2 比较了一些实施通货膨胀目标制的国家在实行这一制度前后的平均通货膨胀水平。学术界对于如何评价通货膨胀目标制政策框架的实施效果存在着很大的争议。以 Svensson 为代表的经济学家认为,通货膨胀目标制的政策框架对于有效控制通货膨胀确实起到了很好的作用。Svensson（1997a）认为,通货膨胀目标制解决了货币政策的动态非一致性问题,并且降低了通货膨胀的波动,采用有弹性的通货膨胀目标制还能起到稳定产出的作用。Mishkin（2000）也持相同的观点,他认为实行通货膨胀目标制的国家显著地降低了通货膨胀率以及通货膨胀预期。而 Ball 和 Sheridan（2003）的研究却表明,没有明显的证据能说明通货膨胀目标制可以改善宏观经济的运行。Jonas 和 Mishkin（2003）则认为,个别实行通货膨胀目标制的国家由于实

5 通货膨胀目标制（目标规则）：理论、实践及在中国的检验

施这一政策框架的时间较短，故无法得出实施通货膨胀目标制框架是否成功的定论。

表 5-2 实施通货膨胀目标制前后的平均通胀水平比较　　单位：%

国　家	新西兰	加拿大	英国	瑞典	澳大利亚
实施前的平均通货膨胀率①	10.71	4.54	7.01	7.13	3.32
实施后的平均通货膨胀率②	2.14	2.05	2.65	1.57	2.57
国　家	以色列	捷克	巴西	南非	智利
实施前的平均通货膨胀率①	18.17	9.12	22.97	7.00	19.41
实施后的平均通货膨胀率②	7.84	5.34	6.25	5.52	9.00

注：①实施当年的前四年数据的平均值；②实施当年到 2001 年数据的平均值。
资料来源：IFS。

K. Choi，C. Jung 和 W. Shambora（2003）使用马尔柯夫转换模型（Markov-switching Model）研究了新西兰实行通货膨胀目标制的宏观经济效果。他们的研究结果表明，这一制度框架显著改变了新西兰经济运行中的通货膨胀动态，同时也结构性地改变了新西兰实际 GDP 的增长率。由此可以认为新西兰的通货膨胀目标制在稳定通货膨胀和产出增长率方面是非常成功的。

英国是继新西兰之后较早实行通货膨胀目标制的国家。Bean（2003）研究了英国实施通货膨胀目标制框架的经验，他的研究结果表明，通货膨胀目标制在保持低的和稳定的通货膨胀，以及在确定通货膨胀预期方面发挥了重要作用。澳大利亚也存在类似情况，正如 Glenn S.（2003）所指出的，通货膨胀目标制对于澳大利亚的货币政策来说，已经成为一种相当成功的模式。

T. G. Pétursson（2004）用一个面板模型（panel model）研究了 21 个实行通货膨胀目标制国家的通货膨胀情况。研究结果表明，有 2/3 的国家因采用这一制度框架而显著降低了平均通货膨胀率。

Jonas 和 Mishkin（2003）研究了捷克、匈牙利和波兰实施通货膨胀目标制的经验。这三个国家都是从钉住汇率转向钉住通货膨胀的转型

经济国家。由于这些国家实施通货膨胀目标制的时间较短，故还不能得出关于这一制度框架是否成功的确定性结论。但他们认为，在转型经济国家，应该可以成功地实施通货膨胀目标制。与发达国家相比，转型经济国家通过实施通货膨胀目标制框架来控制物价水平的难度也许会大一些，但这并不意味着在这些国家使用其他名义变量（如货币供应量）会非常容易地控制通货膨胀水平。

Ball 和 Sheridan（2003）为研究通货膨胀目标制框架是否能改善经济运行质量问题，通过测量通货膨胀、产出以及利率行为，对实施通货膨胀目标制的 7 个 OECD 国家与 13 个未实行这一制度框架的国家进行了比较研究。结果表明，在 20 世纪 90 年代早期，无论是通货膨胀钉住国家，还是非通货膨胀钉住国家，其宏观经济运行的许多方面都得到了有效改善，在某些情况下，实施通货膨胀目标制的国家改善得更为明显，如平均通货膨胀水平大幅度下降等。但这种差异也可以作如下解释：在 20 世纪 90 年代初以前，通货膨胀钉住国家要比非通货膨胀钉住国家的经济运行效果更差一些，通货膨胀钉住国家的宏观经济改善只是一种向均值回归的表现，一旦通货膨胀重新回到均值水平，就没有证据说明通货膨胀目标制框架可以改善宏观经济运行了。

5.2 实施通货膨胀目标制的理论分析

5.2.1 灵活通胀目标制

我们假定中央银行关注产出和通货膨胀的稳定性，除此之外，当实际通货膨胀偏离了目标水平时中央银行也要受到惩罚。这样一来，中央银行就不必严格实现通货膨胀目标（但要为此承担相应的福利损失），而是可以宣布一个通货膨胀目标区间，以获得货币政策操作的灵活性。此时的中央银行目标可以表示成最小化损失函数：

5 通货膨胀目标制（目标规则）：理论、实践及在中国的检验

$$V^{cb} = \frac{1}{2}\lambda E_t (y_t - y_n - k)^2 + \frac{1}{2}E_t (\pi_t - \pi^*)^2 + \frac{1}{2}hE_t (\pi_t - \pi^T)^2$$
(5.1)

(5.1) 式中的 π^* 表示社会最优通货膨胀率水平（可能不是 0），等式右边最后一项代表了对偏离目标通货膨胀水平 π^T 的惩罚。参数 h 度量了中央银行对偏离目标通胀水平所产生损失的权重。有形如 (5.1) 式损失函数的中央银行就可以认为是执行了"灵活通胀目标规则"。这种规则并不要求中央银行时刻准确无误地实现目标，但如果实际通胀水平偏离了目标水平，中央银行就要面临相应的惩罚[1]，其大小基于最终通胀水平偏离目标的远近。

模型的其余部分还包括一个总供给函数（仍然采用卢卡斯供给函数形式），以及货币政策工具、货币供给增长率与通货膨胀之间的关系式，即：

$$y_t = y_n + a(\pi_t - \pi^e) + u_t \tag{5.2}$$

和

$$\pi_t = \Delta m_t + v_t \tag{5.3}$$

上式中，v 为货币流通速度干扰。我们假定社会公众的预期在观测到 u 或 v 之前形成，而中央银行在设定 Δm 之前可以观察到 u，但不能观察到 v。

在推导中央银行应遵循的行为之前，我们要注意一下社会最优承诺政策[2]：

$$\Delta m_t^s = \pi^* - \frac{a\lambda}{1 + a^2\lambda} u_t \tag{5.4}$$

---

[1] 中央银行可能会被要求对实现通货膨胀目标方面的成功或失败定期进行报告，当目标未能实现时，它就会受到社会公众的批评以及制度性窘境的惩罚，或者也可能面临某种更加正式的中央银行行长免职程序。

[2] 将最优承诺政策 $\Delta m = a + bu$ 代入社会目标函数 $\frac{1}{2}\lambda E (y - y_n - k)^2 + \frac{1}{2}E(\pi - \pi^*)^2$，并使关于 a 和 b 的无条件期望最小化，即可得到 (5.4) 式。

现在我们分析中央银行相机抉择下的政策。将（5.2）式和（5.3）式代入（5.1）式有：

$$V^{cb} = \frac{1}{2}\lambda E[a(\Delta m + v - \pi^e) + u - k]^2 + \frac{1}{2}E(\Delta m + v - \pi^*)^2$$
$$+ \frac{1}{2}hE(\Delta m + v - \pi^T)^2$$

在预期 π^e 给定的情况下，最优 Δm 的一阶条件是：

$$a^2\lambda(\Delta m - \pi^e) + a\lambda(u - k) + (\Delta m - \pi^*) + h(\Delta m - \pi^T) = 0$$

求解得到：

$$\Delta m = \frac{1}{1 + h + a^2\lambda}(a^2\lambda\pi^e - a\lambda u + a\lambda k + \pi^* + h\pi^T) \quad (5.5)$$

由于社会公众的预期是在知道 u 之前形成的，故可以假设满足理性预期，即有 $\pi^e = \Delta m^e$，代入（5.5）式可以得到：$\pi^e = \Delta m^e = \frac{1}{1+h}(a\lambda k + \pi^* + h\pi^T)$，将此结果再代回到（5.5）式即可得到一致的货币供给增长率：

$$\Delta m^T = \frac{a\lambda k + \pi^* + h\pi^T}{1 + h} - \frac{a\lambda}{1 + h + a^2\lambda}u$$
$$= \pi^* + \frac{a\lambda k}{1 + h} + \frac{h(\pi^T - \pi^*)}{1 + h} - \frac{a\lambda}{1 + h + a^2\lambda}u \quad (5.6)$$

如果目标通货膨胀率等于社会最优通货膨胀率（即 $\pi^T = \pi^*$），则（5.6）式可以进一步简化为：

$$\Delta m^T = \pi^* + \frac{a\lambda k}{1 + h} - \frac{a\lambda}{1 + h + a^2\lambda}u \quad (5.7)$$

令 $h = 0$，就可以得到没有设定通胀目标时的一致相机抉择解：

$$\Delta m^{NT} = \pi^* + a\lambda k - \frac{a\lambda}{1 + a^2\lambda}u \quad (5.8)$$

通过比较（5.4）式、（5.7）式和（5.8）式，可以发现，由于对中央银行实行了目标设定惩罚，通货膨胀偏差从 $a\lambda k$ 降低到了 $a\lambda k/(1+h)$，这充分体现了实行通货膨胀目标制的优越性。也就是说，如果中央银行实行了通货膨胀目标制，就可以较好地解决通货膨胀偏差问题。

5 通货膨胀目标制（目标规则）：理论、实践及在中国的检验

但这种平均通胀水平的降低并不是没有代价的，通过比较中央银行对供给冲击 u 的反应，可以发现引入目标设定后造成了中央银行的行为扭曲。在纯粹的相机抉择下，中央银行可以对 u 做出最优反应[①]；但目标设定规则的存在，却使得中央银行对供给冲击的反应变小了，即反应系数从 $a\lambda/(1+a^2\lambda)$ 减小到了 $a\lambda/(1+h+a^2\lambda)$。

这种在降低通胀倾向与稳定化反应之间的取舍，也就是罗格夫（Rogoff，1985）所说的权衡问题。如果 $\pi^T = \pi^*$，则中央银行的目标函数就可以写为：

$$V^{cb} = \frac{1}{2}\lambda E_t (y_t - y_n - k)^2 + \frac{1}{2}(1+h)E_t(\pi_t - \pi^*)^2 \quad (5.9)$$

由 (5.9) 式可以看出，参数 h 与罗格夫的保守主义程度所发挥的作用完全一样。从罗格夫模型的分析中，我们知道 h 的最优值是正的，故设置在通货膨胀目标上的总权重大于社会的权重 1。灵活的通货膨胀目标，就可以理解为一个正的 h 值带来了优于纯粹相机抉择的结果。

另外，通货膨胀目标制与线性通货膨胀合约之间也有着类似的联系，斯文森（Svensson，1997b）证明了这种关系。斯文森指出，如果要求中央银行实行一个低于社会最优通货膨胀率的目标 π^T，就可以执行所谓的最优线性通货膨胀合约。我们不妨令 $H=1+h$，用 π^T 替换 (5.9) 式中的 π^* 并展开由此得到的等式右边第二项，可得到：

$$\begin{aligned}V^{cb} &= \frac{1}{2}\lambda E(y_t - y_n - k)^2 + \frac{1}{2}HE(\pi - \pi^* + \pi^* - \pi^T)^2 \\ &= \frac{1}{2}\lambda E(y_t - y_n - k)^2 + \frac{1}{2}HE(\pi - \pi^*)^2 \\ &\quad + AE(\pi - \pi^*) + C \end{aligned} \quad (5.10)$$

其中，$A = H(\pi^* - \pi^T)$，且有 $C = \frac{1}{2}H(\pi^* - \pi^T)^2$。由于 C 是常数，故对中央银行的行为没有影响。其实，这里的 V^{cb} 实际上就等于 $V + \frac{1}{2}$

[①] 注意 (5.8) 式中供给冲击 u 的系数与 (5.4) 式相同。

$hE(\pi-\pi^*)^2+AE(\pi-\pi^*)+C$，这就完全等价于最优线性通货膨胀合约条件下，当且仅当 $h=0$ 以及 $A=a\lambda k$ 时建立的激励结构。如果中央银行行长并不是权重保守人士，而是与社会拥有相同的偏好，即有 $H=1$，则条件 $h=0$ 就可以得到满足；而条件 $A=a\lambda k$ 的成立必须满足 $\pi^T=\pi^*-a\lambda k<\pi^*$。因此，为中央银行指定一个实际上低于社会最优通货膨胀目标，最优线性合约就能够得到执行。但接受政策委托的代理人所具有的关于通胀与产出稳定化的偏好，应当和社会整体偏好一致。

5.2.2 严格通胀目标制

前文分析了灵活通胀目标设定规则的情况。中央银行虽然要为偏离目标通胀水平受到惩罚，但并不要求它精确地实现目标，这样中央银行就可以在既定目标与其他目标之间有所取舍。接下来我们来考察中央银行被要求必须实现某个特定通货膨胀目标的情况，即通常所说的严格通胀目标规则。

我们在这里考虑严格货币增长率目标的情况，即要求中央银行将货币供给增长率设定为某个常数[①]：

$$\Delta m = \Delta m^T \tag{5.11}$$

由于社会最优通货膨胀率为 π^*，故中央银行理所当然会使 $\Delta m^T=\pi^*$，况且社会公众也会使他们的预期 $\pi^e=\pi^*$。如果社会损失函数仍然为：

$$V=\frac{1}{2}\lambda E_t(y_t-y_n-k)^2+\frac{1}{2}E_t(\pi_t-\pi^*)^2 \tag{5.12}$$

将（5.2）式、（5.3）式和（5.11）式分别代入（5.12）式得到：

$$V=\frac{1}{2}\lambda E_t(a(\Delta m^T+v-\Delta m^T)+u-k)^2$$

[①] 除此之外，目标规则也可以要求中央银行使 $E(m-m^T)^2$ 最小化，但只有当中央银行的政策安排满足 $E(m)=m^T$ 时，该表达式才能取到最小值。如果 m 处于中央银行的完全控制之下，则该式就相当于 $m=m^T$，取增量形式即有 $\Delta m=\Delta m^T$。

5 通货膨胀目标制（目标规则）：理论、实践及在中国的检验

$$+\frac{1}{2}E_t(\Delta m^T + v - \Delta m^T)^2 \tag{5.13}$$

在严格货币增长率目标（严格通胀目标）下，其取值为：

$$V(\Delta m^T) = \frac{1}{2}[\lambda k^2 + \lambda \sigma_u^2 + (1+a^2\lambda)\sigma_v^2] \tag{5.14}$$

现在我们可以回顾一下纯粹相机抉择的情况，由（3.24）式可知，此时的社会损失函数预期值为：

$$V^d = \frac{1}{2}\lambda(1+a^2\lambda)k^2 + \frac{1}{2}\left[\left(\frac{\lambda}{1+a^2\lambda}\right)\sigma_u^2 + (1+a^2\lambda)\sigma_v^2\right] \tag{5.15}$$

将（5.14）式和（5.15）式进行比较，可以得到：

$$V(\Delta m^T) - V^d = -\frac{1}{2}(a\lambda k)^2 + \frac{a^2\lambda^2}{2(1+a^2\lambda)}\sigma_u^2 \tag{5.16}$$

观察（5.16）式可以发现，该表达式的值既可为正也可为负。如果相机抉择下的通胀偏差 $a\lambda k$ 的值较大，（5.16）式为负的可能性就大，意味着严格货币增长率目标（严格通胀目标规则）优于相机抉择[①]。不过，当 σ_u^2 比较大时，（5.16）式就有可能为正，这样的话，相机抉择就可能优于严格通胀目标规则。此外，严格目标规则也排除了货币政策的稳定化作用（货币当局未对随机冲击 u 作出反应），这样行事的代价将取决于供给冲击的方差 σ_u^2。

总之，要想通过设定严格通胀目标，并消除中央银行对经济干扰反应的灵活性来提高社会福利水平，必须满足条件[②]：

$$k > \sigma_u \sqrt{\frac{1}{1+a^2\lambda}} \tag{5.17}$$

由（5.17）式可知，如果供给冲击的方差 σ_u^2 较大，那么纯粹的相机抉择即使会带来通胀偏差，也仍有可能会是货币当局首选的政策

[①] 由于严格通胀目标规则可以确保平均通货膨胀水平为 π^*，这就消除了任何通胀偏差，故相机抉择时产生的通胀偏差越大，由此获得的相对收益也就越大，即按规则行事将优于相机抉择。

[②] 即（5.16）式小于 0 的条件。

(Flood & Isard, 1988)。因此，实行严格通胀目标制会有一定的风险，如果（5.17）式的条件不能满足，一味地强调实行通胀目标制就会造成严重的政策失误，即损失社会福利。这也解释了为什么大多数实行通货膨胀目标制国家都选择实行灵活通胀目标（即规定通胀目标区间）的主要原因。

5.3 通货膨胀目标制的特征与基本要素

5.3.1 通货膨胀目标制的特征

一般认为，通货膨胀目标制是一种以保持低的和稳定的通货膨胀为目标的货币政策制度或政策框架。近年来，虽然已有大量文献对这一问题进行了深入、广泛的研究，但到目前为止，有关通货膨胀目标制并没有一个明确的、一致的定义。大多数研究文献对通货膨胀目标制的阐述主要集中在它的制度特征上。

钱小安（2002）认为，通货膨胀目标制是指中央银行直接以通货膨胀为目标，并对外公开通货膨胀目标，以此规划货币政策操作的货币政策制度。货币当局在公布了与经济可持续增长相适应的、量化的通货膨胀目标或目标区间后，凭借其对经济金融环境和货币政策传导机制的深入理解和认识，以及对未来通货膨胀的预期和判断，利用一切可以使用的政策工具和配套措施，以实现通货膨胀的预定目标。

Svensson（1999，2002，2003）在分析通货膨胀目标制与其他货币政策框架有何区别时指出，通货膨胀目标制可以解释为一个带有相对显性的、有待最小化损失函数的目标化规则（targeting rule），并认为这一框架主要有三个典型特征：第一，明确规定一个数量化的通胀目标，要么采取点目标的形式，要么采取区间目标形式；数量化的通胀目标是指某一具体的价格指数的目标；实现通胀目标是操作货币政策最主要的

5 通货膨胀目标制（目标规则）：理论、实践及在中国的检验

目标，尽管还要为其他的次要目标（如汇率稳定、货币供应量稳定增长等）留有空间。第二，货币政策的决策过程可以描述为"钉住通货膨胀预期"（inflation-forecast targeting），条件通货膨胀预期与通货膨胀目标相一致决定着货币政策工具的选择，这与传统的相机抉择型货币政策是不同的，所以 Svensson 认为通货膨胀目标制应该被解释为一种货币政策规则。第三，货币政策具有较高的透明度，同时中央银行要对通货膨胀目标的实现承担责任。

与 Svensson 为代表的经济学家的观点不同，Mishkin（2000）、Bernanke 和 Mishkin（1997）以及 Bernanke et al.（1999）认为，通货膨胀目标制并不是一种货币政策规则，而是一种新的货币政策框架。他们从实践角度讨论了如何实施钉住通货膨胀问题，并认为通货膨胀目标制并不像一些人假定的那样代表着缺少弹性的政策规则，相反，由于这一制度并没有提供给中央银行一个简单、机械的操作命令及方式，故可认为是有相当弹性的，甚至是包容了相机抉择的货币政策。这一新的货币政策框架包括 5 个要素：第一，公开宣布通货膨胀的中期数量目标；第二，对货币政策最主要的政策目标——价格稳定的一种制度承诺，其他货币政策目标均为次要目标；第三，一种信息包容策略，许多变量（而不仅是货币量或汇率等）可以用于决策货币政策工具的操作；第四，通过与社会公众及市场交流货币当局的计划、目标及决策来增强货币政策实施的透明度；第五，增强中央银行实现通货膨胀目标的责任。

尽管对通货膨胀目标制究竟是一种货币政策规则还是一种全新的货币政策框架仍然存在着不同的认识，但不管是哪种观点，至少有以下几点是相同的：第一，明确规定一个数量化的通货膨胀目标；第二，货币政策操作应该有相当高的透明度；第三，中央银行对通货膨胀目标的实现承担责任。

另外，有关通货膨胀目标制的操作流程也基本形成了统一认识（如图 5-1）。中央银行明确了以物价稳定为首要目标后，将（货币）当局在未来一段时期（目标期）所要达到的目标通货膨胀水平 TIR（区间

值)向社会公布。同时,通过一定的预测方法对目标期的通货膨胀水平进行预测得到通货膨胀预期值 FIR,然后根据 FIR 与 TIR 的偏差进行相应的货币政策操作,以使目标期的实际通货膨胀率 RIR 落入目标区间内。

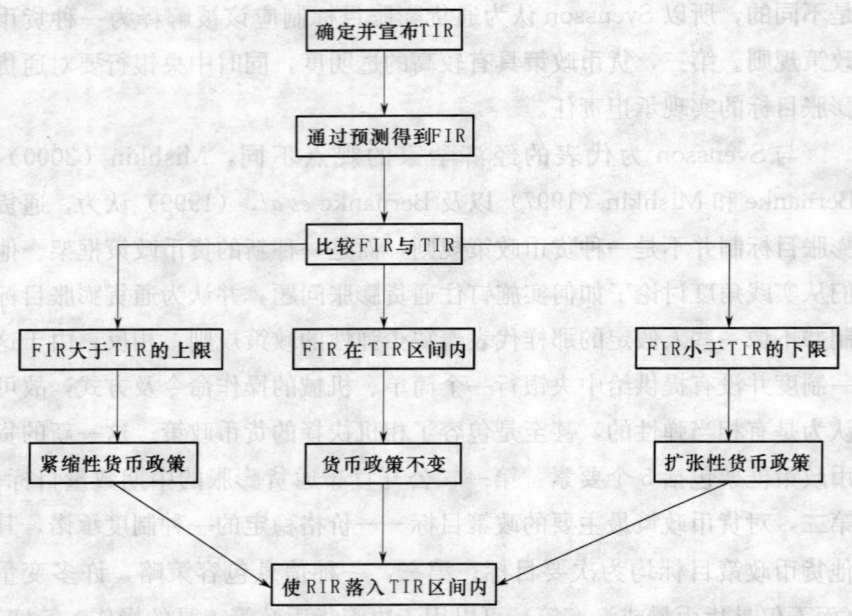

```
        确定并宣布TIR
              │
              ▼
        通过预测得到FIR
              │
              ▼
         比较FIR与TIR
              │
   ┌──────────┼──────────┐
   ▼          ▼          ▼
FIR大于TIR的上限  FIR在TIR区间内  FIR小于TIR的下限
   │          │          │
   ▼          ▼          ▼
紧缩性货币政策   货币政策不变   扩张性货币政策
   │          │          │
   └──────────┼──────────┘
              ▼
        使RIR落入TIR区间内
```

注:TIR——通货膨胀目标;FIR——通货膨胀预期;RIR——实际通货膨胀率

图 5-1 通货膨胀目标制的操作流程

5.3.2 通货膨胀目标制的基本要素

通过对已经采用通货膨胀目标制的几个代表性国家的分析,我们可以看出,通货膨胀目标制实际上是一个包括操作工具、操作目标、信息变量和最终目标在内的有关货币政策制定和实施的系统(如图 5-2)。

在这一系统中,如果我们将信息变量看成是中介目标的话,就会觉得通货膨胀目标制与传统的货币政策操作框架并没有多大区别。但事实上,尽管通货膨胀目标制仍然需要利用操作目标变量和信息变量的指示

5 通货膨胀目标制（目标规则）：理论、实践及在中国的检验

作用，但是这里的信息变量却可以是由一组变量构成的变量集，而传统的货币政策中介目标却是单一的。另外，在通货膨胀目标制框架中，中央银行并不对操作目标和信息变量的具体情况负责，而是集中力量利用信息变量的反馈机制来实现以通货膨胀为首要目标的货币政策最终目标体系。

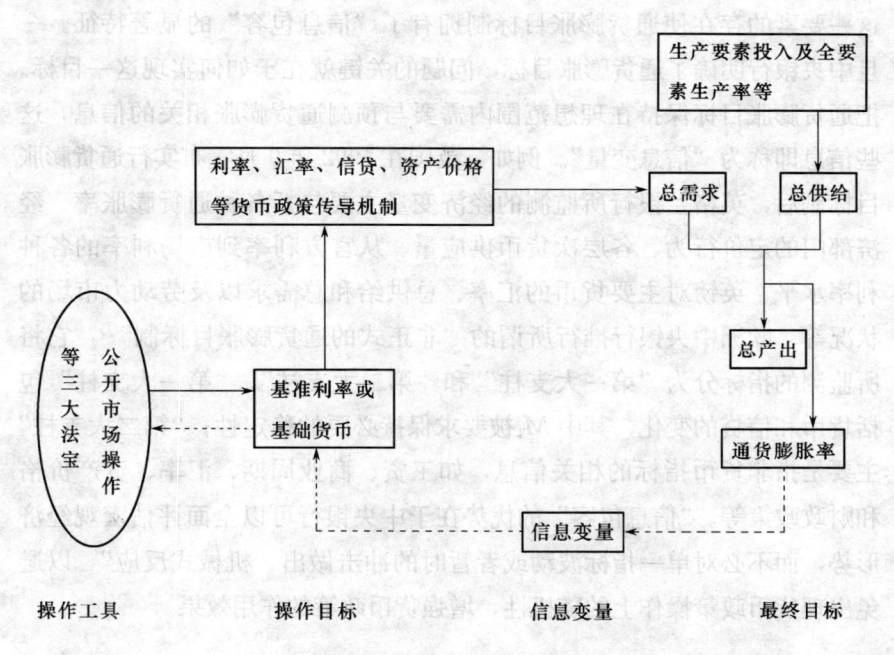

图 5-2　通货膨胀目标制框架的基本要素

通货膨胀目标制的操作工具仍然是现代中央银行的三大法宝：公开市场操作、法定存款准备金、再贴现或再贷款。由于公开市场操作具有灵活性和微调性的特征，各国中央银行已经普遍将它作为货币政策操作的主要工具了。至于其他一些诸如信贷规模、利率管制等非市场性手段，由于实行通货膨胀目标制的国家一般都是市场化国家，故均未操作过非市场性工具。

通货膨胀目标制的操作目标可以是基准利率，也可以是基础货币，但一般只能取其一而不能同时兼顾。这是因为，调整利率往往会导致货

145

币供应量的大幅度波动,而调整货币供应量又会导致利率出现大幅度波动,因此试图同时操作两者是不可能的。在具体实践中,各国往往是根据本国货币政策传导机制的特点以及货币政策操作的历史经验,来决定适合本国的货币政策操作目标。

通货膨胀目标制的信息变量是这一制度框架中最具特色的构成要素,这一要素的存在使通货膨胀目标制拥有了"信息包容"的显著特征。一旦中央银行明确了通货膨胀目标,问题的关键就在于如何实现这一目标。把通货膨胀目标保持在理想范围内需要与预测通货膨胀相关的信息,这些信息即称为"信息变量"。例如,英国在1992年9月宣布实行通货膨胀目标制后,英格兰银行所监测的经济变量主要包括各种通货膨胀率、经济部门的定价行为、各层次货币供应量、从官方利率到市场利率的各种利率水平、英镑对主要货币的汇率、总供给和总需求以及劳动力市场的状况等。欧洲中央银行推行所谓的"非正式的通货膨胀目标制"[①],它将所监测的指标分为"第一大支柱"和"第二大支柱","第一大支柱"包括货币和信贷的变化,其中M_3被要求保持必要的稳定性;"第二大支柱"主要是指非货币指标的相关信息,如工资、商业周期、汇率、资产价格和财政政策等。"信息包容"的优势在于中央银行可以全面评估宏观经济形势,而不必对单一指标波动或者暂时的冲击做出"机械式反应",以避免出现货币政策操作上的随机性,增强货币政策的作用效果。

5.4 通货膨胀目标制在中国的实证检验

5.4.1 理论模型的分析

下面我们通过一个具体化的分析模型,来考察通货膨胀目标制规则

---

① 这种"非正式的通货膨胀目标制"作为欧洲中央银行的货币政策框架,其最主要的特征是在必要时,中央银行可以偏离"通货膨胀目标"。

5 通货膨胀目标制（目标规则）：理论、实践及在中国的检验

能否描述中国的情况。在考察货币政策之前，我们首先需要应用一些经验模型，来描述经济体的内在结构和行为特征。Calvo（1978）提出了一个离散时间的最优化粘性价格模型来描述产出缺口、成本推动冲击以及未来通胀的预期水平对当前通胀的影响。该模型的最终形式可以表达为：

$$\pi_t = \kappa y_t + \delta E_t \pi_{t+1} + u_t \tag{5.18}$$

形如（5.18）式的模型有时也被称为"新凯恩斯主义菲利普斯曲线"。其中，π_t 表示通货膨胀率；y_t 表示产出缺口[①]；随机扰动项 u_t 表示一个成本推动的冲击，我们假定这个冲击集合了与自然产出水平变动不一致的其他全部外生冲击；δ 表示代表性家庭的折现因子；κ 则代表了通胀对产出缺口的反应敏感程度，这个敏感程度取决于经济体的内在结构，包括平均的价格调整频率和刚性程度等。

不过（5.18）式没有考虑过去的通胀水平在当前均衡通胀率形成过程中所起的作用，即没有考虑通胀惯性的影响。一种解释是，个体的价格指数在被编制到总体价格指数过程中会出现一期的时滞（Christiano et al.，2001）。对这个问题的一个简单改进由 Woodford（2002）给出：

$$\pi_t - \gamma \pi_{t-1} = \kappa y_t + \delta E_t [\pi_{t+1} - \gamma \pi_t] + u_t \tag{5.19}$$

其中，γ（$0 \leqslant \gamma \leqslant 1$）代表经济体中个体价格指数化的程度。Giannoni 和 Woodford（2003）的经验研究表明，这个系数取 1 时和美国的情况拟合得相当好。

另一个用来描述经济体的行为特征的方程，是近些年来非常流行的跨期欧拉方程（如 McCallum and Nelson，1999；Clarida et al.，1999；Woodford，1999a）。这个方程描述了代表性家庭支出的时间动态特性：

$$y_t = E_t y_{t+1} - \sigma(i_t - E_t \pi_{t+1} - r_t^n) \tag{5.20}$$

其中 $\sigma > 0$ 表示跨期替代弹性，r_t^n 表示对自然利率的真实扰动，i_t 表示短期名义利率（这里用银行的同业拆借率来表示）。我们假定经济体中，

[①] 这里的产出缺口用对数化的真实 GDP 偏离稳态水平的程度表示。

与货币政策相关的主要行为特征可以用以上两个模型来描述。

下面我们考察中央银行的最一般意义上的损失函数为:

$$W = E_0\left\{\sum_{t=0}^{\infty}\delta^t L_t\right\} \quad (5.21)$$

其中 $L_t = (\pi_t - \gamma\pi_{t-1})^2 + \lambda_y(y_t - y^*)^2 + \lambda_i(i_t - i^*)^2$。在上面的这个目标函数中,$\lambda_y$ 和 λ_i 分别是产出稳定目标和名义利率稳定目标在灵活通胀目标制中的权重系数,假定这两个系数都是大于 0 的;y^* 表示自然产出缺口,这个值的确定取决于市场力量是否强大以及税收扭曲是否严重,市场程度越高,税收扭曲越小,自然产出缺口便越小;i^* 则表示名义利率的最优稳定水平。于是根据损失函数(5.21)式和约束条件(5.19)式、(5.20)式,我们可以构造出拉格朗日函数:

$$\begin{aligned}L_{t_0} = E_{t_0}\sum_{t=t_0}^{\infty}\delta^{t-t_0}&\left\{\frac{1}{2}(\pi_t - \gamma\pi_{t-1})^2 + \frac{1}{2}\lambda_y(y_t - y^*)^2 + \frac{1}{2}\lambda_i(i_t - i^*)^2\right.\\ &+ \varphi_{1,t}(\pi_t - \gamma\pi_{t-1} - \kappa y_t - \delta E_t[\pi_{t+1} - \gamma\pi_t])\\ &\left. + \varphi_{2,t}(y_t - E_t y_{t+1} + \sigma(i_t - E_t\pi_{t+1} - r_t^n))\right\}\end{aligned}$$
(5.22)

对这个拉格朗日函数进行求导之前我们需要进行一些设定。我们在约束条件中将用 z_{t+1} 代替 $E_t z_{t+1}$(z 可以是 π 或者 y),因为只有 t_0 期的条件预期才会影响到 (5.22) 式,对于 $t \geq t_0$ 的视角来说,这个替代是没有影响的。也就是说有 $E_{t_0}[\varphi_t E_t z_{t+1}] = E_{t_0}[E_t(\varphi_t z_{t+1})] = E_{t_0}[\varphi_t z_{t+1}]$,于是有 $\frac{\partial \varphi_{1,t} E_t z_{t+1}}{\partial z_t} = \varphi_{1,t-1}\delta^{-1}$。为了简化表达,我们令 $\pi_t^{qd} \equiv \pi_t - \gamma\pi_{t-1}$,代入 (5.22) 式求得一阶条件后再换回来。我们可以得到以下三个一阶条件:

$$\pi_t^{qd} - \delta\gamma E_t\pi_{t+1}^{qd} - \delta^{-1}\sigma\varphi_{2,t-1} - \delta\gamma E_t\varphi_{1,t+1}\\ + (1+\delta\gamma)\varphi_{1,t} - \varphi_{1,t-1} = 0 \quad (5.23)$$

$$\lambda_y(y_t - y^*) + \varphi_{2,t} - \delta^{-1}\varphi_{2,t-1} - \kappa\varphi_{1,t} = 0 \quad (5.24)$$

$$\lambda_i(i_t - i^*) + \sigma\varphi_{2,t} = 0 \quad (5.25)$$

5 通货膨胀目标制（目标规则）：理论、实践及在中国的检验

接下来，我们将拉格朗日乘子 φ_1 和 φ_2 项消掉后可以得到：

$$E_t[A(L)(i_{t+1}-i^*)]=-E_t\left[(1-\delta\gamma L^{-1})\cdot\frac{\kappa\varpi}{\lambda_i}\cdot q_t\right] \quad (5.26)$$

其中，$A(L)\equiv\delta\gamma-(1+\gamma+\delta\gamma)L+(1+\gamma+\delta^{-1}(1+\kappa\varpi))L^2-\delta^{-1}L^3$
$$\quad (5.27)$$

$$q_t=\left(\pi_t-\gamma\pi_{t-1}+\frac{\lambda_y}{\kappa}(y_t-y_{t-1})\right).$$

注意到（5.27）式中的 $A(L)$ 是一个三次多项式，而且满足 $A(-\infty)>0$ 和 $A(+\infty)<0$，所以它至少有一个实根（不妨令它为 λ_1 的倒数），另两个要么是一对实根，要么是一对共轭复根（分别是 λ_2 和 λ_3 的倒数）。所以 $A(L)=\delta\gamma(1-\lambda_1L)(1-\lambda_2L)(1-\lambda_3L)$。令 $f_t=(1-\delta\gamma L^{-1})q_t$，于是（5.27）式又可以写成：

$$(1-\lambda_1L)(i_{t-1}-i^*)=-(\delta\gamma\lambda_2\lambda_3)^{-1}E_t[(1-\lambda_2^{-1}L^{-1})^{-1}$$
$$(1-\lambda_3^{-1}L^{-1})^{-1}f_t] \quad (5.28)$$

在满足下述条件（1）—（5）的情况下，如果等式（5.28）在所有期都能得到满足，就意味着由经济体内在因素决定的理性预期均衡，对于外生冲击的反应是最优的：（1）产出和通胀的关系可以用新凯恩斯主义的菲利普斯曲线（5.19）来描述；（2）代表性家庭的支出行为可以用形如（5.20）式的跨期替代的欧拉方程来表示；（3）经济系统中存在通胀惯性，惯性系数满足 $0\leq\gamma\leq1$，并且保持通胀率跨期平稳是央行的货币政策目标之一；（4）货币政策的另外两个目标分别是维持实际产出缺口尽可能接近自然产出缺口，维持名义短期利率尽可能接近自然短期利率，这两个目标的权重分别为 $\lambda_y>0$ 和 $\lambda_i>0$；（5）中央银行的损失函数是二次型的。

如果将利率、产出和通胀写成他们各自对自然率的离差形式，如 $\hat{i}_t=i_t-i^*$，同样的，$\hat{\pi}_t$ 和 $\hat{y}_t$ 也表示对各自均值的离差形式。注意到 $q_t=\hat{q}_t$，所以 $f_t=\hat{f}_t$。那么，（5.28）式可以进一步简化为：

$$(1-\lambda_1L)\hat{i}_{t-1}=-(\delta\gamma\lambda_2\lambda_3)^{-1}E_t[(1-\lambda_2^{-1}L^{-1})^{-1}(1-\lambda_3^{-1}L^{-1})^{-1}\hat{f}_t]$$
$$\quad (5.29)$$

如果考虑到央行可能会将未来的损失折现，根据这个折现值来制定当期的最优政策，于是我们要求将这种情况也考虑在内。令 $F_t(z) = \sum_{j=0}^{\infty} \alpha_{z,j} E_t z_{t+j}$，并且 $\sum_{j=0}^{\infty} \alpha_{z,j} = 1$，用 $F_t(\pi)$ 和 $F_t(y)$ 来代表央行对未来通胀损失和产出损失的折现。通过对（5.28）式中通胀和产出无限期预测的迭代，我们可以将（5.29）式改写成[①]：

$$F_t(\pi) + \varphi F_t(y) = \theta_\pi \pi_{t-1} + \theta_y y_{t-1} - \theta_i(i_{t-1} - i^*) - \theta_\Delta \Delta i_{t-1} \quad (5.30)$$

或者写成：

$$i_t = (1-\rho_1)i^* + \rho_1 i_{t-1} + \rho_2 \Delta i_{t-1} + \varphi_\pi F_t(\pi) + \varphi_y F_t(y) - \theta_\pi \pi_{t-1} - \theta_y y_{t-1} \quad (5.31)$$

（5.30）式就可以看做是一个消除时间非一致性的灵活通胀目标制下，经济体需要满足的准则条件。如果央行要在这种特定货币政策下，达到经济系统的理性预期均衡，就应该根据形如（5.30）式中的反应系数，来操作货币政策工具 i_t，使等式成立。注意到，（5.30）式中 $F_t(\pi)$ 和 $F_t(y)$ 表示未来通胀缺口和产出缺口的贴现，一个时间一致性的政策要求当前的目标和未来损失的贴现值是一致的，于是用 π^* 和 y^* 代替（5.30）式中的 $F_t(\pi)$ 和 $F_t(y)$，得到：

$$\theta_\pi(\pi_t - \pi^*) + \theta_y(y_t - y^*) = \theta_i(i_t - i^*) + \theta_\Delta \Delta i_t \quad (5.32)$$

（5.32）式就是满足使拉格朗日条件最小化的时间一致性最优目标准则，即如果一国实行通货膨胀目标制，货币政策的操作应该使宏观经济满足该式。

5.4.2 中国数据的检验

5.4.2.1 模型的校准

现在我们来考察形如（5.32）式的货币政策操作准则在中国的表现

[①] 推导过程见本章附录。

情况。对于代表性家庭支出的跨期替代弹性 σ，我们采用顾六宝和肖红叶（2004）在他们的研究中得到的经验数据，其计算方法采用了基于风险投资决策（阿罗—普拉特风险测量）的 θ 值经验数据测量模型（$A-P$）[①]，这里的 θ 就是 σ 的倒数。我们采用了 1994—2002 年的平均值作为跨期替代弹性的经验数据，σ 取 0.2279。对于菲利普斯曲线中产出缺口的反应系数，我们直接采用赵留彦（2005）的研究结果，即采用 GDP 衡量产出水平，可以得到 $\kappa=0.0212$。与 Giannoni 和 Woodford（2003）中规定的一样，我们采用 0.99 作为折现因子 δ 的经验值。另一个需要确定的值是通胀惯性在中央银行损失函数中的地位。我们假定央行很看重通胀水平的平稳性，当其实际值偏离自然通胀水平值时，央行更倾向采取软着陆的政策，于是我们可以假定通胀惯性水平定为 $\gamma=1$。我们再假定 $\lambda_y=0.03$，$\lambda_i=0.03$，最后根据附录中的参数设置，可以计算得到 $\theta_\pi=1$，$\theta_y=1.415$，$\theta_i=1.140$，$\theta_\Delta=6.272$。

5.4.2.2 数据的选取

通货膨胀率 π 选用由 CPI 衡量的通货膨胀水平，目标通货膨胀水平 π^* 采用本书第四章中运用的"潜在物价指数法"计算得到。产出缺口仍然使用本书第四章中计算得到的数据，即用真实 GDP 与潜在 GDP 间的缺口表示，计算公式为：

$$产出缺口 = \frac{真实\ GDP - 潜在\ GDP}{潜在\ GDP} \times 100$$

最优稳定名义利率水平 i^* 用滞后 4 期（季度）银行间同业拆借利率的平均水平代表。这样由于利率水平用滞后 4 期的平均水平表示，我们的总样本数为 42（从 1995 年第 1 季度到 2005 年第 2 季度）。

5.4.2.3 检验结果

为了检验中国的数据是否满足（5.32）式的条件，一个简单的办法就是直接检验（5.32）的左边减去右边的数值 w 是否是白噪声就行了。

[①] 具体参见顾六宝、肖红叶：《中国消费跨期替代弹性的两种统计估算方法》，载《统计研究》2004 年第 9 期。

笔者将（5.32）式各个系数和数据代入，得到 w 的数值如图 5-3 所示。显然，w 基本是随 0 轴上下波动的，但是不是白噪声序列关键还要看 w 存在不存在序列相关现象。

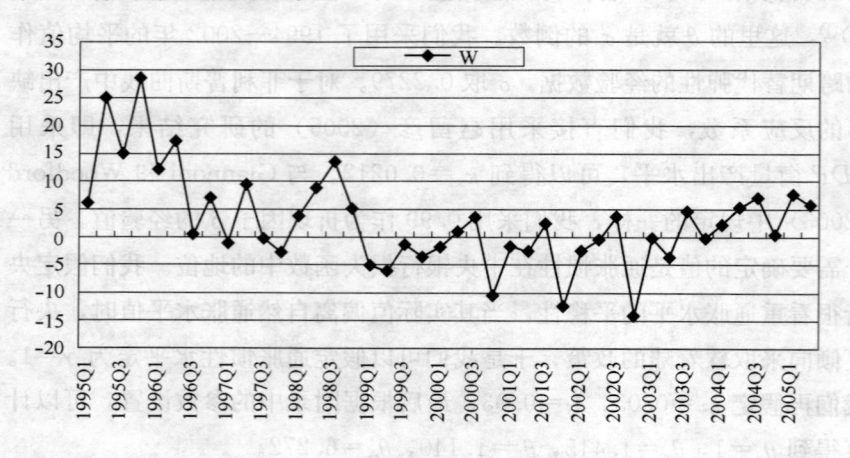

图 5-3　w 的数值及走势

下面给出 w 序列的自相关系数和偏自相关系数，具体情况如图 5-4 所示。图中虚线之间的区域是自相关中正负两倍于估计标准差所夹成的。如果自相关值在这个区域内，则在显著水平为 5% 的情形下与 0 没有显著区别。w 值的 1、2、4 阶的自相关系数都超出了虚线区域，说明存在序列自相关现象。各阶滞后的 Q 统计量的 P 值都小于 5%，说明在 5% 的显著性水平下，拒绝原假设，w 序列存在序列相关，即不是随机扰动的白噪声序列。

由于（5.32）式的左边减右边的数值不是随机扰动项，说明我国的实际数据不支持（5.32）所要求的实施通货膨胀目标制的操作条件。

5.4.2.4　检验结果的简要分析

我们用中国 1994 年第 1 季度到 2005 年第 2 季度的数据进行实证分析的结果表明，按照形如（5.32）式的灵活通胀目标制规则在当前中国的货币政策实践中还不是非常适合。一个重要的原因是目前中国正处于经济转轨时期，产出波动和通胀波动都还具有相当程度的非平稳特性，

5 通货膨胀目标制（目标规则）：理论、实践及在中国的检验

Autocorrelation	Partial Correlation		AC	PAC	Q-Stat	Prob
		1	0.461	0.461	9.5991	0.002
		2	0.509	0.376	21.565	0.000
		3	0.165	-0.230	22.850	0.000
		4	0.365	0.287	29.312	0.000
		5	0.081	-0.157	29.640	0.000
		6	0.170	-0.047	31.120	0.000
		7	0.058	0.164	31.299	0.000
		8	0.170	-0.028	32.861	0.000
		9	0.058	-0.007	33.050	0.000
		10	0.073	-0.023	33.359	0.000
		11	0.111	0.154	34.098	0.000
		12	0.058	-0.146	34.302	0.001
		13	-0.059	-0.208	34.527	0.001
		14	-0.169	-0.042	36.404	0.001
		15	-0.154	-0.083	38.025	0.001
		16	-0.195	-0.047	40.733	0.001
		17	-0.106	0.161	41.568	0.001
		18	-0.150	-0.058	43.304	0.001
		19	-0.046	-0.006	43.472	0.001
		20	-0.020	0.200	43.506	0.002

图 5-4 w 的相关图

经济的运行正在由一个均衡向下一个均衡转变。特别在由计划经济向市场经济转型的过程中，中国的通货膨胀经历了由高通胀—软着陆—通货紧缩—温和通胀的转变路径，产出也由经济过热走向持续的平稳增长。在这一系列非平稳的转变过程中，意味着经济内生变量（产出和通胀）的目标选择将会存在非常大的不确定性，并且处于转型中的经济运行对于货币政策的冲击十分敏感。由于产出和通胀目标设定过程中的不确定性，微小的政策冲击也会对经济的均衡转变过程产生影响。一旦在目标制定的过程中没有考虑到这种均衡转变的路径和走向，很可能设计出的货币政策规则无法很好的促进宏观经济的平稳运行和发展。另一方面，通货膨胀目标制的实现还有赖于中央银行在货币政策操作过程中体现出

来的可信性、透明性和责任性等。一种灵活的通胀目标制,需要包括以下三个最基本的条件(Svensson,1999):(1)一个明确的可量化的通胀目标;(2)一个明确的决策规则,使通胀预期成为一个可操作的中介目标;(3)央行决策的透明程度要高,责任性要强。目前我国只是在第一个条件上已经基本实现,每年政府都会在工作报告中公布通货膨胀目标。第二个条件是目前学术界和政策制定部门的一个重要研究任务,即如何根据中国经济的转型特点设计符合中国特色的货币政策规则。第三个条件涉及央行的决策理念和决策思路的转型。对于相机抉择的货币政策而言,由于不需要公开央行的货币政策操作程序,不需要制定一个高度量化的决策规则,当然也就无法客观评价政策执行的效果,自然中央银行也就无须为货币政策的相关决策负责。如果我国的货币政策操作要实现从相机抉择型操作向规则型操作的转型,中央银行在货币政策操作方面的透明度就应当继续提高,责任性也要相应加强。这种制度安排与通货膨胀目标制的货币政策规则是相匹配的。如果央行能够建立一个公开透明的决策程序,承诺对货币政策的操作负责,就能够使公众形成稳定而明确的预期,并且中央银行可将这种预期作为操作工具来实现货币政策目标。显然,在公众对央行的行为没有形成稳定有效预期的情况下,货币当局很难将这个不稳定的预期用作操作目标来操作货币政策。这在某种程度上也解释了为什么当前中国实行灵活通胀目标制还有一定的限制性,实证检验的结果当然也不理想。

5.5 通货膨胀目标制在中国的适用性分析

5.5.1 实施通货膨胀目标制的条件

(1)在实施通货膨胀目标制时,中央银行要确认经济中最重要的目标是通货膨胀

5 通货膨胀目标制（目标规则）：理论、实践及在中国的检验

首先，从实施通货膨胀目标制的国家来看，有相当部分的国家是为了加入欧盟，以获得区域经济一体化的好处而去控制通货膨胀。其次，政府或央行在治理通货膨胀或通货紧缩时，很难协调物价变动率与失业率、经济增长率以及汇率之间的关系，特别是通货膨胀与失业率之间的关系，许多国家都存在这两者之间负相关的关系。如加拿大、新西兰和英国在20世纪90年代开始实施通货膨胀目标制的时候，三国的通货膨胀率分别由20世纪80年代的5.8%、7.5%和11.6%下降到20世纪90年代的1.56%、3.6%和1.73%，而同期三个国家的失业率却分别从20世纪80年代的9.3%、7.0%和5.0%上升到了20世纪90年代的9.57%、7.31%和7.96%（柳永明，2002）。总之，如果一国的最重要的经济目标不是通货膨胀而是失业或经济增长或汇率时，货币当局即便是选择了通货膨胀目标制作为其货币政策规则，当政府为控制通货膨胀率而造成失业率上升或经济增长率、汇率变量的波动超过一定程度时，政府也会放弃这一目标框架。

（2）中央银行要有一套货币政策工具，可以有效控制该国的通货膨胀水平

一般来说，一国政府或中央银行可以通过采取适当的货币政策和财政政策来控制通货膨胀水平，但当该国选择了通货膨胀目标制并向社会公众宣布其目标和定期公布实际的通货膨胀时，此时控制通货膨胀水平就成为政府或中央银行的首要任务。如果出现实际的通货膨胀水平高于目标水平，而政府或货币当局又没有有效的货币政策工具来遏制这一趋势的话，该国的通货膨胀目标制就会失信于民，这样社会公众就只能按高于政府宣布的通货膨胀目标来调整自己的行为，最终会导致通货膨胀目标无法实现。

（3）中央银行或政府能清晰地界定通货膨胀的目标水平并且具备与公众进行沟通的有效机制

要使中央银行能有效实施通货膨胀目标制，必须要求用来代表物价水平变动率的通胀指标要含义明确并能定期公布。其次是这个通货膨胀

目标应该是长期有效的。最后,这一机制还要求中央银行要向社会公众公布其通货膨胀目标和实际运行情况,公众可通过通货膨胀目标的水平来调整行为,促成中央银行目标的实现。如果当预期的通货膨胀与实际通胀水平发生差异时,公众会自然预期到央行会通过利率的变动来调节经济,进而影响公众的消费、投资等一系列决策,最终会达到通货膨胀目标水平。

(4) 中央银行应具备相当大的独立性

中央银行的独立性是采用通货膨胀目标制国家必须满足的一个先决条件。中央银行不一定拥有完全的法律意义上的独立性,但至少要拥有为实现某种名义目标而可以调整货币政策工具的充分自由,即至少要拥有工具独立性。为了达到这一点要求,该国不能显示出任何财政控制的迹象,也就是说,货币政策行为不能被单纯的财政目的所控制或抑制。这意味着财政部门向中央银行或银行体系借款的可能性很低或根本不存在;政府应该有广泛的收入来源,不应依赖于增发超额货币而产生的铸币税收入;国内金融市场应有足够的容量来吸收公共和私人债券的发行;公债的积累应当是可持续的且不会过度限制货币政策作用的发挥。如果这些条件不能满足,大规模或长期的财政不平衡将会引起通货膨胀的压力。同时不可避免的是,通货膨胀将会使货币政策实现名义目标的效率大大下降,而中央银行还会在高通胀情况下不得不采取适应性的货币政策。在这种情况下,很难单纯依靠货币政策来实现通货膨胀的持续性降低,货币政策的有效性也必将大大减弱。

5.5.2 我国目前还不具备实施通货膨胀目标制的条件

(1) 从目标变量的选择来看,通货膨胀目标是重要的但不是惟一重要的目标

在实践中要充分考虑目标变量在一国经济中的重要性,既要考虑到通货膨胀目标与其他对内平衡目标的关系,也要考虑它与对外平衡之间的关系。从一国的内部均衡目标来看,通货膨胀与经济增长之间存在着

5 通货膨胀目标制（目标规则）：理论、实践及在中国的检验

一种反向变动的关系，从而通货膨胀与失业率之间也存在着反向变动关系。从我国目前的状况来看，我们必须要考虑转型过程中的国有企业改制和农民工因素以及社会失业率问题。如果只将通货膨胀率作为货币政策的目标可能会以经济增长率的损失或失业率的上升为代价，一旦失业率上升到社会所不能容忍的程度，政策就会干预经济解决政府认为最重要的问题，这样一来，中央银行向社会公众承诺的通货膨胀量化的目标也就不可能实现了。

另一方面，从一国的外部均衡来看，一国币值的稳定既包括对内物价水平的稳定也包括对外汇率的稳定，而通货膨胀目标制却仅包括对内的目标。一般来讲，一国的通货膨胀水平的变动会影响到汇率的高低，而一国汇率水平的变动也会影响到一国的通货膨胀的变动，我国也不例外。1994年我国开始实施有管理的浮动汇率制度并对贸易收支的管理实行结售汇制以来，我国的对外收支状况发生了很大变化，外汇储备持续快速增长，至2005年底中国的外汇储备已达8189亿美元。一方面我国的外汇结售汇制要求出口所获得的外汇要按照规定出售给中央银行，进口所需外汇则从中央银行的外汇指定银行购买，这就意味着外汇储备的增长会导致人民币升值；但另一方面，我国的人民币汇率在实践中又是盯住美元的，这就要求中央银行对外汇市场进行干预，即在市场上投放基础货币。如果中央银行不对此进行对冲交易，就会导致货币供应量的迅速增加和物价水平的过度上升。总之，如果我国国际收支顺差的局面持续下去的话，人民币升值的压力就会不断增加，人民币的对外价格一旦发生变化，就势必会影响到人民币对内价值即通货膨胀率的变动，从而同样会影响通货膨胀目标的实现。

（2）从技术方面来看，对通货膨胀目标的量化及预测还有待完善

目前，世界各国就通货膨胀目标的量化指标一般采用消费物价指数（CPI）。但我国统计的物价指数除了消费物价指数外，还有零售物价指数（RPI）、工业品出厂价格指数、原材料、燃料、动力购进物价指数以及固定资产投资价格指数等。从图5-5可以看出，不仅以上几种物价

指数的变动率有差异，而且当变动的方向发生改变时，几种指标也具有时间上的差异，因此，就有必要对通货膨胀目标的量化指标选定进行认真的研究和考察。此外，我国对通货膨胀的预测工作还存在许多不足，目前还无法对通货膨胀指标进行准确预测，在这种情况下，中央银行即使实施了通货膨胀目标制也无法保证目标的实现。

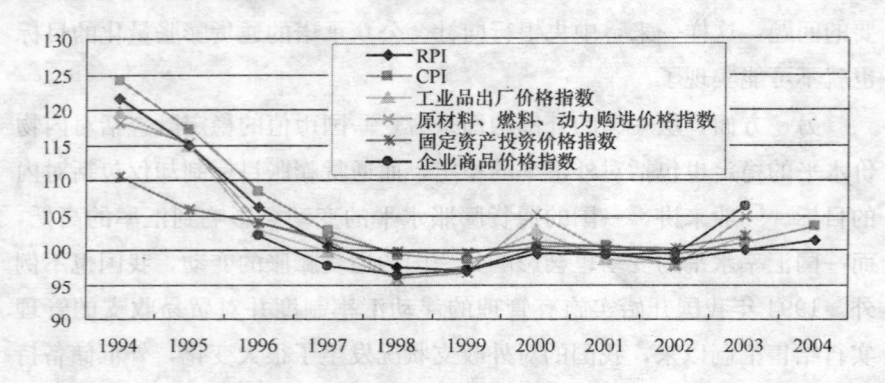

图 5-5　我国各种物价指数的走势情况比较

（3）从市场环境来看，市场机制的不完善有碍于通货膨胀目标制的顺利实施

首先，我国正处于从传统计划经济体制向社会主义市场经济体制转型的过程中，市场机制还不完善，通货膨胀目标的实现机制不具备。通货膨胀目标的实现要求中央银行可以使利率随通胀偏差和产出缺口进行调整，并通过利率的变动影响公众消费和投资决策，进而影响和控制通货膨胀。此外，通胀目标的公开和央行定期公布通胀目标会影响公众行为，社会公众可据此调整其长期合同如劳动合同和销售合同等。前者要求公众的行为对利率的变动是敏感的，后者则要求上述合同是可以根据通胀率的预期而变化。但我国目前的实际情况是，利率的变动对我国微观市场主体的影响不是很确定，如 1996 年 8 月以后连续 8 次下调利率，但城乡居民的储蓄存款却持续快速增长。

其次，由于市场机制的不完善，仅靠政府或中央银行的经济手段并

5 通货膨胀目标制（目标规则）：理论、实践及在中国的检验

不能使社会公众产生合理预期，各级政府对实际经济活动不同程度的干预反而导致市场主体行为的扭曲。因此，政府调节经济运行的手段就不仅包括经济手段，还有法律手段和行政手段，而行政手段的过度采用又必然会降低中央银行的独立性，不利于货币政策责任制的建立和货币政策透明度的提高，最终当然会影响到货币政策实施的效果。

再次，我国的金融市场体系的发育还不充分，利率市场化还未完成，货币政策工具与通货膨胀间的关系还存在不确定性。

本 章 小 结

本章对当今世界最流行的目标规则——通货膨胀目标制进行了理论和实证分析。书中首先介绍了新西兰、英国、加拿大、芬兰、澳大利亚、西班牙、以色列、韩国等代表性国家通货膨胀目标制的实践情况。通过对采用通货膨胀目标制国家在实行这一全新货币政策框架前后的平均通货膨胀水平的比较，笔者发现，通货膨胀目标制的政策框架对于有效控制通货膨胀确实起到了很好的作用。

为什么通货膨胀目标制在 20 世纪 90 年代以来如此盛行？为什么大多数国家采用灵活通胀目标制而不是严格通胀目标制？本章的理论分析回答了这两个问题。由于通货膨胀目标制要求对中央银行实行目标设定惩罚，致使通货膨胀偏差明显下降，这充分体现了实行通货膨胀目标制的优越性。而如果中央银行实行严格通胀目标制，就有可能造成严重的政策失误，故大多数实行通货膨胀目标制的国家都选择实行灵活通胀目标。

尽管对通货膨胀目标制究竟是一种货币政策规则还是一种全新的货币政策框架仍然存在着不同的意见，但学术界至少对通货膨胀目标制的下列特征是有共识的：第一，明确规定一个数量化的通货膨胀目标；第二，货币政策操作应该有相当高的透明度；第三，中央银行对通货膨胀

目标的实现承担责任。另外，通过对实行通货膨胀目标制的代表性国家的分析，我们可以发现通货膨胀目标制是一个包括操作工具、操作目标、信息变量和最终目标在内的有关货币政策制定和实施的系统。

通过对中国实际数据的分析，笔者发现灵活通胀目标制规则在当前中国的货币政策实践中还不是非常适合。这一实证研究结果与本章对通货膨胀目标制在中国的适用性分析的结论是一致的。

5 通货膨胀目标制（目标规则）：理论、实践及在中国的检验

本 章 附 录

证明：(5.29) 式可以写成：

$$\hat{i}_{t-1} - \lambda_1 \hat{i}_{t-2} = -(\delta\gamma\lambda_2\lambda_3)^{-1} v_t \tag{a-1}$$

其中 $v_t \equiv E_t \left[(1-\lambda_2^{-1}L^{-1})^{-1}(1-\lambda_3^{-1}L^{-1})^{-1} \hat{f}_t \right]$

考虑 $\lambda_2 \neq \lambda_3$ 的情况。令 $c_2 \equiv \lambda_3/(\lambda_3-\lambda_2)$，$c_3 \equiv \lambda_2/(\lambda_3-\lambda_2)$，有

$$(1-\lambda_2^{-1}L^{-1})^{-1}(1-\lambda_3^{-1}L^{-1})^{-1}$$
$$= c_2(1-\lambda_2^{-1}L^{-1})^{-1} - c_3(1-\lambda_3^{-1}L^{-1})^{-1} \tag{a-2}$$

这样，变量 v_t 可以写成

$$v_t = E_t \{ [c_2(1-\lambda_2^{-1}L^{-1})^{-1} - c_3(1-\lambda_3^{-1}L^{-1})^{-1}] \hat{f}_t \}$$
$$= E_t \left[\sum_{j=0}^{\infty} (c_2 \lambda_2^{-j} - c_3 \lambda_3^{-j}) \hat{f}_{t+j} \right] \tag{a-3}$$

因为

$$E_t \hat{f}_{t+j} = \frac{\kappa\varpi}{\lambda_i} E_t (\hat{q}_{t+j} - \delta\gamma \hat{q}_{t+j+1})$$
$$= \frac{\kappa\varpi}{\lambda_i} E_t \left[-\gamma \hat{\pi}_{t+j-1} + (1+\delta\gamma^2)\hat{\pi}_{t+j} - \delta\gamma \hat{\pi}_{t+j+1} \right] \tag{a-4}$$
$$+ \frac{\lambda_y \sigma}{\lambda_i} E_t \left[-\gamma \hat{y}_{t+j-1} + (1+\delta\gamma)\hat{y}_{t+j} - \delta\gamma \hat{y}_{t+j+1} \right]$$

所以变量 v_t 可以写成：

$$v_t = \frac{\kappa\varpi}{\lambda_i} E_t \left[\sum_{j=0}^{\infty} (c_2 \lambda_2^{-j} - c_3 \lambda_3^{-j})(-\gamma \hat{\pi}_{t+j-1} + (1+\delta\gamma^2)\hat{\pi}_{t+j} - \delta\gamma \hat{\pi}_{t+j+1}) \right]$$
$$+ \frac{\lambda_y \sigma}{\lambda_i} E_t \left[\sum_{j=0}^{\infty} (c_2 \lambda_2^{-j} - c_3 \lambda_3^{-j})(-\hat{y}_{t+j-1} + (1+\delta\gamma)\hat{y}_{t+j} - \delta\gamma \hat{y}_{t+j+1}) \right]$$
$$= \frac{\kappa\varpi}{\lambda_i} \sum_{j=-1}^{\infty} \tilde{\alpha}_{\pi,j} E_t \hat{\pi}_{t+j} + \frac{\lambda_y \sigma}{\lambda_i} \sum_{j=-1}^{\infty} \alpha_{y,j} E_t \hat{y}_{t+j}$$

$$\tag{a-5}$$

其中，对于所有的

$$\tilde{\alpha}_{\pi,-1} = -\gamma$$
$$\tilde{\alpha}_{\pi,0} = 1 + \delta\gamma^2 - (c_2\lambda_2^{-1} - c_3\lambda_3^{-1})\gamma$$
$$\tilde{\alpha}_{\pi,j} = -(c_2\lambda_2^{-j+1} - c_3\lambda_3^{-j+1})\delta\gamma + (c_2\lambda_2^{-j} - c_3\lambda_3^{-j})(1 + \delta\gamma^2)$$
$$\quad -(c_2\lambda_2^{-j-1} - c_3\lambda_3^{-j-1})\gamma$$
$$\alpha_{y,-1} = -1$$
$$\alpha_{y,0} = 1 + \delta\gamma - (c_2\lambda_2^{-1} - c_3\lambda_3^{-1})$$
$$\alpha_{y,j} = -(c_2\lambda_2^{-j+1} - c_3\lambda_3^{-j+1})\delta\gamma + (c_2\lambda_2^{-j} - c_3\lambda_3^{-j})(1 + \delta\gamma)$$
$$\quad -(c_2\lambda_2^{-j-1} - c_3\lambda_3^{-j-1})$$

(a-6)

接下来继续将 v_t 分解

$$v_t = \frac{\kappa\varpi}{\lambda_i}S_\pi \sum_{j=0}^{\infty} \alpha_{\pi,j}E_t\hat{\pi}_{t+j} + \frac{\lambda_y\sigma}{\lambda_i}\sum_{j=0}^{\infty}\alpha_{y,j}E_t\hat{y}_{t+j} - \frac{\kappa\varpi\gamma}{\lambda_i}\hat{\pi}_{t-1} - \frac{\lambda_y\sigma}{\lambda_i}\hat{y}_{t-1}$$

(a-7)

其中（对于 $\forall j \geq 1$）

$$S_\pi = \sum_{j=0}^{\infty}\tilde{\alpha}_{\pi,j} = \frac{\lambda_3(1+\delta\gamma^2-\delta\gamma-\lambda_2^{-1}\gamma)}{(\lambda_3-\lambda_2)(1-\lambda_2^{-1})} - \frac{\lambda_2(1+\delta\gamma^2-\delta\gamma-\lambda_3^{-1}\gamma)}{(\lambda_2-\lambda_3)(1-\lambda_3^{-1})}$$
$$= \gamma + \frac{(1-\gamma)(1-\delta\gamma)}{(1-\lambda_2^{-1})(1-\lambda_3^{-1})} \geq \gamma$$

(a-8)

而且有（对于 $\forall j \geq 0$）

$$\alpha_{\pi,j} = \frac{\tilde{\alpha}_{\pi,j}}{S_\pi} \quad \text{(a-9)}$$

注意到，系数 $\alpha_{\pi,j}$ 和 $\alpha_{y,j}$ 满足 $\sum_{j=0}^{\infty}\alpha_{\pi,j} = \sum_{j=0}^{\infty}\alpha_{y,j} = 1$。将（a-7）式代入到（a-1）式中，将变量 z_t 用 $z_t - z^*$ 代替，我们可以得到最优目标准则的另一种表达式

$$\frac{\kappa\varpi}{\lambda_i}S_\pi(F_t(\pi) - \pi^*) + \frac{\lambda_y\sigma}{\lambda_i}F_t(y) = \frac{\kappa\varpi\gamma}{\lambda_i}(\pi_{t-1} - \pi^*)$$
$$+ \frac{\lambda_y\sigma}{\lambda_i}y_{t-1} - \delta\gamma\lambda_2\lambda_3((1-\lambda_1)(i_{t-1}-i^*) - \lambda_1\Delta i_{t-2}) \quad \text{(a-10)}$$

5 通货膨胀目标制（目标规则）：理论、实践及在中国的检验

也就是

$$F_t(\pi) + \varphi F_t(y) = \theta_i i^* + (1-\theta_\pi)\pi^* + \theta_\pi \pi_{t-1} \\ + \theta_y y_{t-1} - \theta_i i_{t-1} - \theta_\Delta \Delta i_{t-1} \quad (a\text{-}11)$$

其中：

$\varphi = \theta_y = \dfrac{\lambda_y}{\kappa S_\pi} > 0$ ；

$\theta_\pi = \dfrac{\gamma}{S_\pi} > 0$ ；

$\theta_i = \dfrac{\lambda_i \delta \gamma (1-\lambda_1) \lambda_2 \lambda_3}{\kappa \sigma S_\pi} > 0$ ；

$\theta_\Delta = \dfrac{\lambda_i \delta \gamma \lambda_1 \lambda_2 \lambda_3}{\kappa \sigma S_\pi} > 0$。 （$\lambda_1 = 0.8457$，$\lambda_2 = 1.0872 + 0.156i$，$\lambda_3 = 1.0872 - 0.156i$）

证毕。

6 开放经济下的货币政策规则：理论及 MCI 的作用

前文对货币政策规则的研究始终没有突破封闭经济的假设。自改革开放以来，中国经济的开放水平逐年提高，随着经济全球化和金融一体化的迅速发展，中国经济的诸多方面都与世界经济的发展紧密相联。对于货币政策规则的研究，也应该注意到这种开放经济的现实发展，而将研究视野放宽到开放经济中。20 世纪 80 年代末，加拿大中央银行首先提出了货币状况指数（monetary condition index，MCI），将汇率因素纳入到货币政策操作目标中，引起了国际清算银行以及越来越多国家的中央银行的密切关注，瑞典、芬兰、冰岛、挪威以及新西兰等国中央银行纷纷采用 MCI 操作货币政策[1]。随着我国经济开放程度的加快，汇率作为货币政策决策的重要金融变量之一，其重要性也愈益明显。对 MCI 进行系统研究，具有重要的现实意义。

6.1 开放经济下的最优货币政策

对于中央银行在操作货币政策时应该采用什么样的政策规则这一问

---

[1] 加拿大银行最先采用 MCI 衡量利率、汇率在经济活动中的综合效应，新西兰储备银行在 20 世纪 90 年代中期开始采用 MCI，这两家中央银行均将 MCI 作为货币政策的操作目标。而其他国家的中央银行仅将 MCI 作为政策指示器变量。

6 开放经济下的货币政策规则：理论及 MCI 的作用

题，越来越多的经济学家和政策制定者提倡通货膨胀目标制，也有许多人认为应该通过泰勒规则（利率根据产出缺口和通胀缺口进行调整）实现通胀目标。这些观点也得到了 Svensson（1997a）和 Ball（1997）的理论模型的支持。正如前文所分析的那样，作为当前最流行的泰勒规则和通货膨胀目标制规则的分析都有封闭经济的假定。本节将 Svensson-Ball 模型扩展至开放经济的情况，以找出最优货币政策的改变。在开放经济中，通胀目标制和泰勒规则都是次优的，除非对它们进行一些重要的修正。这是由于货币政策不仅通过利率渠道传导，而且会通过汇率渠道影响经济，经济的开放程度越大，货币政策的汇率传导机制的作用也就越大。故在开放经济下，中央银行需要不同的货币政策规则。

开放经济下的货币政策规则与封闭经济下的泰勒规则有两点不同：第一，政策工具是利率和汇率的加权和——货币状况指数；第二，在政策规则的右边，通货膨胀被"长期通胀"所替代，这一变量度量的是对汇率波动的短期效应进行调整后的通货膨胀（Ball，1997）。

6.1.1 模型

6.1.1.1 假设

考虑到开放经济下的不同情况，笔者对 Svensson（1997a）和 Ball（1997）的模型进行了扩展，假设宏观经济模型由以下三个方程式组成：

$$\pi_t = \pi_{t-1} + \alpha y_{t-1} - \beta(q_{t-1} - q_{t-2}) + u_t \tag{6.1}$$

$$y_t = \lambda y_{t-1} - \alpha_1 r_{t-1} - \alpha_2 q_{t-1} + v_t \tag{6.2}$$

$$q_t = \gamma r_t + \varepsilon_t \tag{6.3}$$

其中，y 是实际产出的对数，r 是实际利率，q 是实际汇率的对数（q 的增加意味着本币升值，即采用间接标价法），π 是通货膨胀，u、v 和 ε 均为白噪声干扰。所有变量均为正，同时，所有变量都表示为与平均水平的偏离。

（6.1）式表示开放经济下的动态菲利普斯曲线：通货膨胀的变化取决于产出的滞后值、汇率的滞后变化以及一个供给冲击。汇率的变化之所以影响通货膨胀是由于它直接影响进口价格。

（6.2）式表示动态的、开放经济下的 IS 曲线：产出依赖于实际利率和实际汇率的滞后值、自身的滞后值以及一个需求冲击。

（6.3）式表示考虑了资产市场的行为，将利率和汇率联系在一起。主要意思是，利率的增加使得国内资产更具吸引力，这会导致本币升值。冲击 ε 代表了对汇率的其他影响因素，如预期、投资信心以及外国利率等。

中央银行选择实际利率 r。我们可以将任何规则理解为是设定 r 的规则。通过（6.3）式，我们还可以以将任一规则重写为设定汇率 q 的规则，或是设定 q 和 r 的某种联合。

本模型的一个主要特征就是货币政策通过两个渠道影响通货膨胀。一次货币紧缩会使产出减少并进而通过菲利普斯曲线降低通货膨胀，也可以通过本币升值直接降低通货膨胀。（6.1）式至（6.3）式中的滞后项说明第一个渠道要经过两个时期发挥作用：紧缩同时提高利率 r 和汇率 q，但这些变量要经过一个时期才能影响产出，产出则要经过另一个时期才会影响到通货膨胀。作为比较，汇率的直接影响渠道仅经历一个时期就能影响通货膨胀。这些假设与汇率渠道是货币政策影响通货膨胀的最快渠道的普遍认识是一致的。

6.1.1.2　校准（Calibration）

在本模型的分析中，我们定义的一个时期为一年，这样，模型的时间滞后就是基本符合现实的。许多实证研究表明，政策通过直接的汇率渠道影响通货膨胀需要一年时间，而通过产出渠道则需要两年（如 Reserve Bank，1996；Lafleche，1997）。

这里的分析需要用到一系列基础参数值，其中的一些参数直接引用了 Ball（1997）的封闭经济模型。基于 Ball 讨论的证据，我们假定产出的持续系数 λ 为 0.8；菲利普斯曲线的斜率 α 为 0.4；利率上升一个点的总产出损失是 1.0。在现在的模型里，这一总效应是 $\alpha_1 + \alpha_2 \gamma$，其中的 α_1 是利率的直接效应，而 $\alpha_2 \gamma$ 则是通过汇率的间接影响。所以本书

6 开放经济下的货币政策规则：理论及 MCI 的作用

假定 $\alpha_1+\alpha_2\gamma=1.0$。

其他的参数依赖于经济的开放度。Ball（1997）给出的基础值基于一些中小型开放经济体，如加拿大、澳大利亚以及新西兰等，有关这些参数的主要资料来源于这些国家中央银行的研究成果。Ball 假设 $\beta=0.2$（百分之一的升值会使通货膨胀减少 0.2 个百分点），$\gamma=2.0$（利率增加一个百分点会导致两个百分点的升值）。我们还假设 $\alpha_1/\alpha_2=3.0$，同时考虑到其他假设，意味着 $\alpha_1=0.6$ 和 $\alpha_2=0.2$。

6.1.2 有效工具规则（efficient instrument rules）

按照泰勒（Taylor，1995）的定义，最优政策规则是指能使产出和通货膨胀的加权方差和最小化的政策。权重是由政策制定者的偏好决定的。而 Ball（1997）认为，一个"有效的"规则对于一些权重来说是最优的，或者等价于能使经济运行在产出方差—通胀方差边界（output variance-inflation variance frontier）上的规则。本部分将推导该模型的有效规则。

6.1.2.1 规则中的变量

根据前文的讨论，我们可以将政策规则解释为利率 r 的规则、汇率 q 的规则或是两者组合的规则。首先，考虑汇率 q 的规则是非常方便的。为了导出有效规则，先将（6.3）式代入（6.2）式以消去模型中的 r，我们将时间下标设为下一期以显示当前汇率对未来产出和通货膨胀的影响，有：

$$y_{t+1}=-(\alpha_1/\gamma+\alpha_2)q_t+\lambda y_t+v_{t+1}+(\alpha_1/\gamma)\varepsilon_t \quad (6.4)$$

$$\pi_{t+1}=\pi_t+\alpha y_t-\beta(q_t-q_{t-1})+u_{t+1} \quad (6.5)$$

考虑政策制定者选择当期的汇率水平 q。我们可以用两个关于（6.4）式和（6.5）式右边项的表达式来定义模型的状态变量（state variables）：$\lambda y_t+(\alpha_1/\gamma)\varepsilon_t$ 和 $\pi_t+\alpha y_t+\beta q_{t-1}$。产出和通货膨胀的未来路径就取决于这两个表达式、选择 q 的规则以及未来冲击。既然模型是二次线性的（linear-quadratic），我们就可以将最优规则写成这两个状态变量的线性表达式：

$$q_t = m[\lambda y_t + (\alpha_1/\gamma)\varepsilon_t] + n[\pi_t + \alpha y_t + \beta q_{t-1}] \tag{6.6}$$

其中，m 和 n 是待决定的常数。

在（6.6）式中，q 的选择取决于汇率冲击 ε 和其他可观察的变量。由（6.3）式可知，ε 可用 $q - \gamma r$ 来代替。将这一表达式代入（6.6）式重新整理有：

$$wr_t + (1-w)q_t = ay_t + b(\pi_t + \beta q_{t-1}) \tag{6.7}$$

其中，$w = \dfrac{m\alpha_1 \gamma}{\gamma - m\alpha_1 + m\alpha_1 \gamma}$，$a = \dfrac{\gamma(m\lambda + n\alpha)}{\gamma - m\alpha_1 + m\alpha_1 \gamma}$，$b = \dfrac{n\gamma}{\gamma - m\alpha_1 + m\alpha_1 \gamma}$。

（6.7）式将最优政策表示为有关 r 和 q 的平均的规则。

6.1.2.2 解释

在 Svensson-Ball 的封闭经济模型中，最优政策是一个泰勒规则：利率取决于产出和通货膨胀。（6.7）式在两个方面修正了泰勒规则：第一，政策变量是一个 r 和 q 的组合；第二，通货膨胀被 $\pi_t + \beta q_{t-1}$，一个通货膨胀和滞后汇率的组合所取代。每一个修正都有一个简单的解释。

第一个结论支持了货币状况指数的实践，即将 r 和 q 的平均用作政策工具。一些国家使用了这个方法，包括加拿大、新西兰和瑞典（Gerlach & Smets, 1996）。使用 MCI 的基本原理是这一指标检测了经济的所有状态，包括通过 r 和 q 的刺激。政策制定者觉得需要紧缩或扩张时就调整 MCI。当存在 r 和 q 的替代关系（（6.3）式的冲击）时，调整利率 r 就是为了将 MCI 维持在目标水平上。

对泰勒规则的第二个修正更具戏剧性。在产出维持在自然率水平上时，$\pi_t + \beta q_{t-1}$ 项可以解释为对通货膨胀的长期预期。在封闭经济的菲利普斯曲线中，这一预期就是当前的通货膨胀。而在开放经济中，由于汇率最终会回归到被标准化为零的长期水平，故通货膨胀就会发生变化。例如，如果 q 在前期为正，那么，从当期开始的某个时点就会有贬值了的 q_{t-1}。由（6.1）式可知，在当期以后的某个时点上，通货膨胀就会增加 βq_{t-1}。本书用"长期通货膨胀"和符号 π^L 代表 $\pi_t + \beta q_{t-1}$。

6 开放经济下的货币政策规则：理论及 MCI 的作用

更宽泛地来说，我们可以将 $\pi_t + \beta q_{t-1}$ 视为滤除了汇率的直接且是暂时效应后的通货膨胀。对于给定的产出路径，升值可以降低通货膨胀，但当升值趋势反转后又会上升 βq_{t-1}。将通货膨胀从 π 调整到 π^L 就类似于中央银行试图计算"核心"或是"潜在"通货膨胀。这些变量衡量的是对一些短期影响进行调整后的通货膨胀，如直接税或商品价格的变化等。在本书的模型中，最小化产出和通货膨胀的方差要求政策对经调整后的通货膨胀变量作出反应，这一调整是针对汇率的短期效应进行的。

6.1.2.3 规则的有效系数

政策规则（6.7）式的系数取决于常数 m 和 n，但它们还是未确定的。接下来，我们来推导 m 和 n 的有效组合——使经济运行在产出方差—通胀方差边界上。政策规则的确定取决于（6.1）式至（6.3）式的系数，并不取决于三个冲击的方差（尽管这些方差决定了边界的绝对位置）。在基础参数值的基础上，我们来计算对于给定 m 和 n 的产出和通胀方差，然后再寻找定义边界的组合。

图 6-1 给出了结果，显示了当每个冲击的方差为 1 时的产出方差—通胀方差边界。对于边界上所选择的点，图形给出了使经济处于该点的政策规则系数。图 6-1 还显示了使每个政策最优的产出方差和通胀方差的权重。

有两个结果值得关注。第一个有关 MCI 中 r 和 q 的权重问题。目前，经济学家对合适的权重存在争论，有些人认为权重应该与 IS 方程中 r 和 q 的系数成比例（如 Freedman，1994）。对于 Ball 给出的基本参数来说，意味着 $w=0.75$，即 r 和 q 的权重分别为 0.75 和 0.25。另一些人则建议赋予 q 更大的权重以反映汇率对通货膨胀的直接效应（Gerlach & Smets，1996）。在本节的模型中，q 的最优权重比 0.25 稍大一些。例如，如果政策制定者的目标函数对产出和通货膨胀方差的权重是相等的，MCI 中 q 的权重就是 0.30。q 的权重比它对通货膨胀的相对短期效应要小。惟一例外的情况发生在当政策制定者的目标对产出方

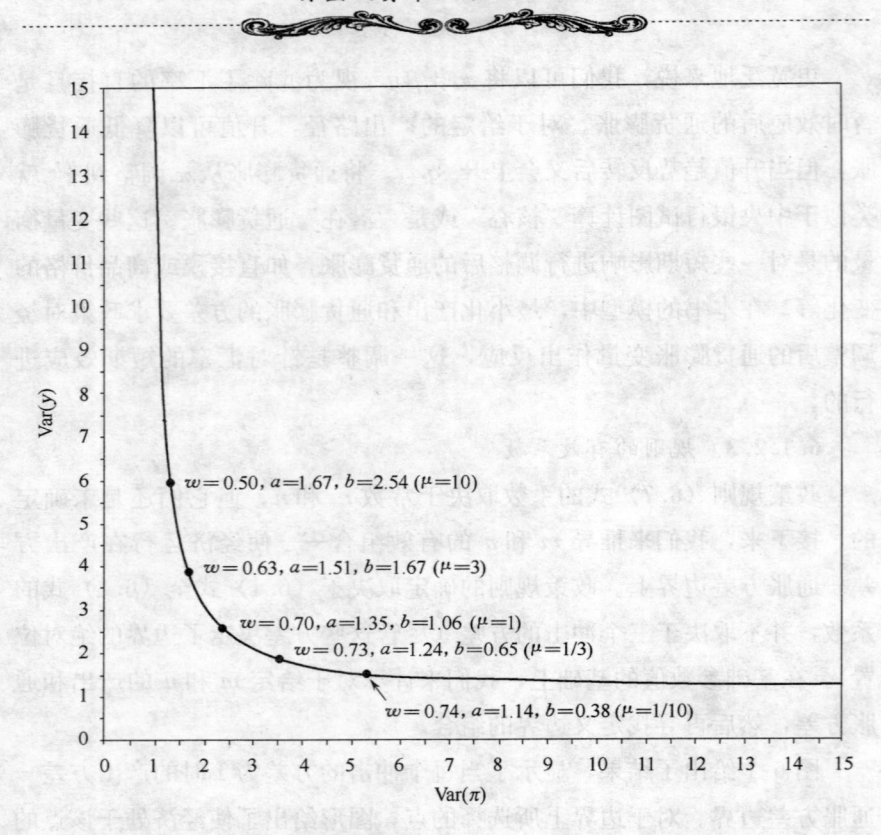

图 6-1　产出方差—通胀方差边界（目标函数 = Var（y）+ μVar（π））

差赋予的权重非常小时[①]。

第二个结果是关于 y 和 π^L 的系数问题，以及它们与封闭经济中 y 和 π 的最优系数的比较。注意到一个百分点的利率上升，同时会导致汇率的上升，共使 MCI 上升 $w+\gamma(1-w)$。用这一表达式分离 y 和 π^L 的系数可以得到利率 r 对 y 和 π^L 的反应——类似于封闭经济中泰勒规则的系数。如果政策制定者的目标函数有相同的权重，利率对产出的反

---

① q 对通货膨胀的全部效应是经一个时期通过贬值的效应加上经两个时期通过菲利普斯曲线的效应。这个和是 $\beta+\alpha_2\alpha=0.28$，相应的 r 对通货膨胀的效应是 $\alpha_1\alpha=0.24$。如果 MCI 是基于这些通胀效应的话，那么，MCI 中 q 的权重就应大于 r 的权重。

応就是 1.04，对 π^L 的反应是 0.82。假设有相同的目标函数，在封闭经济中的相应反应就是 1.13（对产出）和 0.82（对通货膨胀）（Ball，1997）。因此，利率的运动在两种情况下是相似的。

6.1.3 通胀目标制的缺陷

本小节将从工具规则转到目标规则，特别是通胀目标规则的讨论。在封闭经济的 Svensson-Ball 模型中，通胀目标有着很好的特性。特别地，有效泰勒规则的确定与通胀目标政策的确定是等价的，只不过调整的速度不同。然而，在一个开放经济中，通胀目标却可能是危险的。

6.1.3.1 严格通胀目标（strict inflation targets）

根据 Ball（1997）的定义，严格通胀目标是指最小化通胀方差的政策。当通货膨胀偏离其目标值时，严格的盯住会尽可能地迅速消除这种偏离。这里先来评价这一政策，然后再考虑缓慢调整后的变化。

一般来讲，严格通胀目标制是一个有效的政策：它最小化了当产出权重为零时的产出和通胀方差的加权和。严格目标使经济处于方差边界的西北末端。在图 6-1 中，边界线在产出方差达到 15 时中断了；当边界线延长时，其终点处的产出方差为 25.8，通胀方差为 1.0。选择这一点意味着为了较小的通胀稳定的收益而牺牲了较大的产出稳定。随着边界线向下运动，如果通胀方差增加到 1.1，产出方差就会减少到 9.7；如果通胀方差增加到 1.6，产出方差就会进一步减少到 4.1。如果政策制定者赋予产出一个不能忽略的权重，严格通胀目标就是非常不理想的。

在封闭经济情况下，严格通胀目标下的产出方差仅为 8.3，之所以开放经济下的产出方差高达 25.8，是由于政策对通货膨胀产生影响的渠道不同。在封闭经济中，惟一的渠道是通过产出经历两个时期实现的（利率 r 影响产出 y 需要一个时期，y 影响 π 又需要一个时期）。由于这些滞后原因，严格通胀目标意味着政策将两个时期以后的通胀预期设为 0。作为比较，在开放经济中，政策可以通过直接汇率渠道在一个时期内影响通货膨胀。当政策制定者最小化通胀方差时，他们会将下一期的通胀预期设定为0：

$$E\pi_{t+1} = 0 \qquad (6.8)$$

（6.8）式即意味着汇率的大幅波动，因为可以仅仅通过汇率这个变量控制下一期的通货膨胀。直觉地，国内商品价格的通货膨胀不会在一个时期内就受到影响，进口价格的较大变化需要改变平均价格水平。汇率的较大变化通过 IS 曲线造成产出的较大波动。

这些结果看来是记录了真实世界中的通胀目标制实践，特别是20世纪90年代早期新西兰的政策实践。在那个时期中，观察家曾批评新西兰储备银行对汇率的调整过于积极以至于不能很好地控制通货膨胀[①]。

6.1.3.2 渐进调整

严格通胀目标的问题使我们自然想到了一种改进方法：政策应该使通货膨胀较慢地接近目标值。然而，在现在的模型中，什么政策规则能够拉长政策视界的目标并不明显。一个简单的办法是盯住两期而不是一期滞后的通货膨胀：

$$E\pi_{t+2} = 0 \qquad (6.9)$$

条件（6.9）是封闭经济模型中的严格通胀目标所暗示的，在封闭经济模型中，此条件不会导致产出的波动。

然而，在现在的模型中，（6.9）式并没有决定一个惟一的政策规则。由于政策可以逐期（period-by-period）控制通货膨胀，那么，就有多条路径能在两期中实现零通胀。根据反复预期原则（the law of iterated expectations），所有时期中有 $E\pi_{t+1} = 0$ 即意味着所有时期中都有 $E\pi_{t+2} = 0$。这样，严格通胀目标制就是一个满足（6.9）式的政策。但还存在着其他政策可以使通货膨胀在两期内而不是在一期内回到零的

[①] 例如，Dickens（1996）认为汇率的剧烈变动导致了产出的不稳定，他说明了总的通货膨胀之所以稳定是由于进口价格通胀的运动抵消了国内商品通货膨胀的运动。这些结论类似于本书模型的通胀目标效应。

6 开放经济下的货币政策规则：理论及 MCI 的作用

水平[1]。

同样的论点适合于对（6.9）式的不同修正。例如，在封闭经济模型中，任何有效政策都可以被写成一个缓慢调整的通胀目标：$E\pi_{t+2} = \rho E\pi_{t+1}$，$0 \leq \rho \leq 1$。这个条件与本模型的多种政策也是一致的。这里并不存在一个对通货膨胀的简单约束，这种约束能暗示一个拥有合意特征的惟一政策。希望能将通货膨胀在中期内回复到目标值的政策制定者需要一些另外的标准来定义他们的规则[2]。

6.1.4 长期通胀目标

前文分析了开放经济下通胀目标制遇到的难题，接下来我们考察如果中央银行盯住了长期通胀 π^L 的结果。

6.1.4.1 政策

严格长期通胀目标被定义为最小化 $\pi_t^L = \pi_t + \beta q_{t-1}$ 的方差的政策。为了看出这个含义，注意（6.1）式可以重新写成：

$$\pi_t^L = \pi_{t-1}^L + \alpha y_{t-1} + u_t \tag{6.10}$$

上式与封闭经济中的菲利普斯曲线是一样的，除了 π^L 取代了 π。由于汇率被消去了，故政策仅通过产出渠道影响 π^L。因此，政策影响 π^L 有两期滞后，严格目标即指：

$$E\pi_{t+2}^L = 0 \tag{6.11}$$

与总通货膨胀的超前两期目标相比，（6.11）式定义了惟一的政策。

之所以盯住 π^L 而不是 π 有两个相关的动机：第一，由于 π^L 不受汇率的影响，故政策可以只通过产出渠道来控制通货膨胀，这就避免了前

---

[1] 一个例子就是使得政策对冲击不作出同期反应的规则，但汇率在一期后进行调整以使通货膨胀在两期内回到目标值。

[2] 另一个可能的规则是在一期内进行部分调整：$E\pi_{t+1} = \rho\pi_t$。这个条件定义了一个惟一政策，但产出方差较大。该条件意味着对需求和汇率冲击的反应与严格通胀目标下的情况相同。这些冲击对通货膨胀没有同期效应，故政策必须要全部消除它们在下一期的效应，即使有 $\rho > 0$。

173

文讨论的汇率的剧烈变动。第二，π^L给出的是剔除了汇率的短期效应之后的通货膨胀水平，盯住π^L能将潜在通货膨胀维持在既定轨迹上。

除了严格盯住π^L，我们来考虑对π^L的渐近调整：

$$E\pi_{t+2}^L = \rho E\pi_{t+1}^L, 0 \leqslant \rho \leqslant 1 \qquad (6.12)$$

这个规则类似于封闭经济中最优的渐近调整规则。在从$E\pi_{t+1}^L$到目标值的路径上，政策只对$E\pi_{t+2}^L$进行部分调整。这种渐近调整的动机在于平滑产出路径。

6.1.4.2 结果

为了正式检验盯住π^L的效果，我们将（6.10）式和（6.1）式代入（6.12）式，得到意味着盯住π^L的工具规则：

$$w'r + (1-w')q = a'y + b'\pi^L \qquad (6.13)$$

其中，$w' = \dfrac{\alpha_1}{\alpha_1 + \alpha_2}$，$a' = \dfrac{1-\rho+\lambda}{\alpha_1 + \alpha_2}$，$b' = \dfrac{1-\rho}{\alpha(\alpha_1 + \alpha_2)}$。这个方程式包括了与（6.7）式中的最优规则相同的变量，但系数却不同。MCI的权重由α_1和α_2的相对大小确切给出；对于基本参数来说，$w' = 0.75$。y和π^L的系数取决于调整速度ρ。

图6-2绘出了ρ从0到1的结果。严格盯住π^L的情形对应于图6-2中曲线的西北角。为了比较，图6-2还绘出了图6-1中的有效政策。

图6-2显示盯住π^L比盯住π产生了更稳定的产出。这一点即使对于严格盯住π^L来说也是正确的，此时的产出方差为8.3，而盯住π时的产出方差高达25.8。但是，严格盯住π^L是有一定无效性的。存在一个有效工具规则使产出方差为8.3，通胀方差为1.2（见图6-2中的虚线）。而严格盯住π^L产生相同的产出方差时的通胀方差却是1.9。

随着参数ρ的增加，调整变得更加缓慢，在由盯住π^L定义的边界上就向东南方向运动。因此，只要政策制定者赋予产出方差一个不可忽视的权重，就会存在一种充分近似最优政策的盯住π^L。例如，对于相等的产出和通胀方差的权重，最优政策的MCI权重w为0.70，产出和π^L的系数分别为1.35和1.06。对于$\rho = 0.66$的盯住π^L，相应的数值分

6 开放经济下的货币政策规则：理论及 MCI 的作用

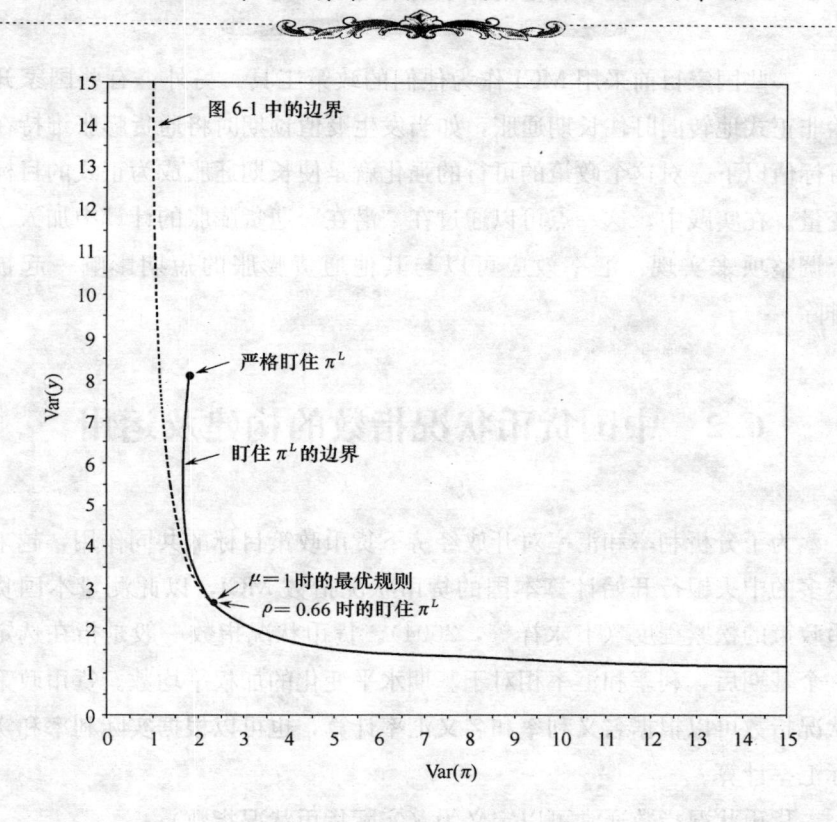

图 6-2 盯住 π^L 的效果

别为 0.75、1.43 和 1.08。最优政策的产出和通胀方差分别是 2.50 和 2.44，而盯住 π^L 的产出和通胀方差均为 2.48。

通过上述分析，我们可以得到结论：在封闭经济中，通胀目标是一个好的目标规则，泰勒规则是一个好的工具规则；但在开放经济中，这些政策除非进行修正，否则表现较差。特别地，如果政策制定者最小化产出和通胀方差的加权和（更能描述我国中央银行的特征），最优政策工具就是同时基于利率和汇率的 MCI。汇率的权重等于或略高于这一变量对支出的相对效应。作为一个目标变量，政策制定者应该选择"长期通胀 π^L"——消除了汇率波动短期效应的通胀变量，这个变量还应该取代工具规则右边的通货膨胀。

一些国家目前采用 MCI 作为他们的政策工具。另外，有些国家开始非正式地转向盯住长期通胀，如当发生贬值预期时将通货膨胀维持在目标值以下。对这个政策的可行的强化就是使长期通胀成为正式的目标变量。在实践中，这一点可以通过在"潜在"通货膨胀的计算中加入一个调整项来实现：汇率效应可以与其他通货膨胀的短期影响一起被排除。

6.2 中国货币状况指数的构建及运用

为了分析利率和汇率对开放经济下货币政策目标的共同作用，越来越多的中央银行开始计算本国的货币状况指数 MCI，以此测量本国货币政策的松紧程度（卜永祥等，2004）。货币状况指数一般是指在选定一个基期后，利率和汇率相对于基期水平变化的加权平均数。货币政策状况指数可以根据名义利率和名义汇率计算，也可以根据实际利率和实际汇率计算。

货币状况指数通常可以定义为（实际货币状况指数）：

$$MCI_t = w_r(r_t - r_0) + w_q(q_t - q_0) \qquad (6.14)$$

其中，r_t 是实际利率，q_t 是实际汇率指数的自然对数值（由间接标价法汇率计算得到，增加表示货币升值）；r_0 和 q_0 是选定基期的实际利率以及实际汇率指数的自然对数值；w_r 和 w_q 分别是实际利率和实际汇率的权重。相对于基期来说，实际利率越高，实际汇率指数越高，货币越升值，则货币状况指数越大，货币政策越紧；反之，则货币政策越松。

货币状况指数中的权重比率 w_r/w_q（以下简称货币状况比率）反映了实际利率和实际汇率的变动对货币政策目标（经济增长率或通货膨胀率）的相对影响程度，表示实际利率水平上升 w_q% 与本币实际升值 w_r% 对货币政策目标的影响程度是相同的。

Ball（1999）的研究结果表明，在开放经济下，中央银行应使用基

6 开放经济下的货币政策规则：理论及 MCI 的作用

于"货币状况指数 MCI"的货币政策规则，用 MCI 指数来校正通货膨胀率与目标通货膨胀率、经济增长率与潜在经济增长率之间的偏差，以实现宏观经济的最佳运行状态。目前，加拿大、新西兰等国中央银行已将 MCI 作为货币政策的操作目标，更多国家的中央银行则将 MCI 作为制定货币政策的重要依据。

6.2.1 货币状况指数的取值范围及权重的估计方法

通常来讲，一国的货币状况比率主要是由本国的经济规模和经济开放度决定。一国的经济规模越大、开放度越小，则汇率变动相对于利率变动对本国经济的影响就越小，货币状况比率则越高；反之，一国的经济规模越小、开放度越大，则汇率变动相对于利率变动对本国经济的影响就越大，货币状况比率则越低。Mayes 和 Viren（1998）总结了一系列研究结果后认为：对英国、加拿大等小国开放经济而言，货币状况比率通常在 2—4 之间；而对美国、日本等大国经济而言，货币状况比率则接近于 10。表 6-1 列出了各国（地区）货币状况比率的取值情况。

表 6-1 各国（地区）货币状况比率的取值

国家或地区	中央银行	IMF	OECD	德意志银行	高盛证券	JP摩根	美林证券	多恩布什
澳大利亚			2.3			4.3	4	
奥地利				3.3				
比利时						0.4		
加拿大	2 或 3	3 或 4	2.3		4.3	2.7	3	
丹麦					1.9			
欧元区								2.17
芬兰					2.5			
法国		3	4	3.4	2.1	3.5		2.1
德国		2.5 或 4	4	2.6	4.2	2.3	4	1.39
意大利		3	4	6.6	6	4.1		2.89
日本		10	4		8.8	7.9	10	

续表 6-1

国家或地区	中央银行	IMF	OECD	德意志银行	高盛证券	JP摩根	美林证券	多恩布什
荷兰				3.7		0.8		
新西兰	2							
挪威	3					1.4		
西班牙			1.5	2.5		4.2		1.46
瑞典	3 到 4		1.5	0.5		2.1		8.13
瑞士				6.4		1.7		
英国		3	4	14.4	5	2.9	3	
美国		10	9		39	10.1	10	
中国香港	4.25							
泰国	3.3							

资料来源：卜永祥、周晴：《中国货币状况指数及其在货币政策操作中的运用》，载《金融研究》2004 年第 1 期。

目前，对货币状况指数中利率和汇率权重的估计方法主要有：

(1) 单一方程估计

这种方法又可以分为两种，一种是以 Duguay (1994) 为代表，估计总需求（IS）曲线，用实际产出与潜在产出之间的缺口作为被解释变量，用利率和汇率作为解释变量，然后得到各个权重。对总需求曲线进行单一回归的方法运用最为广泛，如德意志银行、Mayes 和 Viren (1998) 对英国货币状况指数的估计，香港金融管理局 (2000) 对香港货币状况指数的估计也是用这种方法。第二种是估计菲利普斯曲线，用利率和汇率解释通货膨胀率或通货膨胀率与长期均衡通货膨胀率之间的缺口，得到利率和汇率的权重，Hataiseree (1998) 对泰国货币状况指数的估计使用了这种方法。

(2) 根据一国对外贸易占 GDP 的份额折算

根据一国进出口总额、出口额或净出口额占国内生产总值的比例折算汇率的权重，然后用 1 减去汇率权重的余额作为利率的权重，JP 摩根在估计英国的货币状况指数时采用了这种方法。

6 开放经济下的货币政策规则：理论及MCI的作用

(3) 多方程估计

高盛证券在估计英国货币状况指数时，建立了包含4个内生变量（GDP、短期利率、10年期国债收益率、英镑有效汇率）和1个外生变量（石油价格）的无约束向量自回归方程组，根据GDP对其他3个内生变量的扰动生成的冲击反应函数，计算利率和汇率的权重。Batini和Turnbull（2002）根据1984—1999年英国季度数据建立了一个小型宏观经济计量模型，包含产出、通货膨胀和短期名义利率方程，并加进了利率平价条件和利率期限结构关系，估计英国动态货币状况指数。与普通货币状况指数相比，动态货币状况指数把当期和前几期利率和汇率的变动加权，可以用来预测未来的货币状况指数和货币政策松紧程度（卜永祥等，2004）。

6.2.2 中国实际货币状况指数及其与经济增长率的关系

6.2.2.1 模型

根据（6.14）式对货币状况指数的定义，我们参考Dennis（1997）和香港金融管理局（2000）做法，用单一方程的方法来估计总需求（IS）曲线，以得到（6.14）式中利率和汇率的权重。中国的IS曲线可以设定为：

$$Y_t = w_0 + \sum_{j=1}^{k} w_j Y_{t-j} + w_r r_t + w_q q_t + v_t \tag{6.15}$$

其中，Y_t表示真实国内生产总值；r_t表示实际利率；q_t表示实际汇率；v_t为随机扰动项；Y_{t-j}为滞后j期的真实GDP，j从1取到k，滞后期的选取采用从一般到个别的方法（general-to-specific approach），首先包含滞后4个季度的真实GDP，然后逐一剔除掉统计上不显著的滞后变量；w_0为常数项；w_j、w_r、w_q均为待定系数，分别满足$w_j>0$，$w_r<0$，$w_q<0$。

在经济达到均衡状态时，真实国内生产总值Y_t将等于潜在国内生产总值Y_t^e，实际利率将等于均衡的实际利率r_t^e，实际汇率将等于均衡

实际汇率 q_t^e。因此，(6.15)式可以改写为：

$$Y_t - Y_t^e = \sum_{j=1}^{k} w_j(Y_{t-j} - Y_{t-j}^e) + w_r(r_t - r_t^e) + w_q(q_t - q_t^e) + v_t \tag{6.16}$$

或者表述为回归模型：

$$(gdpgap)_t = w_0 + \sum_{j=1}^{k} w_j (gdpgap)_{t-j} + w_r (rgap)_t + w_q (qgap)_t + v_t \tag{6.17}$$

其中，$(gdpgap)_t$ 为 t 期真实国内生产总值与潜在产出之间的缺口；w_0 为常数项，w_j、w_r 和 w_q 均为待定系数，分别满足 $w_j>0$、$w_r<0$ 和 $w_q<0$；$(rgap)_t$ 为 t 期实际利率与均衡实际利率之间的缺口；$(qgap)_t$ 为 t 期实际汇率与均衡实际汇率之间的缺口；v_t 为随机扰动项，即需求冲击。

6.2.2.2 数据的选取和处理

(1) 人民币实际汇率指数及其缺口

人民币名义汇率 e（直接标价法）的数据来自《中国人民银行统计季报》各期，人民币实际汇率 q（间接标价法）根据下述公式计算：

$$q = p/ep^* \tag{6.18}$$

其中，p^* 为外国物价指数，由于我们采用人民币对美元的汇率作为名义汇率 e，故外国物价指数采用美国物价指数 CPI① 代替。

我们以 2000 年第 2 季度为基期②（$2000Q2=100$），可以算出人民币实际汇率指数（下文仍用 q 表示）。图 6-3 为 1994 年第 1 季度以来人民币实际汇率指数的走势。由图 6-3 可以看出，1994 年第 1 季度

---

① 美国物价指数 CPI 数据来源于美国劳工统计局网站：www.bls.gov，原始数据中的基准指数以 1982—1984 年为 100。由于本书使用的中国 CPI 数据是以 1993 年 1 月为基期，故对美国的 CPI 以 1993 年 1 月为基期进行了重新调整。

② 之所以选择 2000 年第 2 季度为基期，是因为当期的真实 GDP 缺口在整个样本期是最小的，仅为 0.21%。

6 开放经济下的货币政策规则：理论及 MCI 的作用

(81.09) 至 1997 年第 1 季度 (110.22) 人民币一直处于升值趋势，累计升值幅度高达 35.93%。1997 年第 2 季度 (110.16) 以来 (即亚洲金融危机以来)，人民币实际汇率指数基本是持续走低的，说明自 1997 年第 2 季度以来，人民币实际汇率一直处于贬值趋势。其间虽然发生过几次升值，但持续时间相当短，且升值幅度相当有限。最长的一次升值走势发生在 2003 年第 3 季度 (93.41) 至 2004 年第 1 季度 (96.72)，只持续了 3 个季度，升值幅度仅为 3.54%。

图 6-3 人民币实际汇率指数走势图

我们对人民币实际汇率指数进行 HP 滤波，用得到的 HP 滤波值作为人民币实际汇率指数的均衡水平，可以算出人民币实际汇率指数的缺口值。计算人民币实际汇率指数缺口的公式如下：

$$实际汇率指数缺口 = \frac{实际汇率指数 - 均衡实际汇率指数}{均衡实际汇率指数} \times 100\%$$

(6.19)

(2) 人民币实际利率及其缺口

我们将人民币实际利率定义为事后实现的真正意义的利率水平，用 1 年期居民储蓄存款利率减去当期的通货膨胀率 (用 CPI 的同比增长率表示) 得到。图 6-4 显示了 1994 年第 1 季度以来人民币实际利率的走势。

由于 1992 年开始的经济过热，至 1994 年通货膨胀水平仍然居高不

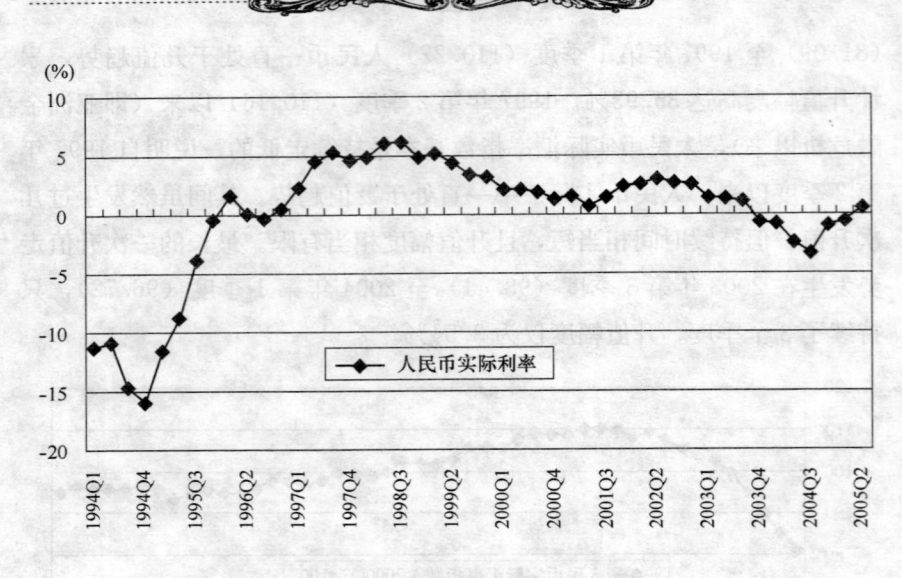

图 6-4　人民币实际利率走势图

下。用 CPI 衡量的通货膨胀率在 1994 年第 1 季度为 22.23%，当期实际利率为-11.25%；随后中国的通货膨胀率继续走高，1994 年第 3 季度和第 4 季度分别高达 25.7% 和 26.9%，1994 年第 4 季度的实际利率水平为样本期的最低点-15.92%。1994 年开始的宏观调控有效遏制了通货膨胀趋势，实际利率水平随之持续攀升，到 1996 年第 1 季度实际利率为 1.61%。1996 年中国经济成功实现"软着陆"后，物价水平却进一步走低，直至出现了 1998 年和 1999 年物价水平的负增长（通货紧缩），但 1996 年至 2002 年中央银行连续 8 次调低利率，名义利率下降到 2001 年的 2.25% 和 2002 年的 1.98%，实际利率在 1998 年、1999 年连续下滑之后，2002 年基本维持在 2%—3% 的低水平。2003 年以后，物价水平稳步上升，通货膨胀率从 2003 年第 1 季度的 0.5% 一直上升到 2004 年第 3 季度的 5.27%，实际利率水平也相应下滑到 2004 年第 3 季度的-3.29%。针对经济的趋热状况，2004 年中央开始了新一轮宏观调控，物价水平有所控制，实际利率水平也回到了 0 以上。

我们对人民币实际利率进行 HP 滤波，用得到的 HP 滤波值作为

人民币实际利率的均衡水平,可以算出人民币实际利率的缺口值。计算人民币实际利率缺口的公式如下:

$$实际利率缺口 = \frac{实际利率 - 均衡实际利率}{均衡实际利率} \times 100\% \quad (6.20)$$

(3) 产出缺口

回归模型(6.17)的估计首先需要计算中国经济的产出缺口,我们先用 CPI 得到每个季度的真实 GDP,然后用 HP 滤波方法得到中国季度真实 GDP 的长期趋势值,再引入三个季节虚拟变量,用真实 GDP 的对数值与常数项、HP 滤波值以及季节虚拟变量作回归,最后根据回归方程得到潜在 GDP 的季度估计值,就可以计算出中国的产出缺口。具体方法见本书第四章相关内容,中国 GDP 缺口走势见图 4-2。

6.2.2.3 估计结果

产出缺口的回归结果见表 6-2。在回归过程中,我们设了虚拟变量 dummy1,1998 年和 1999 年的各季度取 1,其余样本取 0,以期用 dummy1 来解释亚洲金融危机对中国经济的影响,但回归结果并不显著,故将虚拟变量 dummy1 剔除。由于滞后 1 期的 $(gdpgap)_{t-1}$ 系数不显著,也予剔除。实际利率缺口和实际汇率缺口都是滞后 3 个季度时系数显著。

表 6-2 中国开放经济下 IS 曲线的回归结果

$$(gdpgap)_t = w_0 + \sum_{j=1}^{k} w_j (gdpgap)_{t-j} + w_r (rgap)_t + w_q (qgap)_t + v_t$$

解释变量	系数值	标准误	t 统计量	p 值
$(gdpgap)_{t-2}$	0.485724	0.113588	4.276177	0.000128
$(gdpgap)_{t-3}$	0.247251	0.119646	2.066529	0.045831
$(gdpgap)_{t-4}$	0.569653	0.110877	5.137711	9.21E−06
$(rgap)_{t-3}$	−1.30655	0.336224	−3.88593	0.000407
$(qgap)_{t-3}$	−0.11791	0.065312	−1.80542	0.079152

$R^2 = 0.5930$ 调整的 $R^2 = 0.5490$ AIC = 5.6215 SC = 5.8284
DW 值 = 1.9089 F 值 = 223.4562

开放经济下 IS 曲线（总需求曲线）的回归结果表明，中国的实际货币状况比率即实际利率系数：实际汇率系数＝11.08∶1，说明要保持真实产出水平不变，中央银行可以选择的政策有：

(1) 如果实际利率水平上升 1%，应该使人民币实际汇率贬值 11.08%；

(2) 如果实际汇率升值 1%，则应使人民币实际利率水平下降 $\frac{1}{11.08}$%。

实证分析结果表明，在中国经济转型背景下，尽管中国经济的开放度越来越高，但与利率传导机制相比，货币政策的汇率传导机制并不是影响中国产出水平的主要渠道。因此，中国人民银行在实施金融宏观调控的过程中，仍然应该主要运用利率工具进行调节。

6.2.2.4 中国的实际货币状况指数

本书按以下等式计算中国的实际货币状况指数：

中国实际货币状况指数 MCI_gdp ＝ 100

$$\times \frac{1}{11.08+1}\ln\left(\frac{t\text{期实际汇率指数}}{\text{基期实际汇率指数}}\right)+\frac{11.08}{11.08+1}$$

$(t\text{期实际利率}-\text{基期实际利率})+100 \qquad (6.21)$

我们选择的基期是 2000 年第 2 季度。中国实际货币状况指数与真实 GDP 累计同比增长率的走势如图 6-5。

从图 6-5 可以看出，中国的实际货币状况指数与产出增长率走势并不太吻合[①]。1994 年第 1 季度到 1996 年第 3 季度期间，实际 MCI 与产出增长率是基本一致的，实际 MCI 先是从 1994 年第 1 季度的 85.97 下降到 1994 年第 4 季度的 82.99，然后从 1995 年第 1 季度的 87.3 上升到 1996 年第 1 季度的 100.1，再下降到 1996 年第 3 季度的 98.4；同一时期的产出增长率则先从 1994 年第 1 季度的 24.6% 下降到 1994 年第 3 季

---

① 实际货币状况指数与产出增长率的走势吻合是指实际货币状况指数增大时，产出增长率减小。这是因为货币状况指数增大反映货币状况紧缩，产出增长率应该下降。

6 开放经济下的货币政策规则：理论及 MCI 的作用

图 6-5　中国的实际货币状况指数与真实产出增长率

度的 3.9%，然后逐步上升到 1996 年第 1 季度的 50.3%，再下降到 1996 年第 3 季度的 36.5%。1996 年第 4 季度到 1998 年第 2 季度期间两者的走势基本是吻合的：实际 MCI 是从 1996 年第 4 季度的 99.2 持续上升到 1998 年第 2 季度的 104.2，真实产出增长率则从 27.3%一直下降到 9.1%。1998 年第 3 季度到 1994 年第 4 季度，实际 MCI 与产出增长率又出现了背离：实际 MCI 从 1998 年第 3 季度的 104.1 下降到 1999 年第 4 季度的 101.2，产出增长率则从 10.7%下降到 3.7%。2000 年第 1 季度到 2002 年第 4 季度长达 3 年期间的走势更加复杂：实际 MCI 先是延续前期的下降趋势，从 2000 年第 1 季度的 100.2 下降到 2001 年第 2 季度的 98.5，然后上升到 2002 年第 2 季度的 100.5，之后又开始了下降走势，到 2002 年第 4 季度为 100；而产出增长率在此期间却基本保持稳定，大致在 8%左右轻微波动。实际 MCI 的此轮下降一直持续到 2004 年第 3 季度，从 2003 年第 1 季度的 99.0 下降到 2004 年第 3 季度 94.7；这一轮的货币状况宽松导致了 2003 下半年开始的经济过热，产出增长率从 2003 年第 2 季度的 8.3%增加到 2004 年第 3 季度的

13.7%。新一轮的宏观调控使得实际 MCI 从 2004 年第 3 季度的 94.7 持续上升到 2005 年第 2 季度的 98.1；但产出增长率却没有配合下降，而是继续从 2004 年第 3 季度的 13.7% 攀升到 2005 年第 2 季度的 16.3%。可以看出，中国的实际 MCI 与产出增长率的关系非常复杂，两者之间的相关系数只有-0.1638。如果按照实际 MCI 进行货币政策操作，在大多数时候会错误地加大经济的波动。

所以，从真实经济增长的角度来说，开放经济下基于 MCI 的货币政策操作方式不适合中国。

6.2.3 中国名义货币状况指数及其与通货膨胀的关系

6.2.3.1 模型

我们可以通过估计中国开放经济下的菲利普斯曲线来计算中国的名义货币状况指数，以分析中国名义货币状况指数与通货膨胀之间的关系。开放经济下的菲利普斯曲线可以设为：

$$(paigap)_t = z_0 + \sum_{j=1}^{k} z_j (paigap)_{t-j} + z_r (rgap)_t + z_q (qgap)_t + u_t \quad (6.22)$$

其中，$(paigap)_t$ 表示 t 期的通货膨胀缺口，定义为当期的通货膨胀率（以 CPI 衡量）减目标通货膨胀率[①]；z_0 为常数项，z_j、z_r、z_q 为待定系数，分别满足 $z_j > 0$、$z_r < 0$ 和 $z_q < 0$；$(rgap)_t$ 为 t 期实际利率与均衡实际利率之间的缺口；$(qgap)_t$ 为 t 期实际汇率与均衡实际汇率之间的缺口；u_t 为随机扰动项，即供给冲击。

6.2.3.2 估计结果

在回归方程中，我们加入了虚拟变量 dummy2，1994 年和 1995 年的各季度取 1，其余样本期取 0。引入 dummy2 的目的在于试图解释在样本区间内的 1994 年和 1995 年因经济过热而产生的高通货膨胀率。中

[①] 用"潜在物价指数法"计算得到，详见本书第四章相关内容。

6 开放经济下的货币政策规则：理论及 MCI 的作用

国菲利普斯曲线的具体估计结果见表 6-3。

表 6-3 中国开放经济下菲利普斯曲线的回归结果

$$(paigap)_t = z_0 + \sum_{j=1}^{k} z_j (paigap)_{t-j} + z_r (rgap)_t + z_q (qgap)_t + u_t$$

解释变量	系数值	标准误	t统计量	p值
常数项	−0.52587	0.136485	−3.85293	0.000477
$(paigap)_{t-1}$	0.24321	0.094694	2.568372	0.014643
$(paigap)_{t-2}$	0.20084	0.098195	2.045311	0.048399
$(paigap)_{t-4}$	0.278936	0.062823	4.440036	8.59E−05
$(rgap)_t$	−0.68587	0.110645	−6.19888	4.23E−07
$(qgap)_{t-4}$	−0.08965	0.035499	−2.52535	0.016241
dummy2	−1.7283	0.844438	−2.04669	0.048256

$R^2 = 0.9830$　调整的 $R^2 = 0.9801$　AIC = 2.4221　SC = 2.7117
DW 值 = 1.9408　F 值 = 337.0472

开放经济下菲利普斯曲线（总供给曲线）的回归结果表明，中国的名义货币状况比率即实际利率系数：实际汇率系数 = 7.65：1，说明要保持通货膨胀水平不变，中央银行可以选择的政策有：

（1）如果实际利率水平上升 1%，应该使人民币实际汇率贬值 7.65%；

（2）如果实际汇率升值 1%，则应使人民币实际利率水平下降 $\frac{1}{7.65}$%。

实证分析结果表明，在当前中国经济转型的背景下，尽管中国经济的开放度越来越高，但对于通货膨胀的影响来讲，货币政策的利率传导机制仍然是主要的，汇率对通货膨胀的影响远没有利率水平变动的影响大。

6.2.3.3 中国的名义货币状况指数

本书按以下等式计算中国的名义货币状况指数：

中国名义货币状况指数 $MCI\_pai = 100$

$$\times \frac{1}{7.65+1}\ln\left(\frac{t\text{期实际汇率指数}}{\text{基期实际汇率指数}}\right)+\frac{7.65}{7.65+1}$$

$$(t\text{期实际利率}-\text{基期实际利率})+100 \quad (6.23)$$

这里的基期仍然是 2000 年第 2 季度。中国的名义货币状况指数与用 CPI 衡量的通货膨胀率的走势如图 6-6 所示。

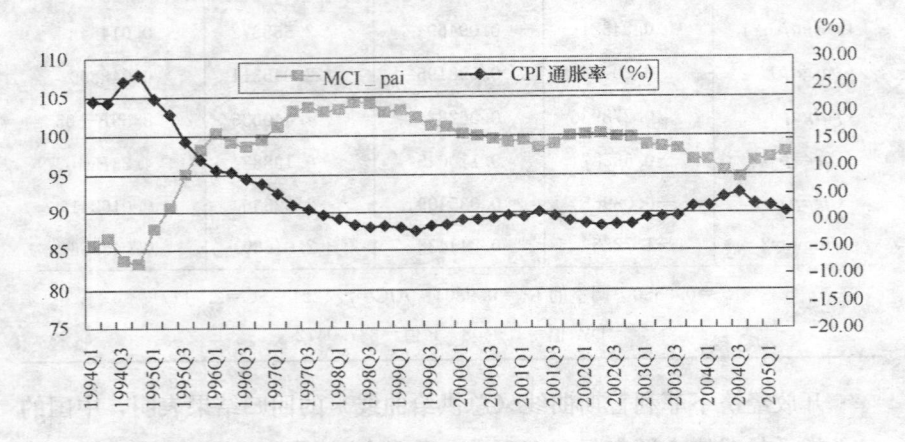

图 6-6 中国的名义货币状况指数与通货膨胀率

从图 6-6 可以看出，我国名义货币状况指数的走势与通货膨胀率的走势基本是吻合的[①]。1994 年第 1 季度到第 4 季度，名义 MCI 从 85.7 下降到 83.4，同期的通货膨胀率相应从 22.2% 上升到 26.9%。之后名义 MCI 从 1995 年第 1 季度的 87.8 一直上升到 1998 年第 2 季度的 104.3（1996 年第 1 季度到第 3 季度有例外的轻微下降），相应地，通胀率则从 22.6% 持续下降到 −0.87%，这一阶段的中国货币状况收紧是形成通货紧缩的重要原因。为了治理通货紧缩，中央银行积极调整货币政策，名义 MCI 从 1998 年第 3 季度的 104.2 一直下降到 2001 年第 3 季度的 99.0；连续 3 年的货币状况放松有效治理了通货紧缩，通货膨

---

① 名义货币状况指数与通货膨胀率的走势吻合是指名义货币状况指数增大时，通货膨胀率减小。这是因为货币状况指数增大反映货币状况紧缩，通货膨胀率应该下降。

胀率从 1998 年第 3 季度的 －1.43％ 上升到 0.80％。但 2001 的第 4 季度，名义 MCI 衡量的货币状况再次收紧，虽然只经历了 3 个季度，即从 2001 年第 4 季度的 99.95 增加到 2002 年第 2 季度的 100.3，但通货膨胀率立即跌到 2002 年第 2 季度的 －1.07％。针对这种情况，名义 MCI 再次从 2002 年第 3 季度的 99.9 一直下降到 2004 年第 3 季度的 94.7；通货膨胀率相应从 －0.77％ 攀升到 5.27％，反映了持续两年的货币状况宽松带来了经济过热。新一轮宏观调控使名义 MCI 从 2004 年第 4 季度的 96.8 开始上升，至 2005 年第 2 季度达到 97.98；通货膨胀率随之下降到 2005 年第 2 季度的 1.7％。总之，中国的名义货币状况指数与通货膨胀率走势是高度吻合的（只有 1996 年第 1 季度到第 3 季度有短暂例外），它们之间的相关系数高达 －0.8971。

所以，从对通货膨胀进行监测的角度来讲，名义 MCI 可以提供较准确的信息，有利于中央银行对通货膨胀进行适时调节。

6.3 开放经济下 MCI 的作用
——进一步的研究

对 MCI 在中国的实证研究得出了一个非常有趣的结论，即 MCI 有利于央行对通货膨胀进行适时调节，但却不能据此对真实经济增长进行调控。开放经济下的货币政策规则究竟能不能基于 MCI 进行安排，我们还需要作进一步的研究。

6.3.1 模型

这里我们给出小国开放经济的宏观经济模型，这一模型由三个方程组成。所有变量（除了名义利率）均用对数形式表示，所有参数均大于 0：

$$\pi_t = E_t \pi_{t+1} + \alpha y_t - \beta q_t + u_t \qquad (6.24)$$

$$y_t = E_t y_{t+1} - \alpha_1(i_t - E_t \pi_{t+1}) - \alpha_2 q_t + v_t \qquad (6.25)$$

$$i_t - E_t \pi_{t+1} = i_t^* - E_t \pi_{t+1}^* + E_t q_{t+1} - q_t + \varepsilon_t \qquad (6.26)$$

其中，y_t 是实际产出缺口，π_t 是国内通货膨胀率（$\pi_t = p_t - p_{t-1}$），实际汇率 q_t 由 $e_t + p_t^* - p_t$ 定义（e_t 是间接标价法下的名义汇率对数值），u_t、v_t 和 ε_t 均为随机干扰项。

方程（6.24）表示开放经济的前瞻性菲利普斯曲线。方程（6.25）表示开放经济的 IS 曲线，反映对产出的需求取决于预期的实际利率和实际汇率[①]。方程（6.26）是未抵补的利率平价（uncovered interest rate parity，UIP），这一方程包含了资本充分流动的假设，反映了这一小国开放经济与世界经济的高度相关性。

6.3.2 模型的求解

货币政策当局的偏好就是要最小化损失函数，这一损失函数由实际产出缺口的方差和通胀率的方差组成（Ball，1999）：

$$L = Var(y_t) + \delta Var(\pi_t) \qquad (6.27)$$

方程（6.27）之所以未包括实际汇率的因素，是因为实际汇率的变化已经由产出缺口的变化所反映了[②]。

为了求解这一模型，我们可以假定货币当局在基于产出缺口 y_t 和通货膨胀率 π_t 制定政策时，努力实现：

$$\lambda y_t + \pi_t = 0 \qquad (6.28)$$

我们首先根据方程（6.26）解出 q_t，然后将 q_t 代入方程（6.24）和方程（6.25），再将得到的结果代入方程（6.28），最后可以得到货币当局的政策反应函数：

[①] 这一模型是 McCallum 和 Nelson（1997）给出的开放经济 IS 曲线的简单版本。由于货币当局将名义利率用作政策工具，故 LM 曲线就可以舍象掉了。

[②] 作为一个例证，可以将由 UIP 条件方程（6.26）解得的 i_t 代入 IS 曲线方程（6.25）。至于为什么损失函数只包含实际产出和国内通货膨胀率的相似原因，可以参见 Clarida，Gali 和 Gertler（2001）。

6 开放经济下的货币政策规则：理论及 MCI 的作用

$$i_t = \Delta[(\lambda+\alpha)(E_t y_{t+1} + v_t) + ((\lambda+\alpha)(\alpha_1-\alpha_2) - \beta + 1)E_t\pi_{t+1}$$
$$- ((\lambda+\alpha)\alpha_2 + \beta)\Omega + u_t] \qquad (6.29)$$

其中，$\Delta = \dfrac{1}{(\lambda+\alpha)(\alpha_1-\alpha_2) - \beta}$，$\Omega = (i_t^* - E_t\pi_{t+1}^* + E_t q_{t+1} + \varepsilon_t)$

由（6.29）式可知，要想成功地稳定经济，政策当局在调节利率工具时，必须使利率的上调幅度与通胀预期的上升幅度相适应。并且，货币当局的政策参数 λ 在央行的政策调整过程中相当重要。

为了得到 y_t 的简化形式，我们可以先将由（6.26）式得到的实际汇率 q_t 代入反应函数（6.29），再将（6.29）式代入 IS 曲线方程（6.25），可以得到：

$$y_t = \Delta[-\beta(E_t y_{t+1} + v_t) - (\alpha_1-\alpha_2)E_t\pi_{t+1}$$
$$+ \alpha_1\beta(i_t^* - E_t\pi_{t+1}^* + E_t q_{t+1} + \varepsilon_t) - (\alpha_1-\alpha_2)u_t] \qquad (6.30)$$

其中，外国通胀预期 $E_t\pi_{t+1}^*$ 是整个模型的外生变量，另外三个内生变量预期 $E_t y_{t+1}$、$E_t\pi_{t+1}$ 和 $E_t q_{t+1}$ 将随着 $E_t\pi_{t+1}^*$ 的决定而决定。根据 McCallum（1983）提出的 MSV 方法，我们假定三个内生变量的决定形式如下：

$$y_t = \alpha_{10} v_t + \alpha_{11} u_t + \alpha_{12}\varepsilon_t + \alpha_{13} i_t^* + \alpha_{14}\pi_t^*$$
$$\pi_t = \alpha_{20} v_t + \alpha_{21} u_t + \alpha_{22}\varepsilon_t + \alpha_{23} i_t^* + \alpha_{24}\pi_t^*$$
$$q_t = \alpha_{30} v_t + \alpha_{31} u_t + \alpha_{32}\varepsilon_t + \alpha_{33} i_t^* + \alpha_{34}\pi_t^* \qquad (6.31)$$

显而易见，所有内生变量均取决于随机干扰的行为。为了揭示各种干扰冲击的时间序列特性对最优货币政策的影响，我们分两种情况进行分析：第一，假定各种随机干扰是独立的白噪声过程（white noise process）；第二，假定各种干扰是序列相关过程（serially correlated process）。

(1) 所有冲击均为独立的白噪声过程

在白噪声干扰的假设条件下，可以直接得到内生变量的条件期望值为：

$$E_t y_{t+1} = 0$$
$$E_t\pi_{t+1} = 0$$

$$E_t q_{t+1} = 0 \tag{6.32}$$

同样地，外国通胀的预期值 $E_t \pi_{t+1}^*$ 也等于 0。

将上述预期值代入方程（6.30）可以得到：

$$y_t = \frac{1}{(\alpha_1 - \alpha_2)(\lambda + \alpha) - \beta} [\alpha_1 \beta (i_t^* + \varepsilon_t) - \beta v_t - (\alpha_1 - \alpha_2) u_t]$$

$$\tag{6.33}$$

$$\pi_t = \frac{\lambda}{(\alpha_1 - \alpha_2)(\lambda + \alpha) - \beta} [\beta v_t - \alpha_1 \beta (i_t^* + \varepsilon_t) + (\alpha_1 - \alpha_2) u_t]$$

$$\tag{6.34}$$

将（6.33）式和（6.34）式代入方程（6.27），我们可以得到政策当局的目标为：

$$\min_\lambda \left[\frac{1}{(\alpha_1 - \alpha_2)(\lambda + \alpha) - \beta} \right]^2 \left\{ \begin{array}{l} \beta^2 \sigma_v^2 + (\alpha_1 \beta)^2 (\sigma_{i^*}^2 + \sigma_\varepsilon^2) + (\alpha_1 - \alpha_2)^2 \sigma_u^2] + \\ \delta \lambda^2 [\beta^2 \sigma_v^2 + (\alpha_1 \beta)^2 (\sigma_{i^*}^2 + \sigma_\varepsilon^2) + (\alpha_1 - \alpha_2)^2 \sigma_u^2] \end{array} \right\}$$

$$\tag{6.35}$$

在相机抉择的情形下，货币当局每期都要进行政策参数 λ 的优化选择，以最小化产出缺口和通胀率的波动：

$$\lambda^* = \frac{1}{\delta \left[\alpha - \dfrac{\beta}{\alpha_1 - \alpha_2} \right]} \tag{6.36}$$

在封闭经济中，由于 $\alpha_2 = \beta = 0$，故封闭经济下的政策参数为：

$$\lambda^* = \frac{1}{\delta \alpha} \tag{6.37}$$

（2）所有冲击均为序列相关过程

首先，根据 CGG（1999）的假设，成本推动的冲击和需求冲击均遵循一阶自回归过程（first-order autoregressive process）；此外，我们还可以假设外国通胀率和 UIP 条件的风险升水（risk premium）也都是序列相关的。这样就有：

$$v_t = \kappa_1 v_{t-1} + \hat{v}_t \quad \hat{v}_t \rightarrow (0, \sigma_{\hat{v}}^2)$$

$$u_t = \kappa_2 u_{t-1} + \hat{u}_t \quad \hat{u}_t \rightarrow (0, \sigma_{\hat{u}}^2)$$

6 开放经济下的货币政策规则：理论及MCI的作用

$$\pi_t^* = \kappa_3 \pi_{t-1}^* + \hat{\pi}_t^* \qquad \hat{\pi}_t^* \to (0, \sigma_{\pi^*}^2)$$

$$\varepsilon_t = \kappa_4 \varepsilon_{t-1} + \hat{\varepsilon}_t \qquad \hat{\varepsilon}_t \to (0, \sigma_\varepsilon^2) \tag{6.38}$$

中央银行的目标函数为：

$$\min_\lambda L = (1+\delta\lambda^2) \left\{ \begin{array}{l} \dfrac{\beta^2 \sigma_v^2}{[(\alpha_1(1-\kappa_1)-\alpha_2)(\lambda(1-\kappa_1)+\alpha)-\beta(1-\kappa_1)]^2} \\ + \dfrac{[\alpha_1(1-\kappa_2)-\alpha_2]^2 \sigma_u^2}{[(\alpha_1(1-\kappa_2)-\alpha_2)(\lambda(1-\kappa_2)+\alpha)-\beta(1-\kappa_2)]^2} \\ + \dfrac{(\alpha_1 \beta \kappa_3)^2 \sigma_{\pi^*}^2}{[(\alpha_1(1-\kappa_3)-\alpha_2)(\lambda(1-\kappa_3)+\alpha)-\beta(1-\kappa_3)]^2} \\ + \dfrac{(\alpha_1 \beta)^2 \sigma_\varepsilon^2}{[(\alpha_1(1-\kappa_4)-\alpha_2)(\lambda(1-\kappa_4)+\alpha)-\beta(1-\kappa_4)]^2} \end{array} \right\} \tag{6.39}$$

（6.39）式的最小化问题是非常复杂的，实际上，如果冲击 u_t、v_t、π_t^* 和 ε_t 都遵循不同的自回归过程，就不会得出最优的政策选择 λ^*。为了分析的需要，我们可以假定上述冲击均有相同程度的持续性，即假定 $\kappa_1 = \kappa_2 = \kappa_3 = \kappa_4 = \kappa$。这样就可以得到政策当局的最小化问题的最优解：

$$\lambda^* = \frac{1-\kappa}{\delta \left[\alpha - \dfrac{\beta(1-\kappa)}{\alpha_1(1-\kappa)-\alpha_2} \right]} \tag{6.40}$$

从（6.40）式易知自回归参数 κ 与 λ 负相关，即随着冲击干扰持续程度的提高，政策制定者就要降低政策规则中赋予产出缺口的相对权重。在极端情况下，如果冲击服从随机游走（random walks），即 $\kappa=1$，λ 就等于0。这就意味着如果干扰经济运行的冲击是持久性的，那么货币政策的操作就只能仅仅关注通货膨胀率，并有 $\pi_t=0$。

我们对开放经济下最优货币政策组成的研究得出了两个与封闭经济下截然不同的结论：第一，最优政策规则赋予产出缺口的权重 λ 是政策制定者偏好 δ 与模型的所有参数（α、β、α_1 和 α_2）的函数，并不仅仅是出现在菲利普斯曲线中的参数 α 和 β 或仅仅是出现在 IS 曲线中的参数 α_1 和 α_2。第二，自相关冲击的持续程度影响着最优政策的参数大小：

冲击干扰是白噪声时的最优政策参数 λ^* 明显大于干扰服从自回归过程时的结果。

6.3.3 货币状况指数与货币政策

我们知道，传统货币状况指数是建立在一个过度简化的货币政策传导过程的基础之上的，这一传导过程忽略了通货膨胀的直接汇率效应。运用本章第二节给出的模型，我们可以构建出一个与实践中使用的货币状况指数有着戏剧性差异的新货币状况指数。分析表明，除了需求参数外，菲利普斯曲线中的参数也是决定 MCI 中实际汇率权重的重要因素。

与简单货币政策传导过程相一致的传统货币状况指数可以由 (6.41) 式定义：

$$MCI_t = (r_t - r_0) + \frac{\alpha_2}{\alpha_1}(q_t - q_0) \qquad (6.41)$$

其中，r_0 和 q_0 分别为实际利率和实际汇率的基值。实际汇率的权重等于实际产出需求的实际汇率弹性（α_2）与实际产出需求的实际利率弹性（α_1）的比值。MCI 变大反映货币政策趋紧，变小则表示货币政策趋松。

抛开构建 MCI 的一些技术问题，如实际利率和汇率的选择、相关参数的估计等，我们相信传统的 MCI 并没有抓住实际汇率对经济的供给方产生影响的重要角色。在我们的模型中，实际汇率对国内的通货膨胀有着直接的影响。这一直接渠道是对实际汇率的变动通过产出缺口变化影响通货膨胀率的间接效应的补充。图 6-7 中连接 q 和 π 的箭头表达了菲利普斯曲线中实际汇率对国内通货膨胀直接效应的重要性。

由于菲利普斯曲线中存在直接的汇率渠道，我们需要对 MCI 的设

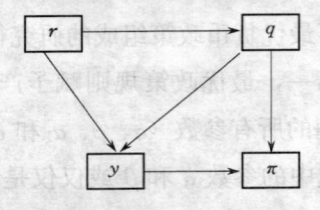

图 6-7 经济供给因素的影响

6 开放经济下的货币政策规则：理论及 MCI 的作用

计进行广泛改进。首先，我们将 (6.24) 式和 (6.25) 式代入政策规则方程 ((6.28) 式)；然后，由 UIP 条件 ((6.26) 式) 解出 $E_t\pi_{t+1}$；最后，将这一表达式代入政策规则再加和减 i_t。结果如下：

$$(i_t - E_t\pi_{t+1}) + \left[\frac{(\lambda+\alpha)\alpha_2 + \beta + 1}{(\lambda+\alpha)\alpha_1 + 1}\right]q_t$$
$$= \frac{\lambda+\alpha}{(\lambda+\alpha)\alpha_1 + 1}(E_t y_{t+1} + v_t) + \frac{E_t\pi_{t+1} + \Omega + u_t}{(\lambda+\alpha)\alpha_1 + 1} \quad (6.42)$$

其中：$\Omega = (i_t^* - E_t\pi_{t+1}^* + E_t q_{t+1} + \varepsilon_t)$。

(6.42) 式的左边由实际利率的预期和实际汇率的加权组合构成[①]，这就是我们的修正的 MCI。最明显的不同是上式左边实际汇率的权重不再是 IS 曲线中弹性的一个简单比率。现在的 q_t 的权重取决于 α 和 β 以及最优政策参数 λ。

至于 (6.42) 式的右边 MCI 所反映的变量，由于模型的前瞻性特征，MCI 对产出缺口的预期、通货膨胀、实际汇率、外国实际利率以及经济的冲击等因素作出反应。MCI 的操作途径与货币政策参数 λ 的大小有关。这里考虑货币政策的两种极端情形。如果政策制定者追求严格的通胀目标，即有 $\lambda=0$，(6.42) 式变成：

$$(i_t - E_t\pi_{t+1}) + \left(\frac{\alpha\alpha_2 + \beta + 1}{\alpha\alpha_1 + 1}\right)q_t = \frac{\alpha}{\alpha\alpha_1 + 1}(E_t y_{t+1} + v_t)$$
$$+ \frac{E_t\pi_{t+1} + \Omega + u_t}{\alpha\alpha_1 + 1} \quad (6.43)$$

MCI 反映了实际的产出缺口预期、国内通胀预期、国外发展情况、IS 曲线干扰和成本推进的干扰等因素的变化。

如果是严格的产出目标（即 $\lambda=\infty$），(6.42) 式变为：

$$(i_t - E_t\pi_{t+1}) + \frac{\alpha_2}{\alpha_1}q_t = \frac{1}{\alpha_1}(E_t y_{t+1} + v_t) \quad (6.44)$$

这里我们看到，在政策制定者盯住实际产出缺口的特殊情形下，MCI

[①] 该模型中没有常数项，故实际利率和实际汇率的基值必须调整为 0。

中实际汇率的权重就只取决于两个需求弹性的比率。这样，基于模型的 MCI 中实际汇率的权重就等于了传统 MCI 中实际汇率的权重，但仅限于货币政策只关注惟一的产出缺口这种不大可能出现的情形。应注意到在盯住产出的情况下，MCI 只是对经济的需求方的变化作出反应，菲利普斯曲线中的参数 α 和 β 均未出现在（6.44）式中。

一种中间情形是政策制定者既关注产出缺口的波动，也关注通货膨胀的波动，即有 $0<\delta<\infty$，由（6.36）式决定的政策参数 λ 是有限的[①]。将由（6.36）式得到的 λ 代入（6.42）式，可以得到基本模型的 MCI 中实际汇率的权重为：

$$\frac{(\alpha_2-\alpha_1)\alpha_2+\delta[(\alpha_1-\alpha_2)\alpha-\beta][\alpha\alpha_2-\beta-1]}{(\alpha_1-\alpha_2)\alpha_1+\delta[(\alpha_1-\alpha_2)\alpha-\beta][\alpha\alpha_1+1]} \quad (6.45)$$

权重的大小明显取决于模型中的所有参数以及政策制定者的偏好参数。容易看出，（6.45）式既可能为正也可能为负。

6.3.4 结论

本节讨论了两个主要问题：一是关于开放经济中的最优货币政策行为。通过一个小国开放经济的前瞻性模型，本书认为开放经济中的最优货币政策需要同时考虑 IS 曲线和菲利普斯曲线中的结构参数。将供给方弹性考虑进最优政策决定的事实是由于菲利普斯曲线中存在真实汇率的直接渠道。本书还进一步分析了干扰的自相关程度是如何影响最优政策参数的设定的。第二个问题是政策制定过程中货币状况指数（MCI）的使用问题。20 世纪 90 年代早期，MCI 在新西兰、加拿大等国得以运用是由于这些国家认为如此一来可以使得货币政策行为对于社会公众更加透明。本书认为，将实际汇率权重取决于需求弹性之比的传统 MCI 是错误的——除了完全关注产出稳定的极端情形——传统 MCI 并不是货币状况的可靠指示器。其实，基于本书模型推导出的 MCI 有着不同

[①] 这里我们假设作用于经济的各种干扰均为白噪声过程。

的特性,即实际汇率的权重取决于所有的模型参数以及政策制定者的偏好。然而,权重的符号却是不确定的。

6.4 MCI 在中国的意义

尽管本书认为基于 MCI 的开放经济下的货币政策规则不适合于中国,但随着我国金融开放水平的进一步提高,适时考虑将 MCI 作为我国货币政策操作的参考指标也是相当必要的。

虽然我国目前实行的是有管理的浮动汇率制,但我国的外汇市场运作事实上是独立于国际金融市场的,汇率水平更大程度上仅受国内外汇市场供求关系的影响;另一方面,在我国货币市场欠发达、金融工具缺乏及实行强制性结汇和限制性售汇的情况下,外汇市场与国内货币市场也经常出现隔离现象。因此,在当前外汇市场、国内货币市场与国际金融市场分割状态未发生根本改变的条件下,汇率的波动当然就会缺乏有效性,也就容易形成汇率、利率以及物价之间的背离。

但是,我国人民币汇率的市场化改革方向是肯定的,将来的汇率变动也一定会更加富有弹性。因此,将 MCI 作为我国货币政策操作的参考指标将是必要的选择。从更为长远的角度看,随着我国资本账户开放的稳步推进,应在货币政策操作过程中更多的考虑汇率因素,充分借鉴 MCI 的实践经验,适时将这一指标纳入我国货币政策操作的目标框架。特别是 MCI 能对我国的通货膨胀走势提供准确的信息反应,将 MCI 作为我国货币政策操作的一个参考指标,会有利于我们控制通货膨胀水平,并最终提高货币政策操作的效率。

在将 MCI 作为中央银行货币政策操作的参考指标时,应避免片面追求精确 MCI 的误区,将 MCI 保持在一个弹性区间才是切合实际的选择。加拿大中央银行在操作 MCI 时,尽管努力达到预期的 MCI 目标,但也不是每天都对汇率进行调节而达到一个非常精确的 MCI 值,我国中央银行在借鉴这一操作指标时也应注意这个问题。第一，以 MCI 作为货币政策操作目标时不可能做到非常精确，这是由于对经济运行情况的估算以及 MCI 与通货膨胀之间联系的不确定因素是客观存在的；第二，市场汇率水平的波动是相当频繁的，如果中央银行试图通过调整短期利率来抵消汇率的每一个短期波动对 MCI 的影响是不适当的。只有当中央银行发现汇率出现了不同于以前成交价格的波动幅度时，才有必要采取行动以抵消汇率对 MCI 的影响。

本 章 小 结

本书第四章和第五章分别研究了封闭经济下的两大流行规则——泰勒规则和通货膨胀目标制规则。本章将研究视野放宽到开放经济中，分析了开放经济下的最优货币政策规则以及 MCI 的作用。这一研究视野的拓宽和中国逐年提高的经济开放水平是一致的。

本章通过扩展的 Svensson-Ball 模型分析认为，在开放经济中，通货膨胀目标制和泰勒规则都是次优的，除非对它们进行一些重要的修正。这是由于货币政策不仅通过利率渠道传导，而且会通过汇率渠道影响经济，经济的开放程度越大，货币政策的汇率传导机制的作用也就越大。特别地，如果政策制定者最小化产出和通胀方差的加权和，开放经济下的最优货币政策工具就是同时基于利率和汇率的 MCI。

为了判断货币政策的汇率传导机制在中国的表现情况，本章分别估计了中国开放经济下的 IS 曲线和菲利普斯曲线。实证结果表明，在中国经济转型背景下，尽管中国经济的开放度越来越高，但与利率传导机制相比，货币政策的汇率传导机制既不是影响中国产出水平的主要渠道，也不是影响中国通货膨胀率的主要渠道。中国人民银行在实施金融宏观调控的过程中，仍然应该主要运用利率工具进行调节。

在此基础上，本章构建了中国的实际货币状况指数和名义货币状况

6 开放经济下的货币政策规则：理论及 MCI 的作用

指数，并分别分析了实际货币状况指数与产出增长率的关系以及名义货币状况指数与通货膨胀率的关系。结果表明，第一，中国的实际 MCI 与产出增长率的关系非常复杂，两者之间的相关系数只有 −0.1638。如果按照实际 MCI 进行货币政策操作，在大多数时候会错误地加大经济的波动。所以，从真实经济增长的角度来说，开放经济下基于 MCI 的货币政策操作方式不适合中国。第二，中国的名义货币状况指数与通货膨胀率走势是高度吻合的，它们之间的相关系数高达 −0.8971。故从对通货膨胀进行监测的角度来讲，名义 MCI 可以提供较准确的信息，有利于中央银行对通货膨胀进行适时调节。也就是说，基于传统 MCI 的货币政策操作在中国是行不通的，但可用名义 MCI 来监测通货膨胀率的变动情况。

传统 MCI 为什么在中国行不通？是不是传统 MCI 本身就存在重要缺陷？本章进一步的理论研究表明，将实际汇率权重取决于需求弹性之比的传统 MCI 是错误的（完全关注产出稳定的极端情形除外），传统 MCI 并不是货币状况的可靠指示器。其实，基于本书模型推导出的 MCI 有着不同的特性，即实际汇率的权重取决于所有的模型参数以及政策制定者的偏好。然而，权重的符号却是不确定的。

尽管传统的 MCI 在中国的表现并不好，但由于中国人民币汇率的市场化改革方向是既定的，将来的汇率变动也一定会更加富有弹性，因此，将 MCI 作为我国货币政策操作的参考指标也是必要的选择。特别是 MCI 能对我国的通货膨胀走势提供准确的信息反应，将 MCI 作为我国货币政策操作的一个参考指标，会有利于我们控制通货膨胀水平，并最终提高货币政策操作的效率。

7 转型期的中国货币政策规则：选择与过渡

自从基德兰德和普雷斯科特（Kydland & Prescott，1977）将时间非一致性问题引入宏观经济学领域，有关"规则"对"相机抉择"的争论开始发生了根本性的转变，越来越多的研究成果表明中央银行的货币政策规则可以有效改进货币政策的操作绩效。通过前文的研究，我们发现，如果中国的货币政策操作能成功实现由当前的相机抉择型操作向规则型操作的转型，就能有效地减少中国经济在转型过程中的波动，促进转型期的中国经济沿着持续、健康、稳定的增长路径向前发展，并能明显提高全社会的福利水平。但通过对当今世界最为流行的货币政策规则——泰勒规则和通货膨胀目标制规则的系统研究，笔者得出的结论是这两种规则都不能很好地适合转型期的中国经济实际。那么，转型期的中国究竟应采用什么样的货币政策规则？通货膨胀目标制真的不能在中国运用吗？这是本章必须回答的实际问题，也是全书要得到的研究结论。

7.1 转型期中国货币政策规则的选择：基于拟合效果的分析

自从20世纪90年代初期开始，以预期通胀为目标的货币政策规则——通货膨胀目标制开始逐渐流行。在这种情况下，中央银行的任务

7 转型期的中国货币政策规则：选择与过渡

之一是定期或不定期地调整短期利率，使得利率的真实路径与经济演进过程之间的关系满足一个明确的目标准则。由一个单一的福利目标指引下的而没有顾及其他目标的政策可能造成通胀偏差，由中央银行承诺的这类目标规则就能够很大程度上克服这种通胀偏差。与此同时，通胀目标规则可以使中期通胀预期稳定在一定的水平上，以降低过低的通胀率造成的产出损失（通过卢卡斯供给曲线）。另一个显而易见的好处是将合理的稳定的通胀水平与应对各种真实扰动的最优反应组合起来。Svensson（1999a）认为最好是考虑所谓的"灵活通胀目标制"，这一点意味着目标准则中不仅仅包含通胀率的路径，而且要求其他的诸如产出缺口的测度也能进入到目标准则中，这样，通货膨胀目标制就有了"相机抉择"的实际效果。也就是说，通货膨胀目标制既是一种货币政策规则，同时又不失相机抉择的调控能力，这使它具有了"相机抉择型规则"的特征。

我们知道，转型期的中国经济面临着许多难题，中国的经济改革又具有典型的"渐进式"特点，在改革、转型的复杂宏观背景下，我们不应该奢望能通过一个简单的"规则"来实施货币政策操作，中国的货币政策规则不应该失去"相机抉择"的特征。本书第三章的实证模拟研究结果也表明，尽管转型期中国的货币政策是"相机抉择"和"规则"并存的，但只要让中国货币政策的规则性成分对经济变量发生主要的影响，就能大大降低宏观经济的波动。而通货膨胀目标制规则正是这种能使"相机抉择"和"规则"型货币政策并存，但以"规则"型货币政策成分为主的货币政策操作框架。世界上已经实施这一框架的国家既有发达国家，也有发展中国家，这些国家的成功实施也为我国实施这一货币政策操作框架提供了可资借鉴的经验。

7.1.1 通货膨胀目标制的拟合效果

通货膨胀目标制真的优于其他规则吗？这一操作规则能为中国的中央银行提供准确的操作信息吗？接下来我们来实证分析通货膨胀目标制

对中国宏观经济运行的拟合效果。

7.1.1.1 VAR 的估计结果

为了考察一种货币政策规则的实际操作效果，我们需要将它置于一个具体的经济系统中。我们将使用一个模型来刻画中国经济环境下的货币传导机制，以此来描述经济系统对货币政策冲击的反应。通过观察通货膨胀目标制规则（灵活通胀目标制）在这个具体传导机制下的表现，来评价这一货币政策框架在中国的运用前景。Rotemberg 和 Woodford（1998）提到了一个用来描述这种货币政策的反馈机制模型：

$$i_t = I + \sum_{k=1}^{n_i} \varphi_{ik} i_{t-k} + \sum_{k=0}^{n_\pi} \varphi_{\pi k} \pi_{t-k} + \sum_{k=0}^{n_y} \varphi_{yk} y_{t-k} + \varepsilon_t \quad (7.1)$$

其中，i_t 表示名义利率在 t 期的观察值，π_t 表示第 $t-1$ 期和第 t 期之间的通货膨胀率，y_t 表示对数化的真实 GDP。并且 i_t、π_t 和 y_t 均用缺口表示，即这里使用的变量是对其长期均衡水平偏离的部分。扰动项 ε_t 表示货币政策操作的冲击，假定不存在序列相关，各期的冲击是相互独立的。在权衡了不过多损失自由度以及 AIC 和 SC 准则这两个目标之后，我们选择的滞后阶数为 2。

接下来我们使用一个简单的 VAR 模型来描述经济系统的动态过程。根据 Bernanke 和 Blinder（1992）、Rotemberg 和 Woodford（1998）、Bernanke 和 Mihov（1998）以及 Christiano 等（2001）的研究中所假设的那样，本书也认为当期的货币政策扰动不会对当期的通胀和产出水平产生影响。并且，当期的利率冲击是下一期产出以及下下一期的通胀率的原因（Svensson, 1999a）。令 $Z_t = [i_t, \pi_{t+1}, y_{t+1}]'$，选定滞后阶数为 2。

于是结构向量自回归的模型设定成方程：

$$T\overline{Z}_t = a + A\overline{Z}_{t-1} + \overline{e}_t \quad (7.2)$$

其中，$\overline{Z}_t = [Z'_t, Z'_{t-1}, Z'_{t-2}]'$；$T$ 是下三角阵，对角线元素均为 1，非对角线元素中只有前三行是非零元素构成；A 矩阵的前三行包括 VAR 的估计参数，剩余的行则是单位阵。(7.2) 式等同于矩阵表达式：

7 转型期的中国货币政策规则：选择与过渡

$$\begin{bmatrix} 1 & 0 & 0 & 0 & 0 & 0 & 0 & 0 & 0 \\ \delta_i & 1 & 0 & 0 & 0 & 0 & 0 & 0 & 0 \\ \gamma_i & \gamma_\pi & 1 & 0 & 0 & 0 & 0 & 0 & 0 \\ 0 & 0 & 0 & 1 & 0 & 0 & 0 & 0 & 0 \\ 0 & 0 & 0 & 0 & 1 & 0 & 0 & 0 & 0 \\ 0 & 0 & 0 & 0 & 0 & 1 & 0 & 0 & 0 \\ 0 & 0 & 0 & 0 & 0 & 0 & 1 & 0 & 0 \\ 0 & 0 & 0 & 0 & 0 & 0 & 0 & 1 & 0 \\ 0 & 0 & 0 & 0 & 0 & 0 & 0 & 0 & 1 \end{bmatrix} \begin{bmatrix} i_t \\ \pi_{t+1} \\ y_{t+1} \\ i_{t-1} \\ \pi_t \\ y_t \\ i_{t-2} \\ \pi_{t-1} \\ y_{t-1} \end{bmatrix} = \begin{bmatrix} \alpha_i \\ \alpha_\pi \\ \alpha_y \\ 0 \\ 0 \\ 0 \\ 0 \\ 0 \\ 0 \end{bmatrix} +$$

$$\begin{bmatrix} \varphi_{i1} & \varphi_{\pi 0} & \varphi_{y0} & \varphi_{i2} & \varphi_{\pi 1} & \varphi_{y1} & \varphi_{i3} & \varphi_{\pi 2} & \varphi_{y2} \\ \varphi_{i1} & \varphi_{\pi 0} & \varphi_{y0} & \varphi_{i2} & \varphi_{\pi 1} & \varphi_{y1} & \varphi_{i3} & \varphi_{\pi 2} & \varphi_{y2} \\ \kappa_{i1} & \kappa_{\pi 0} & \kappa_{y0} & \kappa_{i2} & \kappa_{\pi 1} & \kappa_{y1} & \kappa_{i3} & \kappa_{\pi 2} & \kappa_{y2} \\ 1 & 0 & 0 & 0 & 0 & 0 & 0 & 0 & 0 \\ 0 & 1 & 0 & 0 & 0 & 0 & 0 & 0 & 0 \\ 0 & 0 & 1 & 0 & 0 & 0 & 0 & 0 & 0 \\ 0 & 0 & 0 & 1 & 0 & 0 & 0 & 0 & 0 \\ 0 & 0 & 0 & 0 & 1 & 0 & 0 & 0 & 0 \\ 0 & 0 & 0 & 0 & 0 & 1 & 0 & 0 & 0 \end{bmatrix} \begin{bmatrix} i_{t-1} \\ \pi_t \\ y_t \\ i_{t-2} \\ \pi_{t-1} \\ y_{t-1} \\ i_{t-3} \\ \pi_{t-2} \\ y_{t-2} \end{bmatrix} + \begin{bmatrix} \varepsilon_t \\ u_t \\ v_t \\ 0 \\ 0 \\ 0 \\ 0 \\ 0 \\ 0 \end{bmatrix} \quad (7.3)$$

初步的估计结果显示，在本书所使用的样本中（1994Q1—2005Q2）结构式的估计参数并不是很显著，因此使用结构化向量自回归在这里可能并不是最优选择。于是我们考虑放弃结构化约束，直接使用下面的 VAR 估计（滞后阶数仍为2）：

$$\begin{cases} i_t = \alpha_i + \varphi_{i1} i_{t-1} + \varphi_{i2} i_{t-2} + \varphi_{\pi 0} \pi_t + \varphi_{\pi 1} \pi_{t-1} + \varphi_{y0} y_t + \varphi_{y1} y_{t-1} + \varepsilon_t \\ \pi_{t+1} = \alpha_\pi + \varphi_{i1} i_{t-1} + \varphi_{i2} i_{t-2} + \varphi_{\pi 0} \pi_t + \varphi_{\pi 1} \pi_{t-1} + \varphi_{y0} y_t + \varphi_{y1} y_{t-1} + u_t \\ y_{t+1} = \alpha_y + \kappa_{i1} i_{t-1} + \kappa_{i2} i_{t-2} + \kappa_{\pi 0} \pi_t + \kappa_{\pi 1} \pi_{t-1} + \kappa_{y0} y_t + \kappa_{y1} y_{t-1} + v_t \end{cases}$$

$$(7.4)$$

由于我们主要关心的是利率反馈在经济货币传导机制中的表现，所

以我们省略了 VAR 中第 3 个方程的结果,参数估计的结果①见表 7-1 (括号中的数字是 t 值):

表 7-1　灵活通胀目标制的 VAR 估计结果

系数	α_i	φ_{i1}	φ_{i2}	$\varphi_{\pi 0}$	$\varphi_{\pi 1}$	φ_{y0}	φ_{y1}
估计结果	-0.001598 (-0.0302)	1.346 (9.3600)	-0.4724 (-3.2610)	-0.009059 (-0.2670)	0.02225 (0.7075)	-0.004881 (-0.5657)	0.007427 (0.8215)

系数	α_π	φ_{i1}	φ_{i2}	$\varphi_{\pi 0}$	$\varphi_{\pi 1}$	φ_{y0}	φ_{y1}
估计结果	-0.3282 (-1.3860)	-0.02233 (-0.0347)	0.01178 (0.0182)	0.8977 (5.9060)	-0.04134 (-0.2934)	-0.07782 (-2.013)	-0.02554 (-0.6305)

7.1.1.2　通货膨胀目标制的操作条件

下面我们考察最优货币规则需要满足的操作条件。灵活通胀目标制的特点之一是不仅保留通货膨胀在损失函数中的地位,而且也将产出缺口纳入到央行的损失函数。在实际执行过程中,还需要考虑货币政策变化的平滑程度,以减轻货币政策变化对宏观经济的波动。所以,第 t 期的损失函数可以表达为:

$$(\pi_t - \gamma_\pi \pi_{t-1})^2 + \lambda_y (y_t - \gamma_y y_{t-1})^2 + \lambda_i (i_t - i^*)^2 \quad (7.5)$$

于是央行的总体损失函数可以表达为:

$$E_0 \sum_{t=0}^{\infty} \beta^t \left[(\pi_t - \gamma_\pi \pi_{t-1})^2 + \lambda_y (y_t - \gamma_y y_{t-1})^2 + \lambda_i (i_t - i^*)^2 \right] \quad (7.6)$$

其中,γ_π 表示的是通胀的惯性系数,γ_y 是产出缺口的平滑系数,λ_y 是产出缺口在损失函数中的权重,λ_i 是利率稳定目标在损失函数中的权重,i^* 则表示名义的均衡利率。事实上,即使当利率目标的权重为 0 的时候,也不会对其他控制目标产生负面影响。因为产出缺口和通胀的当期

---

①　(7.4) 式中第 1 个方程估计结果调整的 $R^2 = 0.9034$,第 2 个方程估计结果调整的 $R^2 = 0.9466$。

7 转型期的中国货币政策规则：选择与过渡

值是由前期的利率水平参与决定的，当期利率只能对它们当期以后的水平产生影响。因此在损失函数中，利率的权重可以设为0。即：

$$E_0 \sum_{t=0}^{\infty} \beta^t \left[(\pi_t - \gamma_\pi \pi_{t-1})^2 + \lambda_y (y_t - \gamma_y y_{t-1})^2 \right] \tag{7.7}$$

至于如何导出最小化损失函数（7.7）式的最优条件，可以参考Giannoni 和 Woodford（2003）。在这里我们直接列出最后的推导结果：

$$i_t = E_{t-1} i_t \tag{7.8}$$

$$\pi_{t+1} = E_{t-1} \pi_{t+1} \tag{7.9}$$

由（7.8）式可知，在通货膨胀目标规则的情况下，利率水平的变动在它实现的前一期，就已经由中央银行通过各种信号释放出来。也就是说央行在第 t 期的操作工具并不是本期的利率水平 i_t，而是下一期的短期预期名义利率 $E_t i_{t+1}$。货币政策操作的理想状况是预期的利率变动和实际的变动状况一致。由（7.9）式可知，最优目标规则还要求短期的通货膨胀率是提前两期可预测的。

其实，我们可以假设最优通胀目标规则的是这样操作的：首先，中央银行在第 t 期通过公开市场操作、债券回购等方式干预货币市场，这样就执行了央行在第 $t-1$ 期释放出的利率预期信号；然后，作为决策循环的一个步骤，中央银行选择操作目标 i_{t+1}，并且向市场释放该信号，这个信号的决定取决于第 t 期的通胀率偏离长期通胀水平的程度。

7.1.1.3 中国的检验

我们将中国的样本数据代入（7.4）式的 VAR 中第1个和第2个方程，分别可以得到利率和通货膨胀率的预测值，中央银行可以据此按（7.8）式和（7.9）式进行货币政策操作。图7-1显示了由通货膨胀目标制得到的利率水平估计值[1]与真实利率水平的比较情况，图7-2显示

---

[1] 根据（7.8）式，利率的估计值是提前1期的估计值。

了由通货膨胀目标制得到的通货膨胀率估计值①与真实通货膨胀水平的比较情况。

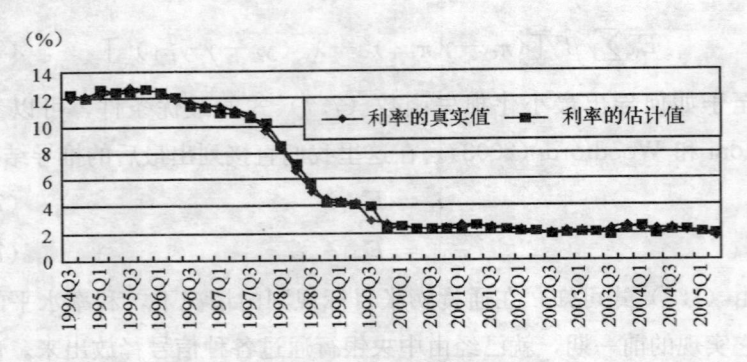

图 7-1 通货膨胀目标制对利率的拟合情况

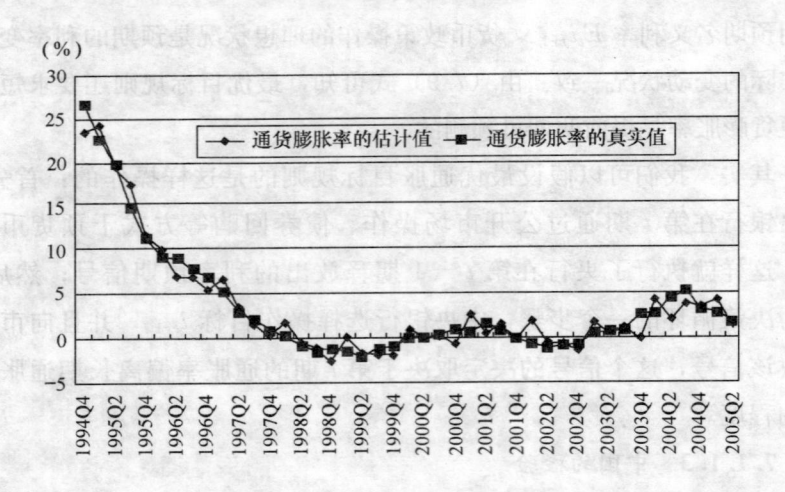

图 7-2 通货膨胀目标制对通货膨胀率的拟合情况

比较的结果显示，无论是利率还是通货膨胀率，在实行灵活通胀目标制的情况下，它们的估计值和真实值的拟合情况都相当好。这一方面说明中国的中央银行有比较强的影响货币市场预期的能力，能够很好地

---

① 根据（7.9）式，通货膨胀率的估计值是提前 2 期的估计值。

7 转型期的中国货币政策规则：选择与过渡

执行先期预定的目标；另一方面也说明，灵活通货膨胀目标制在我国可能是一个不错的货币政策选择。特别是在中国转型期的特殊时期，通货膨胀目标制能在坚持按"规则"行事的过程中不失"相机抉择"的灵活性，这对保证中国经济的平稳健康发展有重要意义。

但值得一提的是，我们这里所使用的模型有一定的局限性，它只考虑了封闭经济的情况，而没有考虑开放经济条件下存在外部冲击的情况。至于在开放经济条件下，应该如何操作通货膨胀目标制的货币政策规则，还有待于理论界和中央银行家们的进一步研究。根据本书第六章的分析，在开放经济下操作货币政策规则时，至少应该盯住长期通货膨胀水平 π^L。

7.1.2 通货膨胀目标制与泰勒规则对利率拟合效果的比较

本书在第五章中采用 Johansen 极大似然估计法，对 IBOR、rr、PAI、PAIGAP、GDPGAP 5 个时间序列变量的协整关系进行了检验，检验结果表明，IBOR、rr、PAI、PAIGAP、GDPGAP 5 个时间序列变量之间在 1‰ 的显著性下存在 1 个协整方程，即（括号中的数字为标准误）：

$$IBOR = 2.0471rr + 1.2268PAI + 0.5113PAIGAP + 0.2014GDPGAP$$
$$(0.17037) \quad (0.09364) \quad (0.17113) \quad (0.05528)$$

(7.10)

根据 (7.10) 式得到的泰勒规则对利率的拟合情况见图 4-4。

我们可以将通货膨胀目标制和泰勒规则对中国利率走势的拟合情况进行综合的比较分析。图 7-3 对通胀目标制和泰勒规则对利率的拟合情况进行了直观比较，可以看出，泰勒规则对中国利率走势的估计能力远不如通货膨胀目标制。

7.1.2.1 模型预测精度的衡量方法

(1) 均方根误差 RMSE（Root Mean Squared Error）

均方根误差定义为：

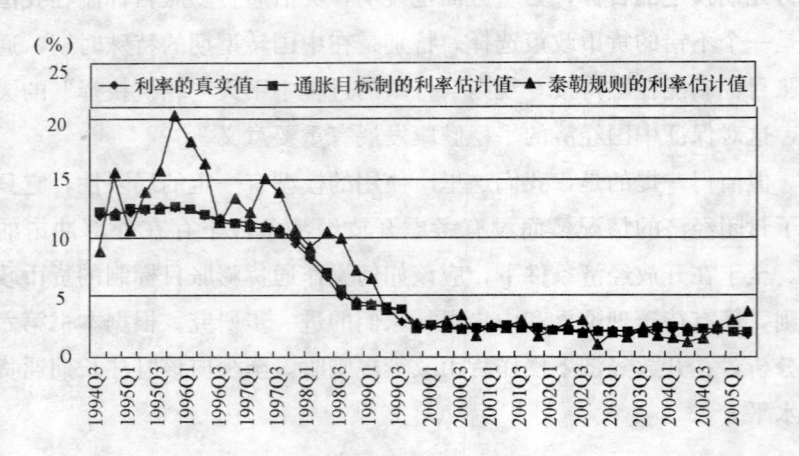

图 7-3　通胀目标制和泰勒规则对利率拟合情况的比较

$$RMSE = \sqrt{\frac{1}{n}\sum_{i=1}^{n}(\hat{y}_i - y_i)^2} \qquad (7.11)$$

其中，$\hat{y}_i$ 是预测值，y_i 是序列的实际值。

（2）平均绝对误差 MAE（Mean Absolute Error）

平均绝对误差定义为：

$$MAE = \frac{1}{n}\sum_{i=1}^{n}|\hat{y}_i - y_i| \qquad (7.12)$$

（3）平均绝对百分误差 MAPE（Mean Absolute Percent Error）

$$MAPE = \frac{1}{n}\sum_{i=1}^{n}\left|\frac{\hat{y}_i - y_i}{y_i} \times 100\right| \qquad (7.13)$$

一般来说，如果 MAPE 的值低于 10，就认为模型的预测精度较高。

（4）希尔不等系数 TIC（Theil Inequality Coefficient）

$$TIC = \frac{\sqrt{\frac{1}{n}\sum_{i=1}^{n}(\hat{y}_i - y_i)^2}}{\sqrt{\frac{1}{n}\sum_{i=1}^{n}\hat{y}_i^2} + \sqrt{\frac{1}{n}\sum_{i=1}^{n}y_i^2}} \qquad (7.14)$$

希尔不等系数总是介于 0 到 1 之间，数值越小，表明拟合值和真实

7 转型期的中国货币政策规则：选择与过渡

值间的差异越小，模型的预测精度也就越高。

由于均方误差可以分解为：

$$\frac{1}{n}\sum_{i=1}^{n}(\hat{y}_i - y_i)^2 = (\bar{\hat{y}} - \bar{y})^2 + (\sigma_{\hat{y}} - \sigma_y)^2 + 2(1-r)\sigma_{\hat{y}}\sigma_y \quad (7.15)$$

其中，$\bar{\hat{y}}$ 是预测值的均值，$\bar{y}$ 是实际序列的均值，$\sigma_{\hat{y}}$ 和 σ_y 分别是预测值和实际值的标准差，r 是它们间的相关系数。于是，可定义偏差率（Bias Proportion）、方差率（Variance Proportion）和协变率（Covariance Proportion）。偏差率、方差率和协变率是三个相互联系的指标，它们的取值范围都在 0—1 之间，并且这三项指标之和等于 1。它们的计算公式如下：

（5）偏差率

$$BP = \frac{(\bar{\hat{y}} - \bar{y})^2}{\sum_{i=1}^{n}\frac{1}{n}(\hat{y}_i - y_i)^2} \quad (7.16)$$

（6）方差率

$$VP = \frac{(\sigma_{\hat{y}} - \sigma_y)^2}{\sum_{i=1}^{n}\frac{1}{n}(\hat{y}_i - y_i)^2} \quad (7.17)$$

（7）协变率

$$CP = \frac{2(1-r)\sigma_{\hat{y}}\sigma_y}{\sum_{i=1}^{n}\frac{1}{n}(\hat{y}_i - y_i)^2} = 1 - BP - VP \quad (7.18)$$

BP 反映了预测值均值和实际值均值间的差异，VP 反映它们标准差的差异，CP 则衡量了剩余的误差。当模型的预测效果比较理想时，均方误差大多数集中在协变率上，而其余两项都很小。

7.1.2.2 通胀目标制与泰勒规则的比较结果

表 7-2 列出了通货膨胀目标制规则和泰勒规则对利率预测精度的各项指标。

表 7-2 通胀目标制和泰勒规则对利率的预测精度比较

评价指标	通货膨胀目标制	泰勒规则
RMSE	0.304213	2.389574
MAE	0.217699	1.669918
MAPE	5.589759	31.13722
TIC	0.021065	0.148503
BP	0.001188	0.199927
VP	0.000824	0.317457
CP	0.997989	0.482616

在衡量模型预测误差的前3个指标中,通货膨胀目标制均大大低于泰勒规则的情况;通货膨胀目标制的 MAPE 为 5.5898,低于 10,说明通胀目标制模型的预测精度较高,而泰勒规则的 MAPE 却高达 31.1372,大于超过了经验数值 10;从希尔不等系数来看,通胀目标制为 0.0211,而泰勒规则为 0.1485,说明泰勒规则对利率的拟合值和真实值之间的差异较大。从均方误差的分解角度可以看出,通胀目标制模型的协变率 CP 高达 0.9980,几乎所有的均方误差都集中在协变率上;而泰勒规则的 CP 却只有 0.4826,反映出泰勒规则对利率的预测精度较差。

总之,从对中国利率走势的预测能力来看,通货膨胀目标制远远优于泰勒规则。这说明,中央银行要想提高对宏观经济的把握能力,及时准确地获取宏观经济信息,应该选择通货膨胀目标制。虽然本书第五章的研究结果表明,通货膨胀目标制目前并不适合在中国运用,但中央银行可以积极创造实行这一货币政策框架的各种条件,以最终实现向通货膨胀目标制的转型。

7.2 转型期中国货币政策规则的过渡安排

虽然中国目前还不能立即实行通货膨胀目标制,但当前的"相机抉择"型货币政策操作已不能再维持下去。为了提高中国经济运行的质量,降低中国的宏观经济波动,我们应该寻找一种过渡安排,以尽快实

7 转型期的中国货币政策规则：选择与过渡

现中国的"规则"型货币政策成分对经济运行发挥主导影响作用。

7.2.1 货币政策规则研究模型的新框架

近年来有关货币政策规则领域的研究模型出现了一些明显变化，最突出的就是研究方法正在转向一个全新的框架，在这一框架中，通货膨胀率（而非物价水平）愈益发挥重要作用。新的研究方法还强调用简单的研究方法取代复杂的分析，这一研究框架由两个简单的 IS 曲线方程和菲利浦斯曲线方程（IS-Phillips Curve）组成，并将真实产出（Real Output）和通货膨胀率（the Rate of Inflation）作为内生变量引入分析框架。在研究实践中之所以舍象掉了 LM 曲线的分析，是因为许多学者认为由于中央银行经常采用短期名义利率作为货币政策的调节工具，这样如将货币需求因素纳入分析框架充其量只是为了被动确定满足预设利率目标的相应货币供给量（Taylor, 1995; Ball, 1997; McCallum, 1997; Svensson, 1997; Clarida et al., 1999）。

除了研究框架的改进之外，有两种不同的研究视角值得我们关注。一种研究视角认为实际产出和通货膨胀水平具有延续性，即当期的实际产出和通货膨胀水平取决于它们前期的水平，这一研究视角是"后顾性"（Backward-looking）的（Taylor, 1995; Ball, 1997; Svensson, 1999）。另一种研究视角则采用了与"后顾性"视角针锋相对的理性预期框架，被称为"前瞻性"（Forward-looking）视角，认为当期的实际产出和通货膨胀分别取决于它们的下一期预期值（McCallum, 1997; McCallum & Nelson, 1999; Clarida et al., 1999; Woodford, 1999; Taylor, 2001; Batini & Pearlman, 2002; Svensson, 2003）。

由于经济学家对宏观经济变量之间关系的认识见仁见智，很多学者采用了各种各样的宏观经济模型分析研究简单且易操作的货币政策规则的基本特征，这些研究成果主要是为了检验各种待分析规则的稳定性特征，如通货膨胀目标（Inflation Targets）、物价水平目标（Price Targets）、名义收入目标（Nominal Income Targets）、汇率目标（Foreign

Exchange Rate Targets)及其他规则如泰勒规则(Taylor's Rule)等。其中,Ball(1997)通过一个后顾性模型得出名义收入目标与最优货币政策规则并不一致的研究结论,他认为名义收入目标会导致实际产出缺口和通货膨胀率的剧烈波动,因而中央银行不宜采用这一目标。而McCallum(1997)却不以为然,他认为Ball的结论完全是因为他在研究中采用了具有后顾性特征的菲利浦斯曲线。Guender(2000)认为,即便是采用Ball的分析模型,只要将中央银行的目标改为混合的名义收入(Hybrid Nominal Income),原来的产出和通胀的剧烈波动现象就会消失。

本节拟采用一个简单的前瞻性模型作为分析中国过渡期最优货币政策规则的基准,并认为确定最优货币政策的过程必须立足于作为最终目标变量的实际产出和通货膨胀率指标,同时根据中央银行的潜在偏好和菲利浦斯曲线中的结构参数赋予两个最终目标不同的权重。另外,我们还将分析最优货币政策规则的两个特例——混合名义收入目标和严格通胀目标的特性,以期为我国转型期货币政策目标框架的改革安排提供相应的政策建议。

7.2.2 一个简单的前瞻性模型

我们在本节采用的一个简单前瞻性模型由以下两个方程组成:

$$y_t = -ar_t + E_t y_{t+1} + u_t \tag{7.19a}$$

$$\pi_t = E_t \pi_{t+1} + by_t + v_t \tag{7.19b}$$

其中,y_t 表示产出缺口[①],r_t 表示实际利率水平,π_t 表示通货膨胀率,下标 t 表示时期;u_t 和 v_t 均为随机干扰项,分别代表需求冲击和供给冲击并服从于 $(0, \sigma_u^2)$ 和 $(0, \sigma_v^2)$ 的正态分布;a 和 b 都是大于0的结构参

[①] 学术界对于这里的变量 y_t 究竟代表什么存有一些争议。McCallum 和 Nelson(1999)、McCallum(1999)将它视为实际产出水平;而另一些学者则用它度量实际产出水平偏离潜在产出的程度,如 Svensson(1997)、Woodford(1999)、Clarida et al.(1999)以及 Rudebusch(2000)。本书沿用后一种看法。

7 转型期的中国货币政策规则：选择与过渡

数。

模型假定政策制定者（即中央银行）能完全控制作为政策工具的实际利率水平，这一利率水平与实际产出负相关。方程（7.19a）对应于标准 IS-LM 模型中的 IS 曲线，但有一个重要区别在于：在标准的 IS 曲线方程中，当期产出与前期产出是正相关的；而在我们的前瞻性 IS 曲线方程（7.19a）中，当期产出缺口却是与下一期的预期产出缺口相联系的。方程（7.19b）描述了前瞻性的菲利浦斯曲线，这里的产出缺口对同期的通胀率会产生正向影响，即当期的产出缺口越高，则当期的通胀率也越高（Roberts，1995）。不完全竞争情况下生产厂商的最优定价行为决定了当期通胀水平与下一期预期通胀水平之间的关系，当预期通胀水平提高时，当期的通胀率也随之提高。方程（7.19b）中反映的当期通胀率与预期通胀率的关系使之明显区别于其他类型的菲利浦斯曲线，如后顾性菲利浦斯曲线（Ball，1997；Svensson，1999）和新古典的菲利浦斯曲线（Woodford，1999）[①]。

7.2.3 最优货币政策规则的确定

中央银行在确定最优货币政策规则时，往往会对作为最终目标变量的实际产出缺口和通胀率设定一个固定的名义目标值。我们用参数 λ 表示在中央银行政策规则中赋予产出缺口的相对权重，为方便起见，再令中央银行的目标值等于 0，即有：

$$z^* = \lambda y_t + \pi_t = 0 \quad (7.20)$$

其中，λ≥0。因此，最优的 λ 值正好能反映中央银行在实际产出缺

[①] 后顾性菲利浦斯曲线与本书采用的前瞻性菲利浦斯曲线主要有两点区别：第一，前瞻性曲线中的货币政策改变能直接影响当期的产出和通胀水平，即没有政策滞后；而在后顾性曲线中同样的货币政策变动对产出的影响有一期滞后，对通胀的影响有两期滞后。第二，前瞻性曲线中的当期通胀取决于未来通胀预期；而后顾性曲线则取决于过去的通胀水平。Woodford（1999）采用的新古典菲利浦斯曲线是一种附加预期的菲利浦斯曲线（Expectations-augmented Phillips Curve），这种曲线方程中的产出缺口对意外的通胀水平（$\pi_t - E_{t-1}\pi_t$）非常敏感。

口和通胀率水平之间的折衷（trade-off）行为。将（7.19a）式和（7.19b）式代入（7.20）式可解出 r_t：

$$r_t = \frac{1}{a\lambda}(E_t\pi_{t+1} + by_t + v_t) + \frac{1}{a}(E_t y_{t+1} + u_t) \quad (7.21a)$$

或

$$r_t = \frac{1}{a\lambda}(\pi_t) + \frac{1}{a}(E_t y_{t+1} + u_t) \quad (7.21b)$$

（7.21a）式和（7.21b）式正是中央银行调整实际利率水平时的反应函数，它表明中央银行在面临来自需求方的增长压力时，会系统地按 $\frac{1}{a}$ 的倍数相应调高实际利率水平。当观察到当期的通胀率水平 π_t 时，中央银行调整实际利率水平的幅度将要依赖于政策参数 λ 的大小：如果 λ 较大，即中央银行若赋予产出因素较高的政策比重，实际利率的调整幅度就较小；反之，实际利率的调整幅度就较大。

将（7.21a）式代入 IS 曲线方程（7.19a）可得：

$$(\lambda + b)y_t = -E_t\pi_{t+1} - v_t \quad (7.22)$$

方程（7.22）反映了规则确定后实际产出的变动情况：在供给冲击 v_t 产生后，实际产出将会减少；当对通胀的未来预期增加后，实际产出也会减少。至于产出减少的程度将取决于结构参数 a 和政策参数 λ 的大小。需求冲击 u_t 未进入方程（7.22）的事实说明来自需求方的干扰不会引起实际产出的变化，这是中央银行通过操作政策工具而同时影响实际产出和通胀率水平所带来的直接后果。联合方程（7.22）和方程（7.19b）可得到

$$\pi_t = \frac{\lambda}{\lambda + b}(E_t\pi_{t+1} + v_t) \quad (7.23)$$

为了求解这一模型，我们给出内生变量 y_t 和 π_t 的一组假定解决方案：

$$y_t = k_1 v_t \quad (7.24)$$

$$\pi_t = k_2 v_t \quad (7.25)$$

因此，接着应有：

7 转型期的中国货币政策规则：选择与过渡

$$E_t\pi_{t+1} = 0 \tag{7.26}$$

$$E_t y_{t+1} = 0 \tag{7.27}$$

将（7.25）式和（7.26）式代入（7.23）式并比较系数得到：

$$k_2 = \frac{\lambda}{\lambda+b} \tag{7.28}$$

因此，通胀率的解决方案应是：

$$\pi_t = \frac{\lambda}{\lambda+b}v_t \tag{7.29}$$

将（7.26）式和（7.29）式代入到方程（7.19b）可解得：

$$y_t = -\frac{1}{\lambda+b}v_t \tag{7.30}$$

因此有：

$$\mathrm{Var}(\pi_t) = \left(\frac{\lambda}{\lambda+b}\right)^2 \sigma_v^2 \tag{7.31a}$$

$$\mathrm{Var}(y_t) = \left(\frac{1}{\lambda+b}\right)^2 \sigma_v^2 \tag{7.31b}$$

中央银行的调控目标就是要最小化损失函数，这一损失函数由实际产出缺口的方差和通胀率的方差组成。也就是说，中央银行通过选择政策参数 λ，使得：

$$\mathrm{Min}_\lambda \mathrm{Var}(y_t) + \delta \mathrm{Var}(\pi_t) \tag{7.32}$$

其中，δ 代表损失函数中赋予通胀率方差的权重。将（7.31a）式和（7.31b）式代入（7.32）式，可求得这一最小化问题的解为：

$$\lambda^* = \frac{1}{\delta b} \geqslant 0 \tag{7.33}$$

观察（7.33）式，我们可以发现，λ 的最优值是参数 δ 和参数 b（前瞻性菲利浦斯曲线方程中产出缺口的系数）的函数。图 7-4 描述了在不同 b 值情况下 λ 和 δ 之间的关系。随着参数 b 的增加，图 7-4 中的曲线下移，意味着对于确定的 δ 值 λ 值将减小。也就是说，在菲利浦斯曲线方程（7.19b）中，实际产出对通胀水平的影响（b）越大，中央银行采用的最优政策规则中对实际产出的比重（λ）也应越小。

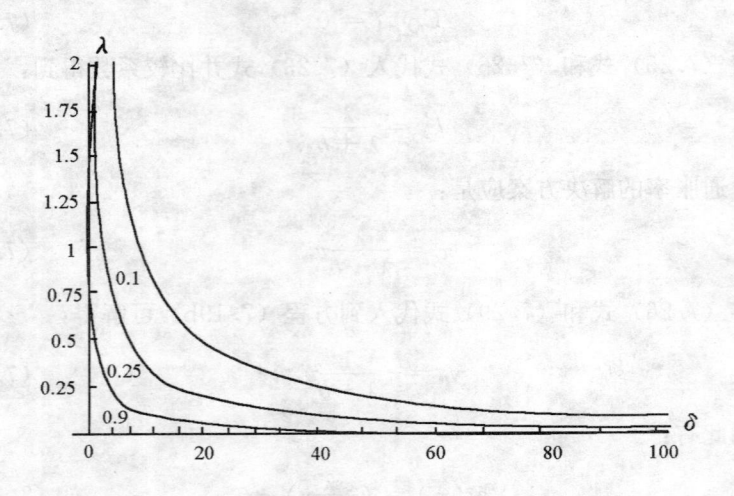

图 7-4 不同 b 值情况下 λ 和 δ 之间的关系（$b=0.1,0.25,0.9$）

7.2.4 两种有效的货币政策目标框架

考虑到中国的货币政策目标是追求"保持货币币值的稳定，并以此促进经济增长"[①]，说明中国的中央银行是既关注产出也关注通货膨胀的。所以，接下来我们将讨论两种最优货币政策规则的特殊情况：一种是混合名义收入目标，另一种是严格的通胀水平目标[②]。

7.2.4.1 混合名义收入目标（A Hybrid Nominal Income Target）

所谓混合名义收入目标，就是由实际产出缺口和通货膨胀率之和组成的政策调控目标，即：$z^*=y_t+\pi_t$（z 表示政策调控目标）。为了分析的简化，我们再次令 $z^*=0$。钉住产出缺口和通胀率之和的货币政策

[①] 2003 年 12 月 27 日第十届全国人民代表大会常务委员会第六次会议修改的《中国人民银行法》第三条规定"我国的货币政策目标是保持货币币值的稳定，并以此促进经济增长"。

[②] 为了研究的简便，我们这里只讨论严格通胀目标的情况，但分析的结论也适用于灵活通胀目标的情况。或者可以认为，本书如此安排旨在以严格通胀目标作为通货膨胀目标制的代表，尽管实践中各国普遍采用的是灵活通胀目标制。

7 转型期的中国货币政策规则：选择与过渡

规则之所以能构成一种有效的货币政策形式，是由于中央银行会在实际产出缺口和通货膨胀率之间进行单一的折衷选择。令（7.29）式和（7.30）式中的 $\lambda = 1$，可以得到：

$$y_t = -\frac{1}{1+b}v_t \tag{7.34}$$

$$\pi_t = \frac{1}{1+b}v_t \tag{7.35}$$

（7.34）式和（7.35）式表明，供给冲击 v_t 对实际产出缺口和通货膨胀率的影响是对称的。于是，在混合名义收入目标下，实际产出缺口和通胀率的方差将由（7.36）式给出：

$$\text{Var}(y_t)^{NIT} = \text{Var}(\pi_t)^{NIT} = \frac{1}{(1+b)^2}\sigma_v^2 \tag{7.36}$$

其中，上标"NIT"代表名义收入目标。（7.36）式中隐含了一个重要结论：如果中央银行将损失函数（7.32）式中赋予通胀方差的权重 δ 设定为 $1/b$，根据（7.33）式就有 $\lambda^* = 1/\delta b = 1$，这样，混合名义收入目标将和最优政策规则（7.20）式取得一致形式。也就是说，如果中央银行发现（7.19b）式中的实际产出因素对通货膨胀的影响较大时，只要将损失函数中通货膨胀的权重因子减小，就可以采用混合名义收入目标作为最优货币政策规则的实现形式。在这种情况下，损失函数为：

$$\text{Var}(y_t) + \delta\text{Var}(\pi_t) = \frac{1}{(1+b)^2}\sigma_v^2 + \frac{1}{b} \cdot \frac{1}{(1+b)^2}\sigma_v^2 = \frac{1}{b(1+b)}\sigma_v^2 \tag{7.37}$$

由（7.37）式可知，如果执行混合名义收入目标，损失函数的值将随着 b 值的增加（减小）而减小（增加）。

7.2.4.2 严格通胀目标（A Strict Inflation Target）

严格通胀水平目标虽然也是一种最优货币政策规则的有效形式，但它只是当损失函数中通胀权重 δ 为无穷大时的极端情况。由于 $\delta \to \infty$，就有最优货币政策规则中的 $\lambda \to 0$，此时中央银行在执行货币政策时仅仅

217

关注通货膨胀水平①。最优货币政策规则（7.20）式将转化为 $z^* = \pi_t = 0$，并且有 $E_t\pi_{t+1} = 0$。这样，由于中央银行会适当调节货币政策工具，同样的外部冲击此时将会是完全中性的，即外部冲击不会影响到通货膨胀水平。在严格通胀水平目标制下，有 $\pi_t = E_t\pi_{t+1} = 0$ 和 $\lambda = 0$，于是（7.30）式将变成：

$$y_t = -\frac{1}{b}v_t \tag{7.38}$$

实际产出缺口的方差和通胀率的方差由下式给出：

$$\text{Var}(y_t)^{SIT} = \frac{1}{b^2}\sigma_v^2, \text{Var}(\pi_t)^{SIT} = 0 \tag{7.39}$$

其中，上标"SIT"表示严格通胀目标。（7.39）式表明，菲利普斯曲线方程（7.19b）中实际产出缺口对通货膨胀的影响系数 b 越小，实际产出的方差就越大，这样会导致损失函数的值也增大（此时的损失函数值就等于实际产出的方差）；反之，b 越大，损失函数的值就越小。

通过比较上述两种货币政策目标框架可以发现，两者都是最优货币政策规则的实现形式，中央银行在执行这两种目标时都可能会导致损失函数的值增加（当 b 减小时）。因此，中央银行遵循最优货币政策规则选择实现最优规则的货币政策目标时，混合名义收入目标和严格通胀水平目标都是可行的备选方案，这两种方式在损失函数值的变化规律上是一致的，不存在孰优孰劣的情况。

7.2.5 结论及建议

本节通过一个简单的前瞻性模型分析了中央银行确定最优货币政策规则的过程，并对比研究了混合名义收入目标和严格通胀水平目标在扮演最优货币政策规则的有效实现形式时的各自特点，发现从损失函数的角度来看，这两种货币政策目标框架对于中央银行来说应该是无差异的。中央银行最关键的工作是确定最优货币政策规则中赋予实际产出因

---

① 另一种极端是 $\delta \to 0$，在这种情况下，$\lambda \to \infty$，中央银行仅仅关注实际产出情况。

素的权重 λ，这一权重取决于中央银行在损失函数中的偏好 δ 和菲利浦斯曲线方程中产出缺口对通胀率的影响系数 b。

20世纪90年代以来，自新西兰率先于1990年采用通货膨胀目标制开始，加拿大、英国、瑞典、芬兰、澳大利亚、西班牙等西方发达国家相继公开宣布以通货膨胀目标制作为货币政策的新框架，美国国会对实行通货膨胀目标制的可行性也进行了公开的讨论。受这些发达国家通货膨胀定标制改革的影响，其他一些国家如巴西、波兰、捷克、智利、以色列、南非、泰国、菲律宾等也采取了类似的做法（柳永明，2002）。在这一国际背景下，国内一些学者建议我国也应尽快实行通货膨胀目标制，而不必等到通货膨胀目标的成功实施所要求的宏观经济、制度和操作等方面的所有条件完全具备之后再进行货币政策框架的改革（刘仁伍等，2004）。本书认为，我国中央银行应充分考虑中国的实际情况，不应一味追求尽快进行通货膨胀定标的改革，而是要切实稳步推行相关制度的完善，待各方面条件成熟后再实行通胀目标制。2003年12月27日第十届全国人民代表大会常务委员会第六次会议修改的《中国人民银行法》第三条规定"我国的货币政策目标是保持货币币值的稳定，并以此促进经济增长"。因此，在目前情况下，产出因素和通货膨胀因素都应是中央银行执行货币政策的重要权衡因素。故我国应考虑采用混合名义收入目标框架（卞志村，2005b）作为向通货膨胀目标制转型的过渡期安排，既重视产出，也重视通货膨胀，以促进我国经济的协调健康稳定发展。

7.3 积极创造条件，适时实行通货膨胀目标制

鉴于中国目前的实际情况，我国中央银行应尽快明确宣布货币政策操作规范向规则型转变，以很好地稳定公众预期，努力让规则性货币政

策成分在经济运行中发挥主导作用,在降低经济波动的同时,积极创造实行通货膨胀目标制的各方面条件。

在我国,作为货币政策中介目标的货币供应量与作为最终目标的通货膨胀之间的关系,已经变得很不稳定,货币供应量指标的可控性和可测性出现了较大问题(夏斌、廖强,2001)。从中国人民银行的资产负债表来看,产生这一问题的主要原因,一方面是用于外汇冲销的外汇占款和救助金融机构的再贷款,大量挤占了中央银行的基础货币;另一方面,中央银行面临着因对货币系统注入流动性过多而诱发通货膨胀的风险,货币政策的可信度也因被动地承担最后贷款人的职能而受到削弱。在这种情况下,我国中央银行比以往更需要通过对相机抉择的货币政策操作进行约束,以克服时间非一致性可能对经济运行造成的长期不良后果。

货币供应量作为货币政策中介目标虽然不是很理想,但这并不能作为实行通货膨胀目标制的充分条件。更为重要的是,通货膨胀目标制所具有的优点不仅为思考和执行货币政策提供了一个有益的参考框架,也为克服我国货币政策操作过程中存在的中央银行独立性弱、货币政策目标多元、利率市场化程度低等问题提供了一个备选的解决方案。因此,当前我国应从以下几个方面完善货币政策框架:

(1)进一步改革人民币汇率体制,明确货币政策和汇率政策的主从地位

2005年7月21日人民币汇率体制改革又迈出了重要一步,中国人民银行宣布中国自当日开始实行以市场供求为基础、参考一篮子货币进行调节、有管理的浮动汇率制度。随着人民币汇率水平的灵活性增加,汇率作为货币政策名义锚的重要性已大为降低,可以将有管理的浮动汇率制度和通货膨胀目标制结合起来。如采用爬行区间作为向另一个名义锚过渡的中间制度,按爬行的中心平价水平对称设定人民币汇率的浮动区间,并针对资本流入造成的汇率升值压力逐步放宽爬行区间,为实行通货膨胀目标制积累操作经验。

7 转型期的中国货币政策规则：选择与过渡

在货币政策和汇率政策之间，应避免由于过多地关注汇率波动，造成以汇率取代通货膨胀目标制作为名义锚的问题。在两者发生冲突的情况下，应以货币政策操作为主。同时调整汇率浮动区间，增加外汇市场干预的透明度，以表明干预的目标在于熨平汇率的过度波动，避免由于维持隐含的汇率目标而削弱新货币政策框架的可信度。

（2）提高中央银行对宏观经济的分析预测能力和水平，合理选择通货膨胀盯住目标

为了有效地推行通货膨胀目标制，首先必须能准确地预测通货膨胀水平。为此中央银行需要通过建立一个可靠的通货膨胀预测模型，把握货币政策传导机制，估计出货币政策工具的调节对产出和价格产生影响的路径。但是，目前我国处于经济社会转型的特殊时期，经济结构不具有稳定性，经济主体之间的行为关系也缺乏可信度，客观存在着一个非一致性预期的经济结构。在这种情况下，要建立一个精确的模型，准确地估计货币政策变动对通货膨胀影响的难度较大。故通货膨胀率的预测不能单纯建立在数量模型的基础之上，还应当把经济景气指数等其他参考变量有机地结合在一起，即在盯住通货膨胀目标的同时要密切监测经济增长率、货币供应量、市场实际利率和公众的经济前景预期等指标，研究我国目前在非一致性预期结构下各监测指标的趋势及相应关系。

构建中国货币政策的通货膨胀目标框架，一项重要工作就是选择合理的盯住目标。西方许多国家在放弃了货币供应量目标后并没有简单地恢复利率目标，而是越来越多的国家采用了通货膨胀目标这种非工具变量目标。从这些国家确定通货膨胀目标的经验来看，各国都根据本国所处的国际环境和国内情况，定义了各具特色的通胀目标，从而使得各国在执行盯住通胀目标的期限、目标的计量方法、目标值或目标区间等方面均有所不同。故在确定我国的通货膨胀目标时，应借鉴这些国家在货币政策操作中的经验，建立一个实际可行的通货膨胀目标。

（3）进一步增加货币政策的透明度，以稳定社会公众的物价和市场预期

近年来，中国人民银行通过多种形式，及时披露货币政策相关信息，如公布货币政策委员会会议备忘录，发布《中国货币政策执行报告》等，以发挥货币政策的宣示和引导作用。但从提高货币政策透明度的角度看，在许多方面还有待进一步改进。如按照货币政策委员会条例的规定，货币政策委员会只是中国人民银行制定货币政策的议事机构，货币政策委员会议案和例会讨论的重要内容不得对外提供或公开发表。有关议案表决通过后形成建议书，中国人民银行在向国务院报送有关货币政策重要事项的决定方案时，将建议书或会议纪要作为附件一并上报。每个季度之初货币政策委员会召开例会后，只是在媒体上发表一个非常简短的会议纪要。因纪要很短且均为原则性表述，所以纪要传达出的信息量非常有限，社会公众从中能了解的，充其量只是未来一段时期的货币政策取向，而没有更多实质性的具体内容。另外，中国人民银行每个季度公布的《中国货币政策执行报告》，虽然篇幅较长，内容丰富，但只在《金融时报》和《中国人民银行公告》等专业性较强的刊物发表，其告示效应和影响范围就较为有限。

为了提高货币政策的透明度，增强我国中央银行的责任感，我们建议将货币政策委员会由议事机构提升为政策决策机构，并相应调整人员组成，如适当增加产业界委员和专家委员，使其更具代表性。对货币政策委员会通过的议案，应在更多的媒体上进行披露。对现有的《中国货币政策执行报告》，可在篇幅、内容和发布渠道等方面进行调整：篇幅上可适当压缩，以满足公众的阅读心理；内容上应突出通货膨胀的前期回顾、目前状况和未来预测，近期货币政策的操作效果、政策出台的理论和现实依据，宏观经济金融形势分析、未来货币政策取向及近期中央银行关注的主要问题等；在发布渠道上，可在《人民日报》、《经济日报》等发行量较大的报刊公布，还可以在较大的网站上进行披露，以扩大社会影响和提高货币政策的告示效应。这样做不但能进一步提高货币政策的透明度，更有利于接受公众对货币政策操作进行评价，以密切中央银行与社会公众之间的沟通，促进政策决策者责任心的加强。

7 转型期的中国货币政策规则：选择与过渡

（4）继续深化金融体制改革，进一步大力发展中国的金融市场

我们知道，健康稳定的金融系统可以使央行在制定和执行货币政策的过程中集中力量关注通胀目标的实现，有利于增强货币政策的可信性。同时，健康完善的金融体系可以保证金融部门对央行的货币政策操作作出理性反应，最终有利于货币政策的顺利传导。因此，有关部门应加紧推进四大国有商业银行的股份制改革，建立完善健全的公司治理结构，以建立真正的产权明晰、独立经营、自负盈亏、管理科学的商业银行体系。同时，也要大力发展民营银行和降低外资银行的准入要求，打破国有银行垄断地位，实行公平竞争，完善金融体系结构，提高金融体系对货币政策变动的敏感性。

发达的金融市场有利于货币政策的操作和传导，并有效提高货币政策的操作效率。发达的金融市场还有助于通过金融市场上资产价格的变化把公众对未来经济和市场预期的信息传达给中央银行，以丰富央行的决策依据。最重要的是，发达的金融市场可以吸收消化掉一些短期的意外冲击，有利于央行集中力量保证通胀目标的实现。因此，我国应大力发展金融市场，不断扩大市场的广度和深度，提高市场流动性，并努力避免金融市场的剧烈波动，维持金融市场的稳定。

（5）完善通货膨胀目标制的技术准备工作，加强和完善我国的通货膨胀统计和金融统计制度

通货膨胀统计和金融统计作为操作货币政策的基础性工作，其重要性是不言而喻的。目前，我国在这方面的工作还很不完善，应切实提高统计的准确性和及时性，提高统计工作的效率。具体来说，对于通货膨胀统计主要存在以下几个问题：第一，编制物价指数的统计方法还没有达到国际领先水平，我国还不能按时间序列编制一套完整的固定基数的消费价格指数；第二，由中央银行编制涵盖投资品在内的批发价格指数在缺失价格的估计、季节性调整等方面还有待改进。此外，参照国际经验，我国应尽快在分析测算并剔除我国价格指数中受供给冲击影响较大的能源、食品等价格基础上，建立核心通货膨胀指标，以监测价格水平的长期趋势。

考虑到货币政策的资产价格传导渠道的存在，应将资产价格纳入物价指数的编制，构造一个包括资产价格在内的广义价格指数。资产价格通常包括股票价格、房地产价格、债券价格等，我国目前的通货膨胀指标中还未考虑资产价格因素的影响。在实行通货膨胀制的情况下，资产价格的非预期变动会影响中央银行的通货膨胀预测。具体来说，资产价格的迅速上升会带来财富效应，从而刺激消费需求，间接推动物价水平的攀升。因此，我们应充分关注资产价格的变化，在技术上就是要构造一个包括资产价格在内的广义价格指数，以全面反映通货膨胀水平。

在金融统计方面，目前也存在一些突出的问题，如统计报表反映面太窄、报表缺乏合规性、统计指标设置重复、数据来源有待进一步完善等。因此，有关部门要尽快加强和改进金融统计，以保证货币政策有一个相对准确可靠的决策依据。

本 章 小 结

本书第三章的实证研究结果表明，如果中国的货币政策操作能成功实现由当前的相机抉择型操作向规则型操作的转型，就能有效地减少中国经济在转型过程中的波动，促进转型期的中国经济沿着持续、健康、稳定的增长路径向前发展，并能明显提高全社会的福利水平。但第四章和第五章通过对当今世界最为流行的货币政策规则——泰勒规则和通货膨胀目标制规则的系统研究，笔者得出的结论是这两种规则都不能很好地适合转型期的中国经济实际。第六章对开放经济下的最优货币政策规则以及MCI的作用进行了理论和实证分析，结果表明传统的MCI在中国的表现并不理想。那么，转型期的中国究竟应采用什么样的货币政策规则呢？本章既回答了这一实际问题，也得出了全书的研究结论。

尽管泰勒规则和通货膨胀目标制规则目前在中国的适用性都不强，

7 转型期的中国货币政策规则：选择与过渡

但这并不意味着这两大流行规则永远不能在中国使用。随着中国利率市场化改革和汇率体制改革的继续深入，随着各层次经济主体预算约束的强化，随着中国中央银行货币政策可信度和透明度的进一步提高，泰勒规则和通胀目标规则在中国的适用性一定会不断增强。但在泰勒规则和通胀目标规则之间，我们是不是应该作一取舍呢？本章通过对这两大规则在中国的拟合效果对比，发现从对中国利率走势的预测能力来看，通货膨胀目标制是远远优于泰勒规则的。这说明，中央银行要想提高对宏观经济的把握能力，及时准确地获取宏观经济信息，应该选择通货膨胀目标制。所以，中国中央银行应积极创造实行通货膨胀目标制货币政策框架的各种条件，以最终实现向通货膨胀目标制的转型。

虽然中国目前还不能立即实行通货膨胀目标制，但当前的"相机抉择"型货币政策操作已不能再维持下去，为了提高中国经济运行的质量，降低中国的宏观经济波动，我们应该寻找一种过渡安排，以尽快实现中国的"规则"型货币政策成分对经济运行发挥主导影响作用。本章通过一个简单的前瞻性模型分析了中国转型期最优货币政策规则的过渡安排，认为从损失函数的角度来说，混合名义收入目标和严格通胀水平目标是无差异的。因此，我国应考虑采用混合名义收入目标框架，作为向通货膨胀目标制转型的过渡期安排，既重视产出，也重视通货膨胀，以促进我国经济的协调健康稳定发展。

参 考 文 献

中文文献

[德] 奥特马·伊森:《通货膨胀目标制:前景及问题》,载《中国金融》2004年第5期。

[美] 劳伦斯·H. 怀特:《货币制度理论》,中国人民大学出版社2004年版。

[美] 卡尔·E. 瓦什:《货币理论与政策》,中国人民大学出版社2003年版。

[美] 本杰明·M. 弗里德曼、[英] 弗兰克·H. 哈恩:《货币经济学手册(第2卷)》,经济科学出版社2002年版。

[加] 杰格迪什·汉达:《货币经济学》,中国人民大学出版社2005年版。

艾洪德、蔡志刚:《通胀目标法:理论分析与效用实践》,载《财贸经济》2003年第11期。

卞志村(2004a):《货币政策外部时滞的经验分析》,载《数量经济技术经济研究》2004年第3期。

卞志村(2004b):《货币政策的资本市场传导机制》,载《南京师大学报(社科版)》2004年第5期。

卞志村(2005a):《泰勒型规则的研究文献综述》,载《财经问题研究》2005年第8期。

卞志村(2005b)、管征:《最优货币政策规则的前瞻性视角分析》,

载《金融研究》2005年第9期。

卞志村（2005c）、吴洁：《货币政策操作规范争论的回顾》，载《财贸经济》2005年第11期。

卞志村（2005d）：《中国货币政策操作规范的转型》，载《改革》2005年第11期。

卞志村（2005e）、毛泽盛：《货币政策规则理论的发展回顾》，载《世界经济》2005年第12期。

卞志村（2006a）：《泰勒规则的实证问题及在中国的检验》，载《金融研究》2006年第8期。

卞志村（2006b）：《中国货币政策操作规范需要转型》，载《金融时报》2006年10月30日第8版。

卜永祥、周晴：《中国货币状况指数及其在货币政策操作中的运用》，载《金融研究》2004年第1期。

陈景耀：《中国货币政策效应分析与政策建议》，载《当代经济研究》2000年第9期。

陈人俊：《1993年上海同业拆借市场概述》，载《上海金融》1994年第5期。

陈雨露、边卫红：《开放经济中的货币政策操作目标理论》，载《国际金融研究》2003年第10期。

程均丽、刘枭：《货币政策的时间不一致性、可信性与透明度》，载《财经科学》2005年第6期。

丁文丽、刘学红：《中国货币政策中介目标选择的理论研究与实证分析》，载《经济科学》2002年第6期。

方卫星：《货币政策操作规范的争论：一个文献综述》，载《贵州财经学院学报》2003年第2期。

顾六宝、肖红叶：《中国消费跨期替代弹性的两种统计估算方法》，载《统计研究》2004年第9期。

郭庆旺、贾俊雪：《中国潜在产出与产出缺口的估算》，载《经济研究》2004年第5期。

郭万山：《通货膨胀钉住制度研究综述》，载《经济学动态》2005年第2期。

范跃进、冯维江：《核心通货膨胀测量及宏观调控的有效性：对中国1995—2004的实证分析》，载《管理世界》2005年第5期。

贺力平：《货币政策新方向：反通胀目标制及其理论依据》，载《经济研究》1998年第2期。

李明扬、陈湘满、杨新松：《目标约束下货币政策的动态非一致性》，载《当代财经》2003年第4期。

陆军、钟丹：《泰勒规则在中国的协整检验》，载《经济研究》2003年第8期。

陆军、舒元：《货币政策无效性命题在中国的实证研究》，载《经济研究》2002年第3期。

刘斌：《最优货币政策规则的选择及在我国的应用》，载《经济研究》2003年第9期。

刘斌：《最优简单货币政策规则在我国应用的可行性》，载《金融研究》2003年第9期。

刘斌：《最优前瞻性货币政策规则的设计与应用》，载《世界经济》2004年第4期。

刘斌、张怀清：《我国产出缺口的估计》，载《金融研究》2001年第10期。

刘金全、云航：《规则性与相机选择性货币政策的作用机制分析》，载《中国管理科学》2004年第2期。

刘仁伍、吴竞择：《货币政策框架的国际趋势与我国面临的选择》，载《金融研究》2004年第2期。

柳永明：《通货膨胀目标制的理论与实践：十年回顾》，载《世界经济》2002年第1期。

穆良平、程均丽：《货币政策透明度制度兴起的背景分析》，载《金融研究》2004年第5期。

彭兴韵、包敏丹：《改进货币统计与货币层次划分的研究》，载《世界经济》2005年第11期。

钱小安：《中国货币政策的形成与发展》，上海三联书店、上海人民出版社2000年版。

钱小安：《货币政策规则》，商务印书馆2002年版。

秦宛顺、靳云汇、卜永祥：《中国基础货币与货币供应量、信贷量关系的分析》，载《数量经济技术经济研究》2003年第6期。

汪红驹：《降低货币政策动态不一致性的理论方法》，载《经济学动态》2002年第12期。

王芳：《金融理论发展的新趋向》，载《世界经济》2002年第5期。

吴卫华：《中国货币政策透明度博弈分析》，载《经济科学》2002年第6期。

夏斌、廖强：《货币供应量已不宜作为当前我国货币政策的中介目标》，载《经济研究》2001年第8期。

肖争艳、陈彦斌：《中国通货膨胀预期研究：调查数据方法》，载《金融研究》2004年第11期。

谢多：《中国货币市场发展的分析》，载《经济研究》2001年第9期。

谢平、刘斌：《货币政策规则研究的新进展》，载《金融研究》2004年第2期。

谢平、廖强：《货币政策操作的最优规则安排》，载《金融研究》1997年第10期。

谢平、罗雄：《泰勒规则及其在中国货币政策中的检验》，载《经济研究》2002年第3期。

谢平：《中国货币政策分析：1998—2002》，载《金融研究》2004年第8期。

杨建明：《通货膨胀钉住：一种新的货币政策框架》，载《南大商学评论》2004年第2期。

229

杨丽：《1998年以来我国货币政策有效性评析》，载《金融研究》2004年第11期。

杨林：《不完全信誉与通胀目标区的稳定效应》，载《数量经济技术经济研究》2004年第11期。

郑超愚、陈景耀：《政策规则、政策效应、政策协调：现阶段中国货币政策取向研究》，载《金融研究》2000年第6期。

战明华、李生校：《货币与产出的关系（1995—2003）：不同模型的分析结果及其比较》，载《世界经济》2005年第8期。

赵进文、高辉：《中国利率市场化主导下稳健货币政策规则的构建及应用》，载《经济学（季刊）》2004增刊。

赵留彦：《中国的核心通胀率、产出缺口与菲利普斯曲线》，2005年中国经济学年会入选论文。

英文文献

Adema Yvonne and Sterken Elmer, 2005, "Monetary Policy Rules From Fisher to Svensson, Taylor, and Woodford", Working Paper.

Armour, Jamie and Agathe Côté, 1999-2000, "Feedback Rules for Inflation Control: An Overview of Recent Literature", Bank of Canada Review, Winter.

Bagehot, W., 1873, Lombard Street: *A Description of the Money Market*, King: London.

Bailey, M. J., 1956, "The welfare costs of inflationary finance", *Journal of Political Economy*, 64, pp. 93-110.

Ball, Laurence, 1997, "Efficient Rules for Monetary Policy", NBER Working Paper No. 5952 (March).

Ball, Laurence, 1999, "Policy Rules for Open Economies", In Taylor, J. B. (Ed.), *Monetary Policy Rules*, University of Chicago Press: Chicago.

参考文献

Ball, Laurence and N. Sheridan, 2003, "Does Inflation Targeting Matter?", NBER Working Paper, No. 9577.

Batini, Nicoletta and Andrew G. Haldane, 1999, "Forward-Looking Rules for Monetary Policy", In Taylor, J. B. (Ed.), *Monetary Policy Rules*. University of Chicago Press: Chicago, 1999.

Batini, Nicoletta and Turnbull, Kenny, 2002, "A Dynamic Monetary Conditions Index for the UK", *Journal of Policy Modeling*, 24: 257-281.

Batini, Nicoletta, Richard Harrison and Stephen P. Millard, 2003, "Monetary Policy Rules for an Open Economy", *Journal of Economic Dynamics & Control* 27: 2059-2094.

Barro, R. J., and D. B. Gordon, 1983a, "A Positive Theory of Monetary Policy in a Natural-Rate Model", *Journal of Political Economy*, 91, no. 4: 589-610.

Barro, R. J., and D. B. Gordon, 1983b, "Rules, Discretion, and Reputatino in a Model of Monetary Policy", *Journal of Monetary Economics*, 12, no. 1: 101-121.

Barro, R. J., 1986, "Recent Development in the theory of rules versus discretion", *Economic Journal*, 96, Supplement (Conference Paper): 23-37.

Bean, C., 2003, "Inflation Targeting: the UK Experience", http://www.bankofengland.co.uk/speeches/speech203.pdf.

Bernanke, Ben S., and Alan S. Blinder, 1992, "The Federal Funds Rate and the Transmission of Monetary Policy", *American Economic Review* 82: 901-921.

Bernanke, Ben S., and Frederic S. Mishkin, 1997, "Inflation Targeting: A New Framework for Monetary Policy?", *Journal of Economic Perspectives* 11 (2): 97 – 116.

Bernanke, B. and M. Woodford, 1997, "Inflation forecasts and monetary policy", *Journal of Money, Credit, and Banking*, 29, pp. 653-684.

Bernanke, Ben S., and Ilian Mihov, 1998, "Measuring Monetary Policy", *Quarterly Journal of Economics* 113 (3): 869-902.

Bernanke, Ben S., Thomas Laubach, Frederic S. Mishkin, and Adam S. Posen, 1999, *Inflation Targeting: Lessons from the International Experience*, Princeton, NJ: Princeton University Press, 1999.

Blanchard, Olivier Jean, and Charles M. Kahn, 1980, "The Solution of Linear Difference Models under Rational Expectations", *Econometricia* 48 (5): 1305-1312.

Bordo, Michael and Oliver Jeanne, 2002, "Boom-Busts in Asset Prices, Economical Instability and Monetary Policy", CEPR Discussion Paper, No. 3398.

Borio, Claudio and Philip Lowe, 2002, "Asset Prices, Financial and Monetary Stability: Exploring the Nexus", BIS Working Paper, No. 114.

Bryant, R. C., P. Hooper, and C. L. Mann, 1993, *Evaluating Policy Regimes: New Research in Empirical Macroeconomics*, Brookings Institution: Washington.

Bullard, J. B. and E. Schaling, 2002, "Why the FED should ignore the stock market", Federal Reserve Bank of St Louis, *Economic Review*, March-April, pp. 35-41.

Calvo, Guillermo A., 1978, "On the Time Consistency of Optimal Policy in a Monetary Economy", *Econometrica*, 46 (6): 1411-1428.

Canzoneri, M. B., 1985, "Monetary policy games and the role of private information", *American Economic Review*, 75 (4): 1056-1070.

参考文献

Cao, Jian-Guo, Don Coletti, and Stephen Murchison, 2000, "Monetary Rules for NAOMI", *Economic Analysis and Forecasting Division*, March 2000.

Carlstrom, Charles T. and Timothy S. Fuerst, 2000, "Forward-Looking Versus Backward-Looking Taylor Rules", Federal Reserve Bank of Cleveland, Working Paper No. 0009 (August).

Choi, K., C. Jung and W. Shambora, 2003, "Macroeconomic Effects of Inflation Targeting Policy in New Zealand", *Economics Bulletin*, Vol. 5, No. 17: 1-6.

Christiano, L. J. and C. Gust, 1999, "Taylor rules in a limited participation model", *De Economist*, 147, pp. 437-460.

Christiano, Lawrence J., Martin S. Eichenbaum, and Charles L. Evans, 2001, "Nominal Rigidities and the Dynamic Effects of a Shock to Monetary Policy", NBER Working Paper No. 8403.

Clarida, R. and M. Gertler, 1997, "How the Bundesbank conducts monetary policy", in: C. D. Romer and D. H. Romer (ed.), *Reducing Inflation: Motivation and Strategy*, University of Chicago: Chicago.

Clarida, Richard, Jordi Gali, and Mark Gertler, 1998, "Monetary policy rules in practice: Some international evidence", *European Economic Review*, 42 (6): 1033-1067.

Clarida, Richard, Jordi Gali. and Mark Gertler, 1999, "The Science of Monetary Policy: A New Keynesian Perspective", *Journal of Economic Literature*, December.

Clarida, Richard, Jordi Gali, and Mark Gertler, 2000, "Monetary Policy and Macroeconomic Stability: Evidence and Some Theory", *The Quarterly Journal of Economics* 115 (1): 147-166.

Clarida, Richard, Jordi Gali, and Mark Gertler, 2001, "Optimal

Monetary Policy in Open vs. Closed Economies: An Integrated Approach", Mimeo.

Coletti, D., B. Hunt, D. Rose, R. Tetlow, 1996, "Bank of Canada's new quarterly projection model", Part 3, The dynamic model: QPM, Technical Report, 75, Bank of Canada: Ottawa.

Côté, Denise, Jean-Paul Lam, Ying Liu, and Pierre St-Amant, 2002a, "The Role of Simple Rules in the Conduct of Canadian Monetary Policy", *Bank of Canada Review*, Summer.

Côté, Denise, John Kuszczak, Jean-Paul Lam, Ying Liu, Pierre St-Amant, 2002b, "A Comparison of Twelve Macroeconomic Models of the Canadian Economy", *Bank of Canada Technical Report* No. 94.

Cukierman, A., 1992, *Central Bank Strategies, Credibility and Independence*, Cambridge, MA: MIT Press.

Dennis, Richard, 1997, "A Measure of Monetary Conditions", Reserve Bank of New Zealand, Discussion Paper Series G97/1.

Duguay, Pierre, 1994, "Empirical Evidence on the Strength of the Monetary Transmission Mechanism in Canada: An Aggregate Approach", *Journal of Monetary Economics*, February.

Erceg, C., D. Henderson and A. Levin, 2000, "Optimal Monetary Policy with Staggered Wage and Price Contracts", *Journal of Monetary Economics*, 46: 281-313.

Flood, R., and P. Isard, 1988, "Monetary Policy Strategies", NBER Working Paper, No. 2770, November.

Fischer, S., 1990, "Rules versus discretion in monetary policy", in: B. M. Friedman and F. H. Hahn (ed.), *Handbook of Monetary Economics*, North-Holland, Amsterdam, Chapter21, pp. 1155-1184.

Fisher, I., 1920, *Stabilizing the Dollar*, MacMillan: New York.

Fisher, I., 1945, *100% Money*, New Haven: City Printing Company.

Friedman, M., 1948, "A monetary and fiscal framework for economic stability", *The American Economic Review*, 38, pp. 245-264.

Friedman, M., 1960, *A Program for Monetary Stability*, Fordham University Press: New York.

Friedman, M., 1968, "The Role of Monetary Policy", *American Economic Review*, 58, No. 1 (March): 1-17.

Friedman, M., 1999, "The Future of Monetary Policy: The Central Bank as an Army with Only a Signal Corps?", *International Finance*, 2, pp. 321-338.

Fuhrer, J. C., 1997, "Inflation/output variance: trade-offs and optimal monetary policy", *Journal of Money, Credit, and Banking*, 29, pp. 214-234.

Fratianni, M., J. von Hagen, and C. Waller, 1997, "Central Banking as a Principal Agent Problem", *Economic Inquiry*, 35, No. 2 (April): 378-393.

Freedman, Charles, 1994, "The Use of Indicators and of the Monetary Conditions Index in Canada", in Tomas J. T. Balino and Carlo Cottarelli (eds.), *Frameworks for Monetary Stability*, International Monetary Fund.

Gerlach, Stefan and Franks Smets, 1996, "MCIs and Monetary Policy in Small Open Economies Under Floating Exchange Rates", Bank for International Settlements, November.

Giannoni, M. P. and Michael Woodford, 2003, "Optimal Inflation Targeting Rules", NBER Working Paper No. 9939.

Glenn, Stevens, 2003, "Inflation Targeting: A Decade of Australian Experience", Address to South Australian Centre for Economic Studies, April 2003 Economic Briefing.

Goodhart, C. A. E., 1989, *Money, Information, and Uncertainty*, MacMillan: London.

Haldane, Andrew G., 2000, "Ghostbusting: The UK Experience of Inflation Targeting," Bank of England, Mimeo.

Hamalainen, Nell, 2004, "A Survey of Taylor-Type Monetary Policy Rules", Working Paper.

Hataiseree, Rungsun, 1998, "The Roles of Monetary Conditions and the Monetary Conditions Index in the Conduct of Monetary Policy: the Case of Thailand Under the Floating Rate Regime", Economic Research Department, The Bank of Thailand.

Henderson, D. W. and W. J. McKibbin, 1993, "An assessment of some basic monetary policy regime pairs: analytical and simulation results from simple multi-region macroeconomic models", in: Bryant, R. C., P. Hooper, C. L. Mann (eds.), *Evaluating Policy Regimes: New Research in Empirical Macroeconomics*, The Brookings Institution: Washington DC, pp. 45-218.

Hong Kong Monetary Authority, 2000, "A Monetary Conditions Index for Hong Kong", Quarterly Bulletin 2000/11.

Isard, Peter, Douglas Laxton, and Ann-Charlotte Eliasson, 1999, "Simple Monetary Policy Rules Under Model Uncertainty", *International Tax and Public Finance* 6: 537-577.

Jonas, J. and F. S. Mishkin, 2003, "Inflation Targeting in Transition Countries: Experience and Prospects", NBER Working Paper, No. 9667.

Judd, John P. and Glenn D. Rudebusch, 1998, "Taylor's Rule and the Fed: 1970-1997", *FRBSR Economic Review* 3: 3-16.

King, M. A., 1994, "Monetary policy in the U. K.", *Fiscal Studies* 15: pp. 109-128.

King, M. A., 1999, "Challenges for monetary policy: new and old", *Bank of England Quarterly Bulletin*, 39, pp. 397-415.

Kozicki, Sharon, 1999, "How Useful Are Taylor Rules for Monetary Policy?", Federal Reserve Bank of Kansas City, *Economic Review* No. 84 (2): 5-33.

Kydland, Finn and Edward Prescott, 1977, "Rules Rather than Discretion: the Inconsistency of Optimal Plans", *Journal of Political Economy*, vol. 85, No. 3: 473-491.

Lafleche, T., 1996, "The Impact of Exchange Rate Movements on Consumer Prices", *Bank of Canada Review*, Winter 1996-97, 21-32.

Laxton, Douglas and Pesenti, Paolo, 2003, "Monetary Rules for Small, Open, Emerging Economies", *Journal of Monetary Economics* 50: 1109-1146.

Leiderman, L. and Hadas Bar-Or, 2000, "Monetary Policy Rules and Transmission Mechanism Under Inflation Targeting in Israel", Research Department Papers, Bank of Israel, January.

Leven, Andrew, Volker Wieland, and John C. Williams, 1999, "Robustness of Simple Policy Rules under Model Uncertainty", In Taylor, J. B. (Ed.), *Monetary Policy Rules*. University of Chicago Press, Chicago, 1999.

Lohmann, S., 1992, "Optimal Commitment in Monetary Policy: Credibility vs. Flexibility", *American Economic Review*, 82, No. 1 (March): 273-286.

Lucas, R. E., 1976, "Econometric policy evaluation: a critique", Carnegie-Rochester Conference Series on Public Policy, 1, pp. 19-46.

Mayes, D. G. and Viren, M., 1998, "Exchange Rate Considerations in a Small Open Economy: A Critical Look at the MCI as a Possible Solution", Bank of England, CCBS Workshop, November 18.

McCallum, Bennett T., 1983, "On Non-uniqueness in Rational Expectations Models: An Attempt at Perspective", Journal of Monetary Economics, 11: 139-168.

McCallum, B. T., 1986, "Some issues concerning interest rate pegging, price level determinacy, and the Real Bills Doctrine", *Journal of Monetary Economics* 17: 135-160.

McCallum, B. T., 1988, "Robustness properties of a rule for monetary policy", *Carnegie-Rochester Conference Series on Public Policy* 29: 173-204.

McCallum, Bennett T., 1994, "A semi-classical model of price adjustment", *Carnegie-Rochester Conference Series on Public Policy* 41: 251-284.

McCallum, Bennett T. and Edward Nelson, 1997, "An Optimizing IS-LM Specification for Monetary Policy and Business Cycle Analysis", NBER Working Paper No. 5875.

McCallum, Bennett T., 1997, "Issues in the Design of Monetary Policy Rules", NBER Working Paper, No. 6016.

McCallum, B. T., 1999, "Issues in the design of monetary policy", in: J. B. Taylor and M. Woodford (eds.), *Handbook of Macroeconomics*, North-Holland, Amsterdam.

McCallum, Bennett T. and Edward Nelson, 1999, "Performance of Operational Policy Rules in an Estimated Semiclassical Structural Model", In Taylor, J. B. (Ed.), *Monetary Policy Rules*, University of Chicago Press, Chicago, 1999.

McCallum, Bennett T., 2000, "Alternative Monetary Policy Rules: A Comparison with Historical Settings for the United States, the United Kingdom, and Japan", NBER Working Paper, No. 7725.

McCallum, Bennett T., 2001, "Should Monetary Policy Respond

Strongly to Output Gaps?", *American Economic Review* 91 (2): 258-262.

Mishkin, F. S., 2000, "Inflation Targeting in Emerging Market Countries", *American Economic Review*, 90 (2): 105-109.

Mundell, R. A., 1961, "A theory of optimum currency areas", *American Economic Review* 51: 964-985.

Muscattelli, V. Anton, Patrizio Tirelli, and Carmine Trecroci, 1999, "Does institutional change really matter? Inflation targets, central bank reform and interest rate policy in the OECD countries", CESifo Working Paper No. 278, Munich.

Muscattelli, Anton and Carmine Trecroci, 2000, "Monetary Policy Rules, Policy Preferences, and Uncertainty: Recent Empirical Evidence", *Journal of Economic Surveys* 14 (5): 597-627.

Nelson, Edward, 2000, "UK monetary policy 1972-97: a guide using Taylor rules", Bank of England Working Paper No. 119.

Okun, A. M., 1962, "Potential GDP: Its Measurement and Significance", *Proceedings of the Business and Economics Session*, American Statistical Association, pp. 98-104.

Orphanides, Athanasios, 1997, "Monetary Policy Rules Based on Real-Time Data", *Finance and Economics Discussion Series*, Federal Reserve Board, 1998-03 (December), 38.

Orphanides, Anthanasois et al. 1999, "Errors in the Measurement of the Output Gap and the Design of Monetary Policy", Finance and Economics Discussion Series, 1999-45, Federal Reserve Board, (August).

Orphanides, Anthanasois, 2000, "Activist Stabilization Policy and Inflation: The Taylor Rule in the 1970s", *Finance and Economics Discussion Series*, 2000-13, Federal Reserve Board, (February).

Orphanides, Anthanasois, 2001, "Monetary Policy Rules Based on Real-time Data", *American Economic Review*, 91, 964-985.

Peersman, Gert and Frank Smets, 1999, "The Taylor Rule: A Useful Monetary Policy Benchmark for the Euro Area?", *International Finance* 2 (1): 85-116.

Peeters, H. M. M., 1999, "Measuring monetary conditions in Europe: use and limitations of the MCI", *De Economist* 147: 183-203.

Persson, T. and G. Tabellini, 1993, "Designing institutions for monetary stability", Carnegie-Rochester Conference Series on Public Policy, 39.

Phelps, E. S., 1973, "Inflation in the theory of public finance", *Swedish Journal of Economics* 75: 67-82.

Perron, Pierre, 1989, "The Great Crash, the Oil Price Shock, and the Unit Root Hypothesis", *Econometrica*, 57, pp. 1361-1401.

Persson, To., and G. Tabellini, eds. 1990, *Macroeconomic Policy, Credibility and Politics*, Chur, Switzerland: Harwood Academic Publishers.

Pétursson, T. G., 2004, "The Effects of Inflation Targeting on Macroeconomic Performance", Central Bank of Iceland Working Papers, http://www.sedlabanki.is.

Poole, W., 1970, "Optimal choice of monetary policy instruments in a simple stochastic macro model", *Quarterly Journal of Economics* 84: 197-216.

Ramsey, F. P., 1928, "A mathematical theory of saving", *The Economic Journal* 38: 543-559.

Rapach, David E. and Christian E. Weber, 2001, "Are Real Interest Rates Really Nonstationary?", Seattle University Working Paper, (June).

参考文献

Reserve Bank of New Zealand, *Briefing on the Reserve Bank of New Zealand*, October 1996.

Roberts, John M., 1995, "New Keynesian economics and the Phillips curve", *Journal of Money, Credit, and Banking* 27: 975-984.

Rogoff, K., 1985, "The optimal degree of commitment to an intermediate monetary target", *Quarterly Journal of Economics*, 100, pp. 1169-1190.

Romer, D., 2000, "Keynesian macroeconomics without the LM-curve", *Journal of Economic Perspectives* 14: 149-169.

Rotemberg, Julio J., and Michael Woodford, 1998, "An Optimization-Based Econometric Framework for the Evaluation of Monetary Policy: Expanded Version", NBER Technical Working Paper No. 0233.

Rudebusch, Glenn D., 2001, "Is the Fed too Timid? Monetary Policy in an Uncertain World", *Review of Economics and Statistics* 83 (2): 203-217.

Rudebusch, Glenn D. and Lars E. O. Svensson, 1999, "Policy Rules for Inflation Targeting", In Taylor, J. B. (Ed.), *Monetary Policy Rules*, University of Chicago Press: Chicago, 1999.

Sack, Brian and Volker Wieland, 1999, "Interest-Rate Smoothing and Optimal Monetary Policy: A Review of Recent Empirical Evidence", *Finance and Economics Discussion Series*, 1999-39, Federal Reserve Board, (August).

Sargent, T. J. and N. Wallace, 1975, "Rational expectations, the optimal monetary instrument, and the optimal money supply rule", *Journal of Political Economy* 83: 241-254.

Sherwin, M., 2000, "Strategic Choices in Inflation Targeting: the New Zealand Experience", in Mario I. Blejer, Alain Ize, and Alfredo

M. Leone (eds.), *Inflation Targeting in Practice: Strategic and Operational Issues and Application to Emerging Market Economies*, International Monetary Fund.

Sidrauski, M., 1967, "Rational choice and patterns of growth in a monetary *economy*", *American Economic Review* 57: 534-544.

Simons, H. C., 1948, *Economic Policy for a Free Society*, Chicago University Press, Chicago.

Smets, Frank, 1998, "Output Gap Uncertainty: Does it Matter for the Taylor Rule?", BIS Working Papers, No. 60 (November).

Svensson, L. E. O., 1997a, "Inflation Forecast Targeting: Implementing and Monitoring Inflation Targets", *European Economic Review*, 41, no. 6 (June): 1111-1146.

Svensson, L. E. O., 1997b, "Optimal Inflation Targets, 'Conservative' Central Bank, and Linear Inflation Contracts", *American Economic Review*, 87, no. 1 (March): 98-114.

Svensson, L. E. O., 1999a, "Inflation Targeting as a Monetary Policy Rule", *Journal of Monetary Economics* 43: 607-654.

Svensson, L. E. O., 1999b, "Inflation Targeting: Some Extensions", *Scandinavian Journal of Economics* 101: 337-361.

Svensson, L. E. O., 1999c, "Price Level Targeting vs. Inflation Targeting", *Journal of Money, Credit and Banking* 31: 277-295.

Svensson, L. E. O., 1999d, "Monetary Policy Issues for the Eurosystem", Carnegie-Rochester Conference Series on Public Policy, 51-1, 79-136.

Svensson, L. E. O., 2000, "Open-Economy Inflation Targeting", *Journal of International Economics*, 50 (1), 155-183.

Svensson, L. E. O., 2001, *Independent Review of the Operation of Monetary Policy in New Zealand: Report to the Minister of*

Finance, February.

Svensson, L. E. O., 2002, "Inflation targeting: should it be modeled as an instrument rule or a targeting rule?", *European Economic Review*, 46: pp. 771-780.

Svensson, L. E. O., 2003, "The Inflation Forecast and the Loss Function, Central Banking", *Monetary Theory and Practice: Essays in Honour of Charles Goodhart*, Vol 1, ed. by P. Mizen, Edward Elgar, 135-152.

Taylor, John B., 1993, "Discretion Versus Policy rules in Practice", Carnegie-Rochester Conference Series on Public Policy, 39, 195-214.

Taylor, John B., 1995, "The Monetary Transmission Mechanism: An Empirical Framework", *Journal of Economic Perspectives* 9 (4): 11-26.

Taylor, John B., 1999a, "The robustness and efficiency of monetary policy rules as guidelines for interest rate setting by the European central bank", *Journal of Monetary Economics* 43 (3): 655-679.

Taylor, John B., 1999b, "A Historical Analysis of Monetary Policy Rules", In Taylor, J. B. (Ed.), *Monetary Policy Rules*, University of Chicago Press, Chicago, 1999, 39.

Taylor, John B., 2000, "Alternative Views of the Monetary Transmission Mechanism: What Difference Do They Make for Monetary Policy?", *Oxford Review of Economic Policy* 16 (4): 60-73.

Taylor, John B., 2001, "The Role of the Exchange Rate in Monetary-Policy Rules", *American Economic Review* 91 (2): 263-267.

Thornton, H., 1802, *An Inquiry into the Nature and the Effects of the Paper Credit of Great Britain*, reprinted in 1939, Allen and Unwin, London.

Viner, J., 1955, *Studies in the Theory of International Trade*, George, Allen, and Unwin, London.

Waller, Christopher J., 1995, "Performance Contracts for Central Bankers", *Federal Reserve Bank of St Louis Review*, September/October: 3-14.

Walsh, C. E., 1995, "Optimal contracts for central bankers", *American Economic Review*, 85 (1): 150-167.

Wicksell, K., 1898, *Interest and Prices*, Jena.

Wicksell, K., 1907, "The influence of the interest rate on prices", *The Economic Journal*, 17: 213-220.

Williams, John C., 1999, "Simple Rules for Monetary Policy", *Finance and Economics Discussion Series*, 1999-12, Federal Reserve Board, (February).

Woodford, M., 1990, "The Optimum Quantity of Money", in: B. M. Friedman and F. H. Hahn (eds.), *Handbook of Monetary Economics*, North-Holland, Amsterdam, Chapter 20, pp. 1067-1152.

Woodford, M., 1999, "Optimal Monetary Policy Inertia", NBER Working Paper No. 7261.

Woodford, M., 2000, "Monetary policy in a world without money", Paper presented at the conference: The Future of Monetary Policy, World Bank: Washington DC.

Woodford, M., 2001, "The Taylor Rule and Optimal Monetary Policy", *American Economic Review* 91 (2): 232-237.

Woodford, M., 2001, "Interest Rates and Prices: Foundations of a Theory of Monetary Policy", Chapter 4, Book Manuscript.

Woodford, M., 2002, *Interest and Prices*, Chapter 1: The return of monetary policy rules, Manuscript, Princeton University.

后 记

　　这本专著是在我的博士学位论文基础上修改完成的。注意到"货币政策规则"这一选题是在2003年读完卡尔·瓦什的《货币理论与政策》之时，导师范从来教授建议我在中国经济转型的背景下开展对货币政策规则的研究。正当我全身心阅读有关货币政策规则的外国文献之时，传来了在这一领域作出重要理论贡献的Kydland和Prescott荣获2004年度诺贝尔经济学奖的消息，令我深感这一选题的意义和挑战。在经历了一次次兴奋、迷茫、沮丧、焦虑的精神锤炼后，我终于完成了《转型期货币政策规则研究》这篇博士论文。

　　本书能够如期完成，首先要感谢我的导师范从来教授。从博士论文的选题、写作大纲的确定、实证研究的方法到论文初稿的修改，范老师都倾注了大量心血。记得十年前与范老师初识时，他就鼓励我报考南京大学经济学系的硕士研究生。尽管我不相信自己作为一名专科生能够跨进南京大学的校门，但范老师的鼓励还是给了我无限的憧憬和幻想。随后我用了一年时间通过了南京大学经济管理专业本科自学考试的全部课程，从此更是不敢有丝毫懈怠，继续准备考研。六年的卧薪尝胆，终于没有辜负范老师的期望，我有幸成为南京大学国民经济学专业硕士研究生，正式被范老师收录门下，此后我又获得了硕博连读的资格，继而成为范老师的博士研究生。在跟随恩师身边求学期间，恩师的言传身教使我受益匪浅，我也深深折服于恩师严谨的治学态度、宽厚的待人品质、渊博的学识和有口皆碑的为人风范。

南京大学经济学系是一个名师云集之地,在这里我有幸先后聆听了洪银兴教授、刘志彪教授、沈坤荣教授、裴平教授、张二震教授、顾江教授、刘东教授、梁东黎教授、高波教授、葛扬教授、郑江淮教授、于津平教授、姜宁副教授、耿修林副教授等老师的授课与教诲,他们严谨的治学态度、渊博的学识、敏锐的洞察力和高尚的品格都给我留下了深刻印象,是我今后人生道路上永远的精神食粮和榜样。需要特别感谢的是沈坤荣教授、梁东黎教授、葛扬教授,他们在我预答辩过程中对我的论文提出了非常中肯的修改意见。

在本书写作过程中,我始终得到了师兄管征博士、毛泽盛博士的精神支持和智力帮助,没有他们有益的讨论和建议,要想完成这篇博士论文是难以想像的。感谢杭祝洪、殷本杰、孟晓宏、张勇、张慕濒、方阳娥、杨凤春、吴洁、范存斌、沈伯平、索彦峰、徐筱雯等同门师兄弟(姐妹)的关心和帮助。感谢南京大学长江三角洲经济社会发展研究中心的其他博士同学的精神鼓励和思想交流,他们是路瑶博士、王成书博士、汪德华博士、张晔、赵鲁光、林海涛、吴福象、高传胜等。另外,还要特别感谢南京大学数量经济学专业硕士生丁唯的无私帮助。

衷心感谢南京审计学院蔡则祥教授、刘志友教授、王品正副教授、黄俊青副教授、许莉副教授、卢亚娟副教授长期以来对我的栽培和鼓励。感谢南京师范大学许崇正教授、蒋伏心教授、李宴墅教授、姚海明教授、傅康生教授、赵仁康教授、刘阳副教授等领导与同仁对我学习、工作的理解和支持。感谢中国社会科学院金融研究所彭兴韵博士、广东金融学院陆磊博士、中共中央政策研究室王兰军博士、中国社会科学院世界经济与政治研究所何帆博士、中国人民银行南京分行副行长魏革军博士对我论文修改提出的良好建议。感谢南京师范大学许崇正教授、河海大学许长新教授、南京大学沈坤荣教授、刘东教授、葛扬教授为我指明了今后进一步研究的方向。

感谢南京师范大学科技处和社会科学处为本人的研究工作专门提供了预研基金支持。本研究还得到了教育部人文社会科学研究项目

后 记

(06JC790023)和江苏省高校哲学社会科学基金项目（05SJB790024）的资助。

感谢我的父母和妻子对我生活的照顾，感谢我四岁的儿子卞钰晨给我带来的无限欢乐和动力。多年的求学生涯使我根本没有足够的精力去承担作为一个儿子、父亲和丈夫应尽的责任和义务，为此我深感惭愧。

这本书得以顺利出版，当然还要感谢人民出版社对本书出版的支持。特别是人民出版社经济编辑室的陈登编辑，他的努力工作让我深深体会到一位专业而负责的编辑对于一本著作的出版是何等的重要。

卞志村

2006 年 11 月 18 日